Afin de vous informer de toutes ses publications, **marabout** édite des catalogues régulièrement mis à jour. Vous pouvez les obtenir gracieusement auprès de votre libraire habituel.

Les illustrations de la page 15 et des leçons 4, 9, 10, 13, 19, 28, 30, 37, 41, 43, 50, 51 bis, 53, 54, 64, 65, 67 bis sont de Jean-Claude Salemi.

MARIA MERCEDES BLAZQUEZ
ANNE-CATHERINE GILTAIRE
HUGO MARQUANT

15 minutes par jour pour apprendre l'espagnol

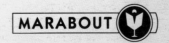

Sommaire

L'objectif de la méthode « Quinze minutes par jour pour apprendre l'espagnol » est essentiellement pratique.

Les textes espagnols, pour la plupart des dialogues, qui en font l'ossature, ont en commun leur spontanéité. Tous reproduisent des situations concrètes et reflètent la langue courante dans son aspect le plus actuel.

La présente méthode permettra donc à l'autodidacte d'acquérir les fondements phonétiques, grammaticaux et lexicologiques de l'espagnol et lui garantira, par là même, une solide connaissance (orale et écrite) d'une des langues les plus parlées du monde contemporain.

Mais il y a plus, nous avons voulu éveiller pour la langue espagnole une curiosité et un amour qui doivent pousser le lecteur arrivé au terme de ce livre à aller de l'avant en approfondissant son acquis. C'est peut-être là le vrai but de notre effort.

Comment utiliser ce guide

Comment procéder pour tirer le meilleur profit possible de cette méthode ?

Le premier pas est constitué par la lecture et l'étude de l'introduction phonétique. A ce propos, nous conseillons à chacun de faire un petit schéma qui, au moins dans une première période, le guidera dans la lecture des leçons.

Vous pourrez alors passer aux leçons proprement dites. L'étude de chaque leçon comprend les 7 étapes suivantes :

1. Lecture (à haute voix) du dialogue.
2. Etude du dialogue à partir de la traduction[1]
3. Etude de la grammaire
4. Etude du vocabulaire
5. Exercices (oraux et/ou écrits)
6. Contrôle des exercices
7. Révision de synthèse de la leçon : relecture du dialogue

Toutes les cinq leçons, nous avons prévu un test récapitulatif en relation directe avec les leçons précédentes. En maintes occasions nous avons en outre complété celui-ci par des « pasatiempos » (passe-temps) qui permettent de « revoir en s'amusant ». Les leçons 40 et 80 consistent en deux tests généraux.

En fin de méthode, nous avons ajouté un index grammatical ainsi qu'un double lexique (français/espagnol, espagnol/français) qui reprend la totalité du vocabulaire utilisé dans la méthode soit quelque 3.000 mots.

---

(1) La traduction des dialogues ayant pour but d'en faciliter la compréhension, nous avons choisi, chaque fois que les tournures françaises s'éloignaient trop des structures espagnoles, de faire figurer entre parenthèses la traduction littérale ou « mot à mot » de ces dernières.

La pronunciación

Tres letras originales
(Trois lettres originales)

CH comme le groupe français *tch* (*tch*èque) :
Chile, La Mancha, China

LL l « mouillé » comme dans les mots français fille,
travailler :
Castilla, Mallorca, Valladolid

Ñ comme le groupe français gn dans les mots
Espagne, Catalogne :
España, español, coñac

Algunos sonidos distintos
(Quelques sons différents)

AN Il n'existe pas de voyelle nasale en espagnol ;
une voyelle suivie de n ou m (an, en, on, in, un)
garde toujours sa prononciation habituelle com-
me dans les mots français : Anne, comme,
ennemi, etc :
*Pamplona, Inglaterra, San Sebastián, Ronda,
Valencia, importante.*

B et V Ces deux consonnes ont exactement la même
prononciation dans les mêmes circonstances :
plus ou moins comme le b français :
Valencia, Barcelona, Cuba
Attention ! Le v espagnol ne se prononce jamais
comme dans le français vache.

C Devant les voyelles e et i, le c espagnol se
prononce plus ou moins comme le TH anglais
(think) [θ] :
el Pacífico, el centro

cc dans le groupe cc, les deux c conservent leur
prononciation propre : K (ou G) + c ([θ]) : *acción,
lección*

D le d final se prononce à peine :
Madrid, Valladolid

E   n'est jamais muet comme dans le français l<u>e</u>, m<u>e</u>, etc. ; il se prononce entre é et è :
Chil<u>e</u>, caf<u>é</u>, d<u>e</u>

GN   le groupe GN espagnol se prononce comme dans le français <u>gn</u>ome :
di<u>gn</u>o, di<u>gn</u>idad

H   est purement orthographique, donc toujours muet :
<u>H</u>onduras, <u>h</u>abitante

j   la « jota ». Se prononce avec la gorge. Rappelle le R français, en plus dur, ou le CH néerlandais ou allemand de la<u>ch</u>en :
Mé<u>j</u>ico, <u>J</u>apón

NN   on prononce les deux NN séparément :
i<u>nn</u>ovación = IN-<u>N</u>OVACION

r et rr   le [r] et le [rr] espagnols ne sont jamai<u>s</u> prononcés de la gorge. Ils représentent toujours un son « roulé ».
Le **son redoublé** (plusieurs vibrations) se trouve soit entre deux voyelles (où il est représenté au moyen de la consonne inséparable RR) soit en position initiale (où il s'écrit tout simplement R) :
<u>R</u>oma, Ta<u>rr</u>agona = [rr]
Le **son simple** (une seule vibration) s'écrit toujours R :
Ba<u>r</u>celona, G<u>r</u>anada = [r]

S   se prononce toujours dur comme en français SS (possible)
Bra<u>s</u>il, ca<u>s</u>a

U   la voyelle U se prononce comme en français OU (t<u>ou</u>r) :
B<u>u</u>rgos, C<u>u</u>ba, <u>u</u>no

X   se prononce
1. devant consonne : comme S (dur, sourd)
E<u>x</u>tremadura, e<u>x</u>plicar
2. entre voyelles : comme KS (ou GS)
e<u>x</u>amen, ta<u>x</u>i

Y   peut être
1. consonne : *Bay<u>o</u>na* (comme en français : Bayeux)
2. semi-voyelle : *Rey* (comme en anglais : day)
3. voyelle : *<u>y</u>, mu<u>y</u>* (comme en français : l<u>i</u>t)

Un sistema de variaciones ortográficas
(Un système de variations orthographiques)

[K]* (comme en français : <u>c</u>ar) s'écrit
- /c/ devant a, o, u
<u>C</u>uba, <u>C</u>órdoba, <u>c</u>asa
- /qu/ devant e, i
<u>qu</u>into, Ante<u>qu</u>era

[θ] (plus ou moins comme le th anglais) s'écrit :
- /c/ devant e, i
Pa<u>c</u>ífico, <u>c</u>entro
- /z/ devant a, o, u
<u>Z</u>aragoza, Vene<u>z</u>uela

[G] (comme en français : <u>g</u>arçon) s'écrit
- /g/ devant a, o, u
<u>M</u>álaga, Burgos
- /gu/ devant e, i
<u>gu</u>itarra, Mi<u>gu</u>el, <u>gu</u>erra

[X] (son guttural : la « jota » : comme en allemand la<u>ch</u>en ou un peu comme le r français, mais plus dur) s'écrit :
- /j/ devant a, o, u
el Ta<u>j</u>o, ju<u>s</u>to, <u>j</u>ota
- /g, j/ devant e, i
<u>G</u>ijón, Mé<u>j</u>ico, Ar<u>g</u>entina, <u>G</u>ibraltar, <u>J</u>erez

[KW] s'écrit /cu/ devant a, e, i, o
<u>Cu</u>enca, E<u>cu</u>ador, <u>cu</u>idado

[GW] s'écrit
- /gu/ devant a, o
anti<u>gu</u>o, <u>gu</u>ardar
- /gü/ devant e, i
Si<u>gü</u>enza, lin<u>gü</u>ística

* Il s'agit ici de symboles phonétiques

Las modificaciones ortográficas
(Les modifications orthographiques)

Une consonne finale de radical doit toujours conserver la même valeur pour l'oreille. Dans certains cas, il faudra donc adapter son orthographe :

C → QU   devant E : *buscar - busqué - busquemos*
G → GU   devant E : *jugar - jugué - juguemos*
GU → GÜ devant E : *averiguar - averigüé - averigüemos*
Z → C   devant E : *cruzar - crucé - crucemos*
C → Z   devant A, O : *vencer - venzo - venza*
                      esparcir - esparzo - esparza
G → J   devant A, O : *coger - cojo - coja*
                      dirigir - dirijo - dirija
GU → G   devant A, O : *conseguir - consigo - consiga*
QU → C   devant A, O : *delinquir - delinco - delinca*

Son à l'infinitif	-car -quir	-gar -guir	-zar -cer -cir	-ger -gir	-guar
devant : a, o	c	g	z	j	gu
devant : e	qu	gu	c	g	gu

I → Y   entre deux voyelles : *caer - cayendo - cayó*
I tombe   entre I, CH, LL, Ñ et voyelle : *reír - riendo - rió*

Diptongos y triptongos
(Diphtongues et triphtongues)

■ **Une diphtongue** est une combinaison de 2 éléments vocaliques qui constituent une seule syllabe.

☐ L'élément de base (A, E, O) est une voyelle qui, en espagnol, garde toujours sa prononciation propre, claire et nette.
Cet élément de base peut être
— précédé d'une semi-consonne I ou U :

i, u + a, e, o

*Valenc**ia**, T**ie**rra del F**ue**go,
Asunc**ió**n, Ter**ue**l, averig**uo**.*
— suivi d'une semi-voyelle I ou U :

a, e, o + i (y), u

*Europa, Port B**ou**, Gaud**í**, Buenos A**i**res, ¡**Ay**!
r**ey**, r**ei**na*

☐ Quand les deux éléments vocaliques sont précisément I et U (ou U et I (Y)), le deuxième élément est toujours l'élément de base et donc voyelle :
*C**iu**dad Real, m**uy***

■ **Une triphtongue** est une combinaison de trois éléments vocaliques qui constituent une seule syllabe.
L'élément de base, qui est une voyelle, est précédé d'une semi-consonne et, en même temps, il est suivi d'une voyelle :

i, u + a, e, o + i (y), u

*Parag**uay**, averig**üéi**s*

El acento
(L'accent)

■ La règle générale

1. Les mots terminés par une voyelle ou par n ou s ont l'accent tonique sur l'avant-dernière syllabe :
España, Estados Unidos, Londres, Caracas, examen

2. Les mots terminés par une consonne autre que n ou s ont l'accent tonique sur la dernière syllabe :
Portugal, Madrid, Santander

Attention ! Pour l'accent graphique, Y est toujours considéré comme consonne : *Uruguay, Paraguay*

3. Les exceptions sont marquées par un accent écrit : l'accent aigu
Bélgica, París, Cádiz, Alcalá, Aragón

■ Attention !

1. Lorsqu'il y a rencontre de deux ou plusieurs voyelles :

□ Celles-ci constituent **une seule syllabe :** *diphtongue : voir règle générale*
   Buenos Aires, Francia, Valencia, Asunción, Galicia

□ Celles-ci constituent **deux syllabes :** hiatus et
— l'accent tonique appuie sur une voyelle faible (i, u) → l'accent est écrit
   Andalucía, País Vasco, Gran Vía

— l'accent n'appuie pas sur une voyelle faible → voir la *règle générale*
   Bidasoa, Montevideo, Bilbao

2. En règle générale, les monosyllabes ne portent pas d'accent écrit
   sol, pie, dios, fui, bien, pues

Attention !
L'accent écrit est parfois utilisé pour marquer la différence entre certains homonymes :

si : si (conjonction)	*sí :* soi (pron. pers.), oui (adv.)
de : de (préposition)	*dé :* subj. prés. du verbe *dar*
te : te (pron. pers.)	*té :* thé
se : se, soi, on	*sé :* je sais *(saber)* ; sois *(ser)*
mi : mon	*mí :* moi
cuando : quand	*¿cuándo? :* quand ?
...	...

80 leçons
pour apprendre l'espagnol

Encuentro — Presentación

Mario — ¿Quién eres?
Juan — Soy Juan. Soy español. Soy de Madrid. ¿Y tú?
Mario — Soy Mario. Soy italiano, de Roma.
Juan — ¿Qué eres?
Mario — Yo soy empleado. ¿Y tú?
Juan — Yo soy médico.
Mario — Y él, ¿quién es?
Juan — Es Ricardo. Es portugués.

Rencontre — Présentation

Marius — Qui es-tu ?
Jean — Je suis Jean. Je suis espagnol. Je suis de Madrid. Et toi ?
Marius — Je suis Marius. Je suis italien, de Rome.
Jean — Qu'est-ce que tu es ?
Marius — Moi, je suis employé. Et toi ?
Jean — Moi, je suis médecin.
Marius — Et lui, qui est-ce ?
Jean — C'est Richard. Il est portugais.

Vocabulaire

Des prénoms
Juan - Pedro - Antonio - Francisco - Javier - Pablo - Jesús - Ricardo - Mario - Felipe.

Des nationalités
español - francés - inglés - alemán - belga - ruso - americano - portugués - italiano - griego.

Des villes
Madrid - París - Londres - Berlín - Bruselas - Moscú - Nueva York - Lisboa - Roma - Atenas.

Des professions

médico	médecin
empleado	employé
arquitecto	architecte
abogado	avocat
obrero	ouvrier
ingeniero	ingénieur
programador	programmeur
profesor	professeur
camarero	serveur
pescador	pêcheur

Présent de l'indicatif du verbe SER (être) au singulier

(Yo) soy	*Je* suis
(Tú) eres	*Tu* es
(El, ella) es	*Il, elle* est

Attention ! Les pronoms personnels sujets ne sont généralement pas exprimés en espagnol :

Soy español = Je suis espagnol

Sauf dans un but d'*insistance* ou d'*opposition* :

Yo soy empleado. ¿Y tú? = Moi, je suis employé. Et toi ?

SER (être) (I)

Le verbe « être » se rend en espagnol par « ser » ou « estar ». « Ser » exprime :

— **Identité :** *Soy Pedro.* Je suis Pierre.
— **Nationalité :** *Soy español.* Je suis espagnol.
— **Origine :** *Soy de Madrid.* Je suis de Madrid.
— **Profession :** *Soy médico.* Je suis médecin.

Mots interrogatifs

*¿**Quién** eres?* Qui es-tu ?
*¿**Qué** eres?* Qu'est-ce que tu es ?

Exercices

1. Traduire

1. Je suis Pierre. Je suis de Bruxelles. Je suis belge. Je suis médecin. **2.** Je suis Antoine. Je suis de Londres. Je suis anglais. Je suis employé. **3.** Je suis Xavier. Je suis de Lisbonne. Je suis portugais. Je suis ingénieur. **4.** Je suis Jean. Je suis de Rome. Je suis italien. Je suis programmeur. **5.** Je suis François. Je suis de Paris. Je suis français. Je suis architecte.

2. Compléter avec le verbe SER

1. ¿Quién... (tú)? — (Yo)... Pedro. **2.** ¿Qué... (él)? — (El)... ingeniero. **3.** (Ella)... de Madrid. **4.** ¿... (tú) médico? **5.** ¿... (él) obrero?

3. Poser une question correcte sur ce qui est en italique

1. Soy *médico.* **2.** Soy *Pedro.* . Soy *abogado.* **4.** Soy *Pablo.* **5.** Soy *Juan.*

Llegada a la escuela

Profesor — ¿Quiénes sois?

Estudiantes — Somos el grupo de estudiantes de español. Y usted, ¿quién es?

Profesor — Soy Luis Pérez García. Soy profesor de español. Don Carlos es el director de la escuela y Doña María es la secretaria.

Estudiantes — ¿Son Uds. de Madrid?

Profesor — No, solamente yo. Ellos son de Zaragoza. Y vosotros, ¿de dónde sois?

Estudiantes — Nosotros somos de Bélgica ; somos belgas.

Arrivée à l'école

Professeur — Qui êtes-vous ?

Etudiants — Nous sommes le groupe d'étudiants d'espagnol. Et vous, qui êtes-vous ?

Professeur — Je suis Louis Pérez Garcia. Je suis professeur d'espagnol. Monsieur Charles est le directeur de l'école et Madame Marie est la secrétaire.

Etudiants — Vous êtes de Madrid ?

Professeur — Non, seulement moi. Eux, ils sont de Saragosse. Et vous, d'où êtes-vous ?

Etudiants — Nous, nous sommes de Belgique ; nous sommes belges.

Vocabulaire

el alumno : l'élève
el estudiante : l'étudiant
el maestro : l'instituteur
el profesor : le professeur
el catedrático : le professeur (d'université et de lycée)
el director : le directeur
la escuela : l'école
el colegio : le collège
el instituto : le lycée
la universidad : l'université
la clase : la classe, le cours

el curso : le cycle de cours, l'année scolaire
la lección : la leçon
el libro : le livre
el cuaderno : le cahier
la hoja : la feuille
el papel : le papier
el bolígrafo : le stylo à bille
el lápiz : le crayon
el rotulador : le marqueur
el encerado : le tableau
la tiza : la craie
la cartera : la serviette

Présent de l'indicatif du verbe SER (être) au pluriel

(Nosotros, nosotras) somos	Nous	(masc., fém.) sommes
(Vosotros, vosotras) sois	Vous	(masc., fém.) êtes
(Ellos, ellas) son	Ils, elles sont	

Article défini (singulier)

MASC.	FEM.
el grupo	*la* secretaria
le groupe	la secrétaire

Mots interrogatifs

¿Quiénes sois? Qui êtes-vous ? (pluriel de *¿quién?*)
¿De dónde sois? D'où êtes-vous ?

Le « vous » de politesse

Il se rend, suivant que l'on s'adresse à une ou plusieurs personnes, par :
Usted (U., Ud., Vd.)
Ustedes (Uds., Vds.)
et le verbe à la troisième personne.

Don et Doña

(formules utilisées surtout dans un contexte officiel) s'emploient uniquement devant le prénom.

Don Fernando	Monsieur Fernand
Doña Isabel	Madame Isabelle

Formation du pluriel (I)

Noms et adjectifs terminés par une voyelle : + S

belga	*belgas*
estudiante	*estudiantes*

Exercices

1. Traduire
1. Nous sommes belges. **2.** Vous êtes italiens. **3.** Qui êtes-vous ? **4.** Il est français. **5.** Ils sont de Saragosse. **6.** Vous êtes portugais (politesse, sing.). **7.** D'où êtes-vous ? (politesse, plur.). **8.** Qui es-tu ? **9.** Elles sont de Paris. **10.** D'où est-elle ?

2. Mettre au pluriel
1. italiano **2.** griego **3.** bolígrafo **4.** escuela **5.** alumno **6.** secretaria **7.** grupo **8.** cuaderno **9.** estudiante **10.** clase.

Una foto de vacaciones

Felipe — ¿Quién es la chica de la foto?
Carlos — Es María.
Felipe — ¿Dónde está?
Carlos — Está en Madrid, en la Puerta del Sol.
Felipe — ¿Quiénes están al lado de ella?
Carlos — Son los amigos madrileños de María.
Felipe — Y el perro ¿de quién es?
Carlos — Es de Javier
Felipe — ¿Y tú no estás en la foto ?
Carlos — Sí, estoy detrás del novio de María.
Felipe — ¿Estáis contentos del viaje ?
Carlos — Sí, estamos muy contentos de las vacaciones.

Une photo de vacances

Philippe — Qui est la fille de la photo ?
Charles — C'est Marie.
Philippe — Où est-elle ?
Charles — Elle est à Madrid, à la Puerta del Sol (la Porte du Soleil).
Philippe — Qui y a-t-il à côté d'elle ? (Qui sont à côté d'elle ?)
Charles — Ce sont les amis madrilènes de Marie.
Philippe — Et le chien, à qui est-il ?
Charles — Il est à Xavier.
Philippe — Et toi, tu n'es pas sur la photo ?
Charles — Si, je suis derrière le fiancé de Marie.
Philippe — Vous êtes contents du voyage ?
Charles — Oui, nous sommes très contents des vacances.

Vocabulaire : les prépositions

después de : après
antes de : avant
delante de : devant
detrás de : derrière
enfrente de : en face de
sobre : sur
alrededor de : autour de

al lado de : à côté de
debajo de : au dessous de
encima de : au-dessus de
dentro de : à l'intérieur de
lejos de : loin de
cerca de : près de

Présent de l'indicatif du verbe ESTAR (être)

(Yo) estoy
(Tú) estás
(El, ella, usted) está
(Nosotros, nosotras) estamos
(Vosotros, vosotras) estáis
(Ellos, ellas, ustedes) están

ESTAR (être) (I)

« Estar » exprime :
— Situation dans l'espace : *Estoy en Madrid.* Je suis à Madrid.
— Etat moral : *Estoy contento.* Je suis content.

SER (être) (II)

« Ser de » exprime :
— Possession : *El perro es de Javier.* Le chien est à Xavier.

Article défini *(singulier et pluriel)*

	Masc.	Fém.
Sing.	el	la
Plur.	los	las

Article contracté

*a + el = al → María está **al** lado de Javier.*
*de + el = del → El perro es **del** novio.*

Mot interrogatif

*¿**Dónde** estás?* Où es-tu ?

Exercices

1. Mettre au pluriel

1. Soy médico. **2.** Eres ruso. **3.** Es belga. **4.** ¿Es Ud. americano? **5.** La foto. **6.** El madrileño. **7.** El novio. **8.** La cartera. **9.** El bolígrafo. **10.** El maestro.

2. Compléter

a) avec l'article à la forme adéquate : **1.** Estoy detrás de... escuela. **2.** Estamos delante de... profesor. **3.** Estás a... lado de... novio de María. **4.** Estamos contentos de... viaje.

b) avec le verbe ESTAR : **5.** (Nosotros) ... contentos. **6.** ¿Y tú no ... en la foto? **7.** (Yo) ... en Madrid. **8.** (Ella) no ... al lado de Pedro. **9.** ¿Usted no ... contento? **10.** ¿Ustedes ... contentos de la foto?

| *En la playa*

Laura — ¡Hola!, ¿cómo estáis?
Ana — Muy bien, gracias. ¿Y tú?
Laura — Muy bien. ¡Qué sol!
Víctor — ¡Claro! Estamos en agosto.
Laura — Estáis muy morenos.
Ana — Es lógico ; con un sol radiante, el mar y una buena
   crema... todo es posible.
Laura — Y Ángela, ¿no está?
Víctor — No ; está enferma.
Laura — Y usted Señor Gutiérrez, ¿está a gusto en la playa?
D. Manuel — Sí. Estoy encantado. Un verano así es
   excepcional.

Sur la plage

Laure — Salut ! Comment allez-vous ?
Anne — Très bien, merci. Et toi ?
Laure — Très bien. Quel soleil !
Victor — Evidemment. Nous sommes en août.
Laure — Vous êtes bien bronzés (bruns).
Anne — C'est logique ; avec un soleil radieux, la mer et une bonne
   crème... tout est possible.
Laure — Et Angèle n'est pas là ?
Victor — Non, elle est malade.
Laure — Et vous, Monsieur Gutierrez, vous vous plaisez bien (vous
   êtes à l'aise) à la plage ?
Mr. Manuel — Oui. Je suis enchanté. Un tel été (un été ainsi) est
   exceptionnel.

Vocabulaire

Les jours de la semaine
el día : le jour
la semana : la semaine
lunes : lundi
martes : mardi
miércoles : mercredi
jueves : jeudi
viernes : vendredi
sábado : samedi
domingo : dimanche

Les mois de l'année
el mes : le mois
el año : l'année
enero : janvier
febrero : février
marzo : mars
abril : avril
mayo : mai
junio : juin
julio : juillet
agosto : août
septiembre : septembre
octubre : octobre
noviembre : novembre
diciembre : décembre

Les saisons
la estación : la saison
la primavera : le printemps
el verano : l'été

el otoño : l'automne
el invierno : l'hiver

ESTAR (être) (II)
« Estar » exprime aussi :
— Situation dans le temps :
   Estamos en agosto. Nous sommes en août.
— Etat physique :
   Laura está enferma. Laure est malade.

Mots interrogatifs et exclamatifs
   ¿Cómo estáis? Comment allez-vous ?
   ¡Qué sol! Quel soleil !

Article indéfini

	Masc.	Fém.
Sing.	*un sol radiante* un soleil radieux	*una buena crema* une bonne crème
Plur.	Attention ! L'article indéfini, au pluriel, est *généralement* absent. *libros* des livres	*fotos* des photos

---

Formation du féminin (I)

Masc.	Fém.
– 0	– A
enferm**o**	enferm**a**

Exercices

1. Compléter avec le verbe SER ou ESTAR
1. ¿Cómo ... (tú)? **2.** (Yo) ... enfermo. **3.** ¡ ... lógico! **4.** (Tú) no ... contento. **5.** (Tú) no ... a gusto en la playa. **6.** (Yo) ... francés. **7.** ¿Dónde ... la escuela? **8.** ¿Quién ... el profesor? **9.** (Tú) ... de Madrid? **10.** (Nosotros) ... en agosto.

2. Mettre au féminin
1. Estoy contento. **2.** Estoy enfermo. **3.** Soy italiano. **4.** Soy americano. **5.** Soy griego.

Recapitulación

Pasatiempos - Passe-temps

Complétez avec les noms des jours, des mois et des saisons. Vous obtiendrez le nom d'un des plats les plus populaires de la cuisine espagnole.

Il s'agit d'une sorte de pot-au-feu composé de pois chiches, de pommes de terre, de viande de bœuf, de « chorizo » (saucisson au piment), de boudin, de volaille et de condiments.

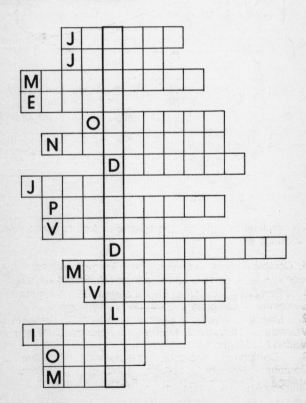

Mapa de España : carte d'Espagne

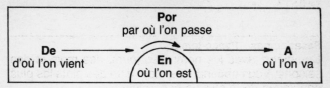

Por
par où l'on passe

De
d'où l'on vient

En
où l'on est

A
où l'on va

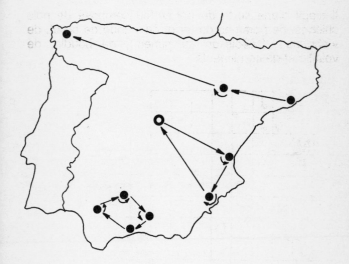

I. Compléter la carte de l'Espagne avec les noms des villes indiquées ●.

II. Compléter l'exercice en utilisant les prépositions « a », « en », « de », « por », en fonction des itinéraires fléchés.
1. ... Barcelona / ... Barcelona ... Zaragoza / ... Zaragoza / ... Barcelona ... Zaragoza ... Santiago / ... Santiago.
2. ... Madrid / ... Madrid ... Valencia / ... Valencia / ... Madrid ... Valencia ... Murcia / ... Murcia / ... Valencia ... Murcia ... Madrid / ... Madrid.
3. ... Córdoba / ... Córdoba ... Granada / ... Granada / ... Córdoba ... Granada ... Málaga / ... Málaga / ... Granada ... Málaga ... Sevilla / ... Sevilla / ... Sevilla ... Córdoba.

De excursión

El padre — Mañana vamos de excursión.
Los hijos — ¿Adónde vamos? ¿Vamos en coche?
El padre — ¡Claro! Vamos a la Sierra de Gredos*
La madre — Ahora, yo voy a preparar los bocadillos. ¿Tú vas a coger gasolina mientras tanto?
El padre — Sí. Es preferible preparar todo hoy. Marta va a meter en las bolsas los trajes de baño y las toallas.
La madre — Niños**, vosotros, ¿qué vais a llevar?
Los hijos — Vamos a llevar la pelota.
El padre — Bueno. Todo está organizado. ¡Hasta luego, entonces!

En excursion

Le père — Demain nous allons en excursion.
Les enfants — Où allons-nous ? Nous allons en voiture ?
Le père — Evidemment ! Nous allons à la Sierra de Gredos.
La mère — Maintenant, je vais préparer les sandwichs. Tu vas prendre de l'essence entre-temps ?
Le père — Oui. Il est préférable de tout préparer aujourd'hui. Marthe va mettre les maillots de bain et les serviettes de toilette dans les sacs.
La mère — (Et) vous, les enfants. Qu'est-ce que vous allez emporter ?
Les enfants — Nous allons emporter la balle.
Le père — Bon. Tout est organisé. Alors, à tout à l'heure.

* *Sierra de Gredos :* sierra (chaîne de montagnes) située au nord d'Avila (Vieille-Castille)
** *Niños :* en espagnol, le vocatif ne prend jamais l'article. ¡Señor! ¡Monsieur!

Vocabulaire

la familia : la famille	**el tío :** l'oncle
el abuelo : le grand-père	**la tía :** la tante
la abuela : la grand-mère	**los tíos :** les oncles et tantes
los abuelos : les grands-parents	**el sobrino :** le neveu
el padre : le père	**la sobrina :** la nièce
la madre : la mère	**los sobrinos :** les neveux et nièces
los padres : les parents	**el primo :** le cousin
el hijo : le fils	**la prima :** la cousine
la hija : la fille	**los primos :** les cousins
los hijos : les enfants	**el suegro :** le beau-père
el nieto : le petit-fils	**la suegra :** la belle-mère
la nieta : la petite-fille	**los suegros :** les beaux-parents
los nietos : les petits-enfants	**el cuñado :** le beau-frère
el hermano : le frère	**la cuñada :** la belle-sœur
la hermana : la sœur	**el yerno :** le gendre, le beau-fils
los hermanos : les frères et sœurs	**la nuera :** la belle-fille, la bru

Présent de l'indicatif du verbe IR (aller)

Voy	Vamos
Vas	Vais
Va	Van

Ir + préposition

Ir *en* coche. Aller en voiture.
Ir *de* excursión. Aller en excursion.
Ir *a* la Sierra de Gredos. Aller à la Sierra de Gredos.

Ir + a + infinitif = futur proche

Vamos a ver. Nous allons voir, nous verrons.

Mots interrogatifs

¿Adónde vamos? Où allons-nous ? (direction)
Rappel : ¿Dónde estás? Où es-tu ? (situation)
¿Qué vas a llevar? Qu'est-ce que tu vas emporter ?

SER (être) (III)

On emploie « ser » dans les expressions impersonnelles :
Es preferible preparar todo hoy. Il est préférable de tout préparer aujourd'hui.
Es lógico. C'est logique (voir leçon 4).

Exercices

1. Compléter avec la préposition adéquate

1. Francisco va ... la Sierra de Gredos ... coche. **2.** Mañana vamos ... excursión. **3.** El domingo vamos ... viaje. **4.** ¿... vas? **5.** Vamos ... ver. **6.** Vamos ... meter las toallas ... las bolsas. **7.** ¿Vas ... ir ... la Biblioteca Nacional?

2. Compléter les phrases à partir de l'arbre généalogique suivant :

```
        Juan x Isabel                    Rita x Javier
   Inés x Francisco  Fernando  María x Ricardo  Carmen
  Pedro   Cristina              Laura    Jesús
```

1. Juan es ... de Pedro. **2.** Cristina es ... de Isabel. **3.** Francisco es ... de Juan. **4.** Isabel es ... de Francisco. **5.** Francisco y Fernando son ... **6.** Pedro es ... de Fernando. **7.** María es ... de Cristina. **8.** Pedro es ... de Laura. **9.** Jesús es ... de Cristina. **10.** Rita es ... de María. **11.** Juan es ... de Ricardo. **12.** María es ... de Javier. **13.** Ricardo es ... de Juan.

En un bar

Federico — ¡Qué calor! ¿Entramos?

Cristina — Sí, es una buena idea para descansar.

Federico — ¿Qué tomamos? Yo tomo una bebida fresca. Cerveza, por ejemplo. Y tú, ¿qué tomas?

Cristina — Yo un vermut.

Federico — Y vosotros, ¿tomáis vino o cerveza?

Ramón — Yo un vino blanco y aceitunas rellenas.

Luis — Y yo un jerez.

Federico — Hoy invito yo, así que yo pago. Mañana, otro, ¿de acuerdo?

Ramón — Sí, sí, de acuerdo.

Dans un bar

Frédéric — Quelle chaleur ! Nous entrons ?

Christine — Oui, c'est une bonne idée pour se reposer.

Frédéric — Qu'est-ce que nous prenons ? Moi, je prends une boisson fraîche. De la bière, par exemple. Et toi, qu'est-ce que tu prends ?

Christine — Moi, un vermouth.

Frédéric — Et vous, vous prenez du vin ou de la bière ?

Raymond — Moi, un vin blanc et des olives farcies.

Louis — Et moi un xérès.

Frédéric — Aujourd'hui c'est moi qui invite, donc c'est moi qui paie. Demain, un autre, d'accord ?

Raymond — Oui, oui, d'accord.

Vocabulaire

el café : le café
la leche : le lait
el té : le thé
la cerveza : la bière
el vino blanco : le vin blanc
el vino tinto : le vin rouge
el clarete : le rosé
el mosto : le moût
el zumo (de limón, de naranja, de tomate,...) : le jus (de citron, d'orange, de tomate,...)
la gaseosa : la limonade
el alcohol : l'alcool
la cafetería : la cafétéria, le bar
la tasca : le bistrot

las tapas : sortes d'amuse-gueule
la sidra : le cidre
el champán : le champagne
el ron : le rhum
el coñac : le cognac
la limonada : la citronnade
la naranjada : l'orangeade
la horchata : boisson à base d'amandes ou d'autres fruits semblables
el agua : l'eau
el agua mineral (con gas, sin gas) : l'eau minérale (gazeuse, non gazeuse)

Remarque : *el agua :* on emploie *el* au lieu de *la* devant un nom féminin commençant par *a (ha)* tonique.

Présent de l'indicatif des verbes réguliers en -AR

Exemple : entrar

	Radical	+ terminaison
entro	**entr-**	-o
entras	**entr-**	-as
entra	**entr-**	-a
entramos	entr-	**-amos**
entráis	entr-	**-áis**
entran	**entr-**	-an

La syllabe accentuée est en gras.

Les nombres de un à trente

uno (un, una)	1	once	11	veintiuno	21
dos	2	doce	12	veintidós	22
tres	3	trece	13	veintitrés	23
cuatro	4	catorce	14	veinticuatro	24
cinco	5	quince	15	veinticinco	25
seis	6	dieciséis	16	veintiséis	26
siete	7	diecisiete	17	veintisiete	27
ocho	8	dieciocho	18	veintiocho	28
nueve	9	diecinueve	19	veintinueve	29
diez	10	veinte	20	treinta	30

Remarque : uno/veintiuno - una/veintiuna - un/veintiún

En position *finale*

> *Es el número **uno**.* C'est le nombre 1.
> *Es el número **veintiuno**.* C'est le nombre 21.

Devant un substantif masculin

> ***Un** libro.* Un livre.
> ***Veintiún** libros.* Vingt et un livres.

Devant un substantif féminin

> ***Una** mesa.* Une table.
> ***Veintiuna** mesas.* Vingt et une tables.

Tous les autres nombres sont invariables.

Otro

Devant *otro*, l'article indéfini est omis en espagnol :

> ***Otro** libro.* Un autre livre.

Exercices

1. Traduire et écrire en toutes lettres
18 photos. 21 olives. 7 livres. 30 enfants. 25 élèves. 14 cafés. 2 bières. 1 vin blanc. 11 feuilles. 1 leçon.

2. Compléter avec le verbe à la forme adéquate
1. ¿Vosotros (tomar) ... vino blanco o vino tinto ? **2.** Hoy (pagar) ... tú. **3.** Nosotros (tomar) ... un café con leche. **4.** Hoy (invitar) ... usted. **5.** Pedro y Jesús (entrar) ... en el bar.

En el restaurante

Camarero — ¿Qué van a tomar los señores?

El Sr. Rodríguez — Una paella.

Camarero — ¿Todos van a comer paella?

La Sra. de Rodríguez — Yo sí, desde luego. Yo como paella y la niña creo que también. ¿Comes paella, Beatriz?

Beatriz — Sí, mamá.

Camarero — Entonces los tres comen lo mismo. ¿Y de beber? ¿Qué beben ustedes?

El Sr. Rodríguez — ¿Qué bebemos? ¿Vosotras bebéis vino tinto?

La Sra. de Rodríguez — Sí, vino tinto con gaseosa.

Beatriz — Yo solamente bebo gaseosa.

Camarero — ¿Toman postre?

La Sra. de Rodríguez — Sí, fruta : melocotones, peras,...

Camarero — Tenemos unos melones muy buenos.

El Sr. Rodríguez — ¡Ah! Melón también y dos cafés.

Au restaurant

Serveur — Que vont prendre ces messieurs dames ?

M. Rodriguez — Une paella.

Serveur — Tout le monde va manger de la paella ?

Mme Rodriguez — Moi, oui, bien sûr. Je mange de la paella et je crois que la petite aussi. Tu manges de la paella, Béatrice ?

Béatrice — Oui, maman.

Serveur — Alors, vous mangez la même chose tous les trois (les trois mangent la même chose). Et à boire ? Qu'est-ce que vous buvez ?

M. Rodriguez — Qu'est-ce que nous buvons ? Vous, vous buvez du vin rouge ?

Mme Rodriguez — Oui, du vin rouge avec de la limonade.

Béatrice — Moi, je bois seulement de la limonade.

Serveur — Vous prenez un dessert ?

Mme Rodriguez — Oui, des fruits : des pêches, des poires,...

Serveur — Nous avons de très bons melons.

M. Rodriguez — Ah ! Du melon aussi et deux cafés.

Vocabulaire

el autoservicio : le self-service
el desayuno : le petit déjeuner
la comida : le déjeuner
la merienda : le goûter
la cena : le dîner
el plato del día : le plat du jour
el plato : l'assiette
el cuchillo : le couteau
el vaso : le verre
el pan : le pain

la sal : le sel
la pimienta : le poivre
las vinagreras : l'huilier
el aceite : l'huile
el vinagre : le vinaigre
el cubierto : le couvert
la servilleta : la serviette
la cuchara : la cuillère
el tenedor : la fourchette

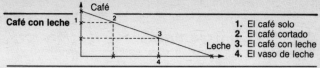

	1. El café solo
	2. El café cortado
	3. El café con leche
	4. El vaso de leche

Présent de l'indicatif des verbes réguliers en -ER

Exemple comer

	Radical	+ terminaison
como	com-	-o
comes	com-	-es
come	com-	-e
comemos	com-	-emos
coméis	com-	-éis
comen	com-	-en

Formation du pluriel (II)

Noms et adjectifs terminés par une consonne : + ES

señor	señor<u>es</u>
español	español<u>es</u>

Attention ! Remarque orthographique :

melón - melones / melocotón - melocotones / alemán - alemanes

Señor / Señora / Señores

Monsieur et Madame Rodriguez

	Los señores de Rodríguez
Monsieur Rodriguez	*El señor Rodríguez*
Madame Rodriguez	*La señora de Rodríguez*

L'article indéfini pluriel

Attention ! L'article indéfini pluriel généralement absent (voir leçon 4) peut être valoratif.

*Tenemos **unos** melones muy buenos.* Nous avons *de très bons* melons.

Igual

En espagnol, *igual* peut être adjectif ou adverbe.

Adj.	Adv.
*Dos libros **iguales**.*	*Comemos **igual**.*
Deux livres identiques.	Nous mangeons la même chose.

Exercices

1. Mettre au pluriel : el señor, un café, usted, un plato, el padre, la excursión, la pelota, una bolsa, un bolígrafo, el profesor, el papel, el pan, un melón, el postre, el director.

2. Traduire : 1. Je mange la même chose. 2. Tu bois du vin rouge. 3. Vous croyez ? 4. Monsieur et Madame Alonso mangent au restaurant. 5. Qu'est-ce que nous buvons ?

Entre amigas

Ana — ¿Qué haces?

María — Escribo una carta a una amiga francesa.

Ana — ¿No sales esta tarde? Si escribes después, ¿no es igual?

María — Sí. Voy a salir y después escribo.

Ana — ¿Vamos a pasear por el parque? Hace una tarde maravillosa. No hace demasiado calor.

María — Sí, salimos ahora y luego, mientras escribo, escuchamos un disco. Antes de cenar, hablamos y comentamos la película de ayer.

Ana — Está bien. El plan es estupendo.

Entre amies

Anne — Qu'est-ce que tu fais ?

Marie — J'écris une lettre à une amie française.

Anne — Tu ne sors pas cet après-midi ? Si tu écris après, ce n'est pas la même chose ?

Marie — Si. Je vais sortir et après j'écrirai (j'écris).

Anne — Nous allons promener dans le parc ? Il fait un après-midi merveilleux. Il ne fait pas trop chaud.

Marie — Nous sortons maintenant et après, pendant que j'écris, nous écoutons un disque. Avant de dîner, nous parlons et nous commentons le film d'hier.

Anne — C'est bien. Le programme est formidable.

Vocabulaire

la carta : la lettre

la tarjeta (postal, de visita) : la carte (postale, de visite)

el sello : le timbre

el sobre : l'enveloppe

la fecha : la date

la firma : la signature

el apartado : la boîte postale

el buzón : la boîte aux lettres

Correos : la Poste

la dirección : l'adresse

las señas : l'adresse

la noticia : la nouvelle

certificado : recommandé

el correo (aéreo) : le courrier (par avion)

el remitente : l'expéditeur

el destinatario : les destinataire

urgente : express

echar : poster

vivir : habiter

recibir : recevoir

mandar : envoyer

abrir : ouvrir

escribir a mano : écrire à la main

escribir a máquina : écrire à la machine

leer : lire

trabajar : travailler

pegar : coller

Présent de l'indicatif des verbes réguliers en -IR

Exemple : escribir

	Radical	+ terminaison
escribo	escrib-	-o
escribes	escrib-	-es
escribe	escrib-	-e
escribimos	escrib-	-imos
escribís	escrib-	-ís
escriben	escrib-	-en

Formation du féminin (II)

Masc.	Fém.
-consonne	+A
seño<u>r</u>	seño<u>ra</u>
españo<u>l</u>	españo<u>la</u>

Attention : remarque orthographique : francés / francesa

Deux verbes irréguliers : HACER (faire) et SALIR (sortir, partir)

Présent de l'indicatif

hago	**salgo**
haces	sales
hace	sale
hacemos	salimos
hacéis	salís
hacen	salen

SER (être) (IV)

« SER » exprime des caractéristiques, des qualités (physiques ou morales) :

El plan es estupendo. Le programme est formidable.
María es buena. Marie est bonne.

ESTAR (être) (II)

On emploie toujours « estar » avec les adverbes « bien » et « mal » :

Está bien. C'est bien.

Exercices

1. Mettre au féminin
portugués, francés, señor, niño, nieto, español, inglés, alemán, sobrino, yerno.

2. Traduire
1. J'écris une lettre à une amie portugaise. **2.** Tu sors cet après-midi ? **3.** Nous partons demain. **4.** Elle écrit maintenant. **5.** Vous sortez ? **6.** Que faites-vous, Monsieur ? **7.** Que fait l'architecte ? **8.** J'écris à un ami belge. **9.** Je fais une photo de la mer. **10.** A qui écris-tu ?

¿Qué hora es?

¿Qué hora es?	Quelle heure est-il ?
Es la una	Il est une heure
Son las dos	Il est deux heures
Son las dos de la tarde	Il est deux heures (de l'après-midi)
Son las seis de la tarde	Il est six heures (du soir)
Son las cinco en punto	Il est cinq heures précises
Es la una y cuarto	Il est une heure et quart
Son las tres y cuarto	Il est trois heures et quart
Son las dos y media	Il est deux heures et demie
Es la una y media	Il est une heure et demie
Es la una y diez	Il est une heure dix
Son las siete y veinticinco	Il est sept heures vingt-cinq
Son las cuatro menos cuarto	Il est quatre heures moins le quart
Son las seis menos cinco	Il est six heures moins cinq
Son las doce	Il est midi
Son las doce de la noche	Il est minuit

Vocabulaire

la hora : l'heure
el reloj : l'horloge
el reloj de pulsera : la montre
el despertador : le réveil
estar adelantado : avancer
estar atrasado : retarder
estar parado : être arrêté
dar cuerda a : remonter
es hora de : il est l'heure de
llegar a la hora : arriver à l'heure

Pasado Passé		Presente Présent		Futuro Futur	
ayer	hier	*hoy*	aujourd'hui	*mañana*	demain
antes	avant	*ahora*	maintenant	*después*	après

Exercices

1. ¿Qué hora es ?

2. Mettre les verbes entre parenthèses à la forme correcte

a) 1. Mercedes (escribir) ... a mano. **2.** Nosotros (trabajar) ... en Correos. **3.** Los señores de Gómez (abrir) ... la carta. **4.** ¿Tú no (creer) ...? **5.** Yo no (vivir) ... en Bruselas. **6.** ¿Vosotros no (tomar) ... café?

b) 1. Pedro (hablar) ... bien. **2.** Nosotros (salir) ... mañana. **3.** Los señores de Alonso (entrar) ... en el restaurante. **4.** ¿Tú (tomar) ... té? **5.** Yo (beber) ... leche. **6.** Vosotros (recibir) ... correo.

c) 1. Juan (comer) ... en el autoservicio. **2.** Nosotros (beber) ... cerveza. **3.** Los señores de Iglesias (hacer) ... paella. **4.** ¿Tú no (escribir) ...? **5.** Sí, (yo) (escribir) ... una tarjeta. **6.** (Vosotros) (beber) ... solamente vino blanco.

En el hotel

Sr. López — ¿Tienen habitaciones libres?

Gerente — Sí, tenemos tres o cuatro.

Sr. López — Necesitamos dos. Una de matrimonio y otra para el chico.

Gerente — Hay una habitación doble en el primero. En el segundo hay una sencilla. Las dos habitaciones tienen baño.

Sra. de López — ¿Adónde dan las habitaciones?

Gerente — Las dos dan a un patio interior. No tienen ruido. Tengo otra que da a la calle.

Hijo — Papá, tenéis una habitación muy bonita.

Sra. de López — Y tú tienes una muy alegre.

A l'hôtel

M. Lopez — Vous avez des chambres libres ?

Gérant — Oui, nous (en) avons trois ou quatre.

M. Lopez — Nous avons besoin de deux. Une double (de couple) et une autre pour le garçon.

Gérant — Il y a une chambre double au premier. Au deuxième, il y en a une simple. Les deux chambres ont une salle de bains.

Mme Lopez — Où donnent les chambres ?

Gérant — Elles donnent toutes les deux (les deux donnent) sur une cour intérieure. Elles sont calmes. (Elles n'ont pas de bruit). J'(en) ai une autre qui donne sur la rue.

Le fils — Papa, vous avez une chambre très jolie.

Mme Lopez — Et toi, tu (en) as une très gaie.

Vocabulaire

el/la turista : le/la touriste

el viajero : le voyageur

el/la recepcionista : le/la receptionniste

el botones : le groom

la pensión : la pension

el parador : le parador (hôtel de l'état)

el albergue : l'auberge

el aparthotel : l'aparthôtel (hôtel avec appartements)

el cuarto : la chambre

la habitación : la chambre

la recepción : la réception

la llave : la clef

el ascensor : l'ascenseur

la reserva : la réservation

el pasaporte : le passeport

el carnet (de identidad) **:** la carte d'identité

viajar : voyager

reservar : réserver

cancelar : annuler

dar una señal : donner un acompte

rellenar un impreso : remplir un document

subir : monter

bajar : descendre

esperar : attendre, espérer

« AVOIR » se traduit par « TENER » ou « HABER »

« *Tener* » est *transitif* et exprime la possession (au propre ou au figuré).

>*Tengo una habitación doble.* J'ai une chambre double.

« *Haber* », comme nous le verrons plus loin, est *auxiliaire* et sert à former les temps composés, ou il est *impersonnel* et correspond au français « il y a ». Dans ce dernier cas cependant, il prend, au présent de l'indicatif, la forme « hay » (au lieu de « ha »).

>*¿Hay habitaciones?* Il y a des chambres ?
>*Sí, hay una.* Oui, il y en a une.

Présent de l'indicatif du verbe « tener »	Présent de l'indicatif du verbe « haber »
tengo	he
tienes	has
tiene	ha
tenemos	hemos
tenéis	habéis
tienen	han

Les nombres à partir de 30

treinta y uno	cuarenta	doscientos	mil
treinta y dos	cincuenta	trescientos	dos mil
treinta y tres	sesenta	cuatrocientos	cien mil
treinta y cuatro	setenta	quinientos	doscientos mil
treinta y cinco	ochenta	seiscientos	un millón
treinta y seis	noventa	setecientos	dos millones
treinta y siete	ciento (cien)	ochocientos	mil millones
treinta y ocho		novecientos	
treinta y nueve			

Attention !

Ciento devient *cien* devant un nom et devant mil
>*Cien libros.* Cent livres.
>*Cien mil libros.* Cent mille livres.

Uno, veintiuno, treinta y uno, etc. perdent le -o final devant un nom masculin.
>*Un libro.* Un livre.
>*Veintiún libros.* Vingt et un livres.
>*Treinta y un libros.* Trente et un livres.

Doscientos, trescientos, ... novecientos ont une forme féminine.
>*Trescientas habitaciones.* Trois cents chambres.
>*Trescientas mil habitaciones.* Trois cent mille chambres.

La conjonction « *y* » n'apparaît qu'entre les dizaines et les unités.
>*Treinta **y** seis* (36)   mais   *Ciento cinco* (105)
>*Noventa **y** ocho* (98)   *Tres mil ochocientos* (3.800)

Pour le numérotage à partir de 10, on préfère les cardinaux aux ordinaux.
>*Lección once.* Onzième leçon.

Millón est toujours accompagné de la préposition « de ».
>*Un millón de libros.* Un million de livres.

Article partitif

En espagnol, on n'exprime généralement pas l'article partitif (*des, en, y*)

>*¿Tienen habitaciones libres? Sí, tenemos.* Vous avez <u>des</u> chambres libres ? Oui nous *en* avons.

Vamos al supermercado

La madre — Tengo que ir de compras porque no tenemos nada en casa. Voy a ir al supermercado.

La hija — Mamá, tienes que comprar caramelos y galletas.

La madre — Sí, también tenemos que comprar mantequilla, mermelada y queso.

La hija — Papá necesita pilas para el transistor.

La madre — Entonces, hay que comprar pilas también.

El padre — ¿Tenéis que traer otras cosas?

La madre — No.

El padre — Entonces, no voy con vosotras, vais solas.

Nous allons au supermarché

La mère — Je dois aller faire des courses parce que nous n'avons rien à la maison. Je vais aller au supermarché.

La fille — Maman, tu dois acheter des bonbons et des biscuits.

La mère — Oui, nous devons également acheter du beurre, de la confiture et du fromage.

La fille — Papa a besoin de piles pour le transistor.

La mère — Alors, il faut aussi acheter des piles.

Le père — Vous devez rapporter autre chose (d'autres choses) ?

La mère — Non.

Le père — Alors, je ne vais pas avec vous, vous (y) allez seules.

Vocabulaire

la tienda : le magasin
el almacén : le grand magasin
el escaparate : l'étalage
el cliente : le client
el dependiente : le vendeur
el vendedor : le vendeur
la caja : la caisse
la etiqueta : l'étiquette
el letrero : l'enseigne
la sección : le rayon
pagar : payer
comprar : acheter

vender : vendre
el precio de venta : le prix de vente
P.V.P. (Precio de Venta al Público) : Prix de Vente au Public
la cuenta : l'addition
la factura : la facture
el dinero : l'argent
tener cambio : avoir de la monnaie
dar la vuelta : rendre la monnaie
caro : cher
barato : bon marché

Un verbe irrégulier : DAR (donner)

doy	damos
das	dais
da	dan

L'obligation

Impersonnelle (sans sujet exprimé) : **hay que + infinitif**
> *Hay que comprar pilas.* Il faut acheter des piles.

Personnelle (avec sujet connu : « nous devons, il faut que nous... ») : **tener + que + infinitif**
> *Tenemos que comprar mantequilla.* Nous devons acheter / Il faut que nous achetions du beurre.
> *Tengo que estudiar.* Je dois étudier / Il faut que j'étudie.

La négation

La négation simple « no » précède le verbe :
> *No trabaja.* Il ne travaille pas.

Les mots négatifs (nada,...), s'ils sont placés après le verbe exigent la présence du « no » devant le verbe :
> *No tenemos nada.* Nous n'avons rien.

Chez..., à la maison se traduisent, suivant le cas par :
— **a casa (de)**
> *Vamos a casa.* Nous allons à la maison.
> *Vamos a casa del señor Alonso.* Nous allons chez M. Alonso.

— **en casa (de)**
> *Estamos en casa.* Nous sommes à la maison.
> *Estamos en casa del señor Alonso.* Nous sommes chez M. Alonso.

— **de casa (de)**
> *Salimos de casa.* Nous sortons de la maison.
> *Salimos de casa del señor Alonso.* Nous sortons de chez M. Alonso.

Exercices

1. Ecrire en toutes lettres
20 lecciones, 101 libros, 1.000 estudiantes, 81 personas, 100 habitaciones, 420 hoteles, lección 25, 340.000 hojas, 21 alumnos, 65 profesores.

2. Traduire
1. Tu as trois livres ? — Non, j'en ai deux. 2. Avez-vous des chambres ? — J'en ai trois : une simple, une double et une autre pour un garçon. 3. As-tu des élèves ? — J'en ai. Il y en a deux à l'hôtel.

3. Répondre négativement
1. ¿Vas a tomar vino? 2. ¿Viven en Bélgica? 3. ¿Hay turistas en agosto? 4. ¿Trabajáis los domingos? 5. ¿Comen Uds. en casa? 6. ¿Está Pedro en Madrid? 7. ¿Tomamos un vaso? 8. ¿Es usted español? 9. ¿Tienes la llave? 10. ¿Estás contento?

4. Transformer en obligation (personnelle et impersonnelle) selon le modèle : Descansamos - Tenemos que descansar / Hay que descansar
1. Trabajáis. 2. Estudian. 3. Sales. 4. Escribo. 5. Paga.

Estamos trabajando

El hermano — ¿Qué estáis haciendo?

La hermana — Estoy ordenando el cuarto.

El hermano — ¡Qué trabajadora!

La hermana — Mamá está preparando la comida y papá está limpiando el coche en el garaje. Y tú, ¿qué estás haciendo?

El hermano — Estoy escribiendo unas tarjetas a unos amigos. ¿Dónde está Pepe*?

La hermana — Está jugando al fútbol. Como ves, todos estamos haciendo algo.

Au travail (Nous sommes en train de travailler)

Le frère — Qu'est-ce que vous êtes en train de faire ?

La sœur — Je suis en train de mettre de l'ordre dans ma (la) chambre.

Le frère — Quelle travailleuse !

La sœur — Maman est en train de préparer le déjeuner et papa est en train de nettoyer la voiture au garage. Et toi, qu'est-ce que tu es en train de faire ?

Le frère — Je suis en train d'écrire des cartes à des amis. Où est Pépé ?

La sœur — Il est en train de jouer au football. Comme tu vois, nous sommes tous en train de faire quelque chose.

*__Pepe__ : nom familier de *José.*

Vocabulaire

el deporte : le sport
el fútbol : le football
el estadio : le stade
el jugador : le joueur
el equipo : l'équipe
el deportista : le sportif
el campo de fútbol : le terrain de football
la natación : la natation
el baloncesto : le basket-ball
los juegos olímpicos : les jeux olympiques
el tenis : le tennis

el esquí : le ski
el balonvolea : le volley-ball
el balonmano : le hand-ball
el partido : le match
lavar la ropa : faire la lessive
limpiar el polvo : prendre les poussières
pasar la aspiradora : passer l'aspirateur
barrer : balayer
planchar : repasser
coser : coudre

Formation du gérondif (1)

Le gérondif se construit à partir du radical de l'infinitif :

trabaj-**ar**	hac-**er**	escrib-**ir**
trabaj-**ando**	hac-**iendo**	escrib-**iendo**

Emploi du gérondif (I)

En combinaison avec l'auxiliaire « estar », le gérondif exprime l'action en cours :

> *Estamos trabajando.* Nous sommes en train de travailler.

Attention ! Le gérondif est *invariable* :

> *Las niñas están cantando.* Les filles sont en train de chanter.

Les pronoms indéfinis (I)

Algo (invariable). Quelque chose.

Unos, unas (II)

Le pluriel de l'article indéfini est d'un emploi restreint :

— **des** (groupe déterminé, parfois avec valeur pondérative)
> *En Barcelona hay unas tiendas muy buenas.* A Barcelone, il y a de bons magasins.

— **quelques** (quantité indéterminée)
> *Estamos escribiendo unas tarjetas.* Nous sommes en train d'écrire quelques cartes.

Présent de l'indicatif du verbe VER (VOIR)

veo
ves
ve
vemos
veis
ven

Exercices

1. Exprimer l'action en cours en utilisant le gérondif
1. El ascensor baja. **2.** El ascensor sube. **3.** Pepe pasea por el parque. **4.** Mamá sale de casa. **5.** Los viajeros esperan. **6.** Mamá limpia la casa. **7.** Isabel escribe una carta. **8.** Vosotros bebéis cerveza. **9.** Nosotros comemos paella. **10.** ¿Qué hacen los niños?

2. Traduire
1. Tu vois quelque chose ? **2.** Non, je ne vois rien. **3.** Et toi ? **4.** Si, je vois quelque chose. **5.** Qu'est-ce que tu vois ? **6.** Je vois la voiture de Pépé.

| *La hora punta*

Almudena — Ya hay mucha gente en la calle.

Rosa — Claro, son las ocho. Muchos niños cogen el autobús para ir al colegio y muchas personas van a trabajar.

Almudena — A las horas punta hay siempre mucha circulación.

Rosa — Sí, y como las calles del centro de la ciudad son muy estrechas, hay muchos embotellamientos.

Almudena — Realmente es muy desagradable conducir a las horas punta.

Rosa — Pues, esperar en las paradas y hacer cola no es mucho más agradable. ¿Sabes cómo van los autobuses cuando voy a trabajar? ¡Hasta los topes!

L'heure de pointe

Almudène — Il y a déjà beaucoup de monde dans la rue.

Rose — Evidemment, il est huit heures. Beaucoup d'enfants prennent l'autobus pour aller à l'école (au collège) et beaucoup de personnes vont travailler.

Almudène — Aux heures de pointe il y a toujours beaucoup de circulation.

Rose — Oui, et comme les rues du centre de la ville sont très étroites, il y a beaucoup d'embouteillages.

Almudène — C'est vraiment désagréable de conduire aux heures de pointe.

Rose — Eh bien, attendre aux arrêts et faire la queue n'est pas beaucoup plus agréable. Tu sais comment sont (vont) les autobus quand je vais travailler ? Bondés !

Vocabulaire

el tráfico : le trafic
el guardia : l'agent
el semáforo : le feu de signalisation
el disco está cerrado : le feu est rouge (fermé)
el disco está abierto : le feu est vert (ouvert)
el peatón : le piéton
el paso de peatones : le passage pour piétons
la acera : le trottoir

la calzada : la chaussée
el autobús : l'autobus
el autocar : l'autocar
el tranvía : le tram
el metro : le métro
el taxi : le taxi
el tren : le train
el conductor : le conducteur
el revisor : le contrôleur
la estación : la gare
el túnel : le tunnel

Mucho/muy

1. Devant le mot

a) *Mucho* peut être **adjectif**. Il précède alors un substantif avec lequel il s'accorde en genre et en nombre :

mucho sol : beaucoup de soleil

mucha circulación : beaucoup de circulation

muchos embotellamientos : beaucoup d'embouteillages

muchas paradas : beaucoup d'arrêts

b) *Mucho* peut également être **adverbe** devant « más » et « menos » (« plus » et « moins »).

mucho más bonita : beaucoup plus jolie

mucho menos alegre : beaucoup moins gai(e)

c) **Muy** est toujours **adverbe**. Il ne se construit qu'avec des adverbes ou des adjectifs. Il est invariable.

Pedro es muy inteligente. Pierre est très intelligent.

Habla muy bien. Il parle très bien.

2. Après le mot

Mucho est toujours adverbe. Il se construit avec des verbes. Il est invariable.

Pedro trabaja mucho. Pierre travaille beaucoup.

Formation de l'adverbe

Féminin singulier de l'adjectif + -MENTE

estupendo   estupenda + mente   = estupendamente

real   real + mente   = realmente

Présent de l'indicatif du verbe COGER (PRENDRE)	Présent de l'indicatif du verbe SABER (SAVOIR)
cojo	**sé**
coges	sabes
coge	sabe
cogemos	sabemos
cogéis	sabéis
cogen	saben

Modification orthographique : G → J devant a, o, u

Exercices

1. Traduire

1. J'ai beaucoup d'amis. 2. Je mange beaucoup. 3. Vous êtes très intelligent. 4. Il y a beaucoup de voitures au garage. 5. Nous travaillons beaucoup. 6. Il n'a pas beaucoup d'argent. 7. Elle n'est pas très contente. 8. La bière est très bonne. 9. Tu bois beaucoup de lait. 10. Nous avons beaucoup de travail.

2. Former un adverbe à partir de chacun des adjectifs suivants

1. solo 2. alegre 3. sencillo 4. total 5. libre

La numeración

					uno (una, un)
					dos
					tres
					cuatro
					cinco
					seis
					siete
					ocho
					nueve
			diez		
			once		
			doce		
			trece		
			catorce		
			quince		
			dieciséis		
			diecisiete		
			dieciocho		
			diecinueve		
			veinte		
			veintiuno (una, ún)		
			veintidós		
			veintitrés		
			veinticuatro		
			veinticinco		
			veintiséis		
			veintisiete		
			veintiocho		
			veintinueve		
			treinta	y	
			cuarenta		
			cincuenta		
			sesenta		
			setenta		
			ochenta		
			noventa		
		ciento (cien)			
		doscientos (as)			
		trescientos (as)			
		cuatrocientos (as)			
		quinientos (as)			
		seiscientos (as)			
		setecientos (as)			
		ochocientos (as)			
		novecientos (as)			
	mil				
	dos mil				
	...				
	cien mil				
	doscientos (as) mil				
	...				
un millón					
dos millones					
...					
mil millones					

I. Lire et écrire les opérations suivantes

1. **Sumar** (additionner) (+ → más)
   24 + 16   214 + 315   412 + 360   813 + 101
2. **Restar** (soustraire) (− → menos)
   65 − 51   144 − 111   687 − 109   1460 − 1215
3. **Multiplicar** (multiplier) (× → multiplicado por, por)
   11 × 11   690 × 10   612 × 14   75 × 1000
4. **Dividir** (diviser) (: → dividido por, entre)
   650 : 25   410 : 130   81 : 9   381.896 : 6

II. Caracol - Escargot

La dernière lettre du mot qui précède est la première lettre du mot qui suit :

1. Las habitaciones ... al mar
2. Yo no tengo ... en casa
3. Estamos jugando ... fútbol
4. No, no tenemos habitaciones ... Todo está ocupado
5. No voy con vosotras. Voy ...
6. Estoy ... el cuarto
7. Cuarenta más cuarenta son ...
8. Contrario de triste : ...
9. El tren entra ... la estación
10. La ... es un deporte acuático
11. La negación simple en español es ...
12. Treinta y tres menos veintidós son ...

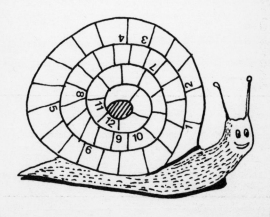

En el museo

Enrique — ¿Qué es esto?

Pablo — Es el museo de pintura. Aquí están los cuadros de muchos artistas españoles. Vamos a entrar por esta puerta de aquí.

Enrique — ¿Dónde están los cuadros de Velázquez?

Pablo — Están aquí. Son éstos. Este es el cuadro de *Las Meninas*.

Enrique — ¿Y éstos?

Pablo — Estos cuadros son retratos de personas de la corte. Estas obras son muy famosas. Al lado hay cuadros de Goya.

Enrique — Goya emplea colores vivos.

Pablo — Sí, pero también colores tristes. Aquí tenemos las pinturas negras.

Au musée

Henri — Qu'est-ce que c'est que ça (ceci) ?

Paul — C'est le musée de peinture. C'est ici que (Ici) se trouvent les tableaux de nombreux artistes espagnols. Nous allons entrer par cette porte-ci (cette porte d'ici).

Henri — Où sont les tableaux de Vélasquez ?

Paul — Ils sont ici. Les voilà (Ce sont ceux-ci). Voici (celui-ci est) le tableau des *Ménines*.

Henri — Et ceux-ci ?

Paul — Ces tableaux-ci sont des portraits de personnes de la cour. Ces œuvres sont très célèbres. A côté, il y a des tableaux de Goya.

Henri — Goya utilise des couleurs vives.

Paul — Oui, mais aussi des couleurs tristes. Voici les peintures noires.

Vocabulaire

la sala : la salle
el guía : le guide
el catálogo : le catalogue
sacar entradas : acheter des billets
la entrada : l'entrée
la salida : la sortie
la visita : la visite
visitar : visiter
el horario : l'horaire
la flecha : la flèche

el pasillo : le couloir
el portero : le portier
el mostrador : le comptoir
el guardarropa : le vestiaire
la planta : l'étage
la planta baja : le rez-de-chaussée.
la reproducción : la reproduction
la puerta giratoria : le tourniquet
indicar : indiquer

Adjectifs démonstratifs (I)		Pronoms démonstratifs (I)		
Masc.	Fém.	Masc.	Fém.	Neutre
Sg. este cuadro ce tableau-ci	esta obra cette œuvre-ci	éste celui-ci	ésta celle-ci	esto ceci
Pl. estos cuadros ces tableaux-ci	estas obras ces œuvres-ci	éstos ceux-ci	éstas celles-ci	

Adverbe de lieu correspondant : aquí (ici).

Emploi

Pour désigner des personnes ou des objets :
— proches dans l'**espace**
  Este cuadro. Ce tableau (qui est ici).
— proches dans le **temps**
  Esta mañana. Ce matin (d'aujourd'hui).
— proches du « **je** », de la personne qui parle
  Este libro. Ce livre (qui se trouve près de moi, que je tiens en main, etc.).

Formation du féminin (III)

Noms		Adjectifs	
Masc.	Fém.	Masc.	Fém.
invariable		invariable	
el recepcionista (lec. 11)	la recepcionista	alegre (lec. 11)	alegre
el turista (lec. 11)	la turista	triste (lec. 15)	triste
el artista	la artista	grande	grande
		fácil	fácil
		difícil	difícil

SER (V)

On emploie toujours « SER » lorsque l'attribut est un *substantif* :

  *Estos cuadros **son** retratos.* Ces tableaux sont des portraits.

Exercices

1. Traduire

1. Ce matin, nous allons visiter le musée. **2.** Voici les billets. **3.** Je vais acheter cette reproduction. **4.** Ceci est un tableau de Goya. **5.** Ces catalogues sont très chers. **6.** Voici la sortie. **7.** Ce couloir est très étroit. **8.** Cette flèche indique le premier étage. **9.** Voici l'horaire des visites. **10.** Ce guide parle très bien français.

2. Compléter avec un démonstratif

1. Vamos a ver ... cuadro de aquí. **2.** ¿Qué es ...? **3.** ... es un museo. **4.** ¿Qué son ... casas de aquí? **5.** ¿Quiénes son ... señores? **6.** ... tarde, vamos al museo. **7.** ¿De quién son ... cuadros? **8.** ... reproducción es de Goya. **9.** ¿Y ...? **10.** ... es de Velázquez.

| *¿Qué hacemos esta tarde?*

En casa
María — ¿Qué piensas hacer esta tarde?
Luisa — No sé. Vamos a mirar esa cartelera de ahí. Están los
títulos de las películas de esta semana.

....

En la calle
María — ¿Qué ponen en ese cine*?
Luisa — Ahí ponen una película de aventuras. Pero pienso
que no es muy buena.
María — ¿Qué piensa hacer Luis?
Luisa — No sabe todavía. Carmen y Gerardo piensan
escuchar el último disco de Mocedades**.
María — Eso está bien. Las canciones de ese grupo son muy
bonitas.

Que faisons-nous cet après-midi ?
A la maison
Marie — Que penses-tu faire cet après-midi ?
Louise — Je ne sais pas. Nous allons regarder cette rubrique
des spectacles (qui est là). Les titres des films de cette
semaine (y) sont.

....

Dans la rue
Marie — Qu'est-ce qu'on donne dans ce cinéma-là ?
Louise — Là, on donne un film d'aventures. Mais je pense
qu'il n'est pas très bon.
Marie — Qu'est-ce que Louis pense faire ?
Louise — Il ne sait pas encore. Carmen et Gérard pensent
écouter le dernier disque de Mocedades.
Marie — Çà c'est bien. Les chansons de ce groupe-là sont
très jolies.

* Le « on » français peut se traduire par la 3ème pers. du pl. : *¿Qué **ponen** en
ese cine?* Qu'est-ce qu'*on* donne dans ce cinéma-là ?
** « *Mocedades* » : groupe de chanteurs espagnols.

Vocabulaire

Se conjuguent comme « pensar » :
cerrar : fermer
empezar : commencer
comenzar : commencer
despertar : éveiller

merendar : goûter (repas)
fregar : laver la vaisselle
calentar : chauffer
recomendar : recommander

el acomodador : l'ouvreur	**el tocadiscos** : le tourne-disques
la acomodadora : l'ouvreuse	**grabar** : enregistrer
el vídeo : le magnétoscope	**la música** : la musique
la cinta : la bande magnétique, la cassette	**la letra** : les paroles (d'une chanson)
el cassette : l'enregistreur	**el guión** : le scénario
el magnetófono : le magnétophone	**la taquilla** : le guichet

Adjectifs démonstratifs (II)		**Pronoms démonstratifs (II)**		
Masc.	Fém.	Masc.	Fém.	Neutre
Sg. ese cine	esa película	ése	ésa	
ce cinéma-là	ce film-là	celui-là	celle-là	eso
Pl. esos cines	esas películas	ésos	ésas	cela
ces cinémas-là	ces films-là	ceux-là	celles-là	

Adv. de lieu correspondant : ahí (là)

Emploi

Pour désigner des personnes ou des objets :
— relativement éloignés dans l'**espace**
    Esa mesa. Cette table-là (qui est là un peu plus loin).
— relativement éloignés dans le **temps**
    Uno de esos días. Un de ces jours (passés).
— proches du « **tu** », de la personne à qui l'on parle
    Ese libro. Ce livre-là (que tu tiens en main).
« Ese », « esa », etc. peuvent également avoir un sens *péjoratif*.
    ¿Quién es ese individuo? Qui c'est cet individu ?

Présent de l'indicatif des v. irréguliers du type « PENSAR » (PENSER)		**Présent de l'indicatif du verbe PONER (METTRE, PLACER, POSER)**	
pienso	pensamos	**pongo**	ponemos
piensas	pensáis	pones	ponéis
piensa	piensan	pone	ponen

Règle : le E du radical devient IE en position accentuée.

Exercices

1. Mettre le verbe entre parenthèses à la forme correcte

1. La película (empezar) a las 9. 2. ¿Cuándo (cerrar) las tiendas? 3. Yo (merendar) a las 5. 4. ¿(Saber) (tú) quién es? 5. El niño no (cerrar) la puerta. 6. ¿Cuándo (empezar) (tú) a trabajar? 7. Yo (empezar) a las 8. 8. ¿Ud. (fregar) todos los días? 9. (Nosotros) (merendar) en la cafetería. 10. ¿Qué (pensar) (vosotros) del viaje?

2. Mettre le verbe à la forme correcte et compléter avec un démonstratif

1. ¿Qué (pensar) (tú) de ... película? 2. ¿(Saber) (vosotros) de dónde es ... chico? 3. ... disco (empezar) a estar viejo. 4. (Nosotros) (pensar) ir a visitar ... museo. 5. ¿Qué (ser) ...? 6. ¿Cuándo (abrir) (ellas) ... taquilla? 7. ¿Quién (fregar) ... mañana? 8. ¿A qué hora (cerrar) ... supermercado? 9. ¿En qué (pensar) ... alumnos? 10. ¿A qué hora (comenzar) ... obreros a trabajar?

| ## En la pastelería

La pastelera — ¡Buenas tardes! ¿Qué desean Uds.?

Ana — Yo quiero un pastel de nata de aquéllos que tiene Ud. allí.

La pastelera — ¿Y Ud., señorita?

Eva — Yo no entiendo mucho de pasteles, pero aquella palmera de chocolate parece muy buena.

Ana — *(a Eva)* Tenemos que comprar también una tarta para celebrar el cumpleaños de Javier. — *(a la pastelera)* Aquella tarta de frutas, por favor.

Eva — Luego colocamos unas velas de colores encima.

Ana — Sí. Tú enciendes las velas y después cantamos : « Cumpleaños feliz ». ¿Quieres algo más?

Eva — Yo no, pero si tú quieres...

Ana — No. — *(a la pastelera)* ¿Cuánto es, por favor?

La pastelera — Aquí tiene el ticket y el paquete.

A la pâtisserie

La pâtissière — Bonjour ! Que désirez-vous ?

Anne — Je voudrais (veux) un gâteau à la crème fraîche comme (de) ceux que vous avez là-bas.

La pâtissière — Et vous, mademoiselle ?

Eve — Moi, je ne m'y connais pas beaucoup en gâteaux, mais cette feuille de palmier-là au chocolat paraît très bonne.

Anne — *(à Eve)* Nous devons aussi acheter une tarte pour fêter l'anniversaire de Xavier. — *(à la pâtissière)* Cette tarte-là aux fruits, s'il vous plaît.

Eve — Ensuite nous mettons (plaçons) des bougies de couleurs dessus.

Anne — Oui. Tu allumes les bougies et après nous chantons : « Joyeux anniversaire ». Tu veux autre chose (quelque chose de plus) ?

Eve — Moi non, mais si toi tu veux...

Anne — Non. — *(à la pâtissière)* Combien est-ce, s'il vous plaît ?

La pâtissière — Voici le ticket et le paquet.

Vocabulaire

Se conjuguent comme « entender »
perder : perdre
encender : allumer
defender : défendre

el bombón : la praline
el caramelo : le bonbon, le caramel
la galleta : le biscuit sec (général. fabriqué en usine)

la pasta : le biscuit sec (général. fabriqué en pâtisserie)
el azúcar : le sucre
el dulce : la confiture
la mermelada : la confiture
el mazapán : le massepain
el turrón : le touron, pâte d'amandes
relleno : fourré
blando : mou
duro : dur

Adjectifs démonstratifs (III)		Pronoms démonstratifs (III)		
Masc.	Fém.	Mas.	Fém.	Neutre
Sg. aquel pastel ce gâteau-là	aquella tarta cette tarte-là	aquél celui-là	aquélla celle-là	aquello cela
Pl. aquellos pasteles ces gâteaux-là	aquellas tartas ces tartes-là	aquéllos ceux-là	aquéllas celles-là	

Adv. de lieu correspondant : *allí* *(*là-bas)
Emploi
Pour désigner des personnes ou des objets :
— éloignés dans l'**espace**.
   Aquella tarta. Cette tarte-là (qui est là-bas)
— éloignés dans le **temps**.
   Aquella mañana. Ce matin-là (il y a plusieurs jours, mois, années).
— proches du « **il** » ou « **elle** », de la personne de qui l'on parle.
   Aquel libro. Ce livre-là (qu'une personne autre que le locuteur ou l'interlocuteur tient en main).

Présent de l'indicatif des v. irréguliers du type « ENTENDER » (comprendre)	Présent de l'indicatif du v. QUERER (vouloir)
entiendo entiendes entiende entendemos entendéis entienden	quiero quieres quiere queremos queréis quieren

Règle : voir leçon 17.

SER (VI)

« SER » exprime le prix : *¿Cuánto **es**?*

Mots interrogatifs

¿cuánto? : combien ?
   ¿Cuánto es, por favor? Combien est-ce, s'il vous plaît ?
¿cuándo? : quand ?
   ¿Cuándo vas al museo? Quand vas-tu au musée ?

Exercices

1. Traduire : 1. Je ne comprends pas la leçon. **2.** Il perd de l'argent. **3.** Veux-tu une praline ? **4.** Je fais des tartes tous les samedis. **5.** Voulez-vous manger (forme polie sg.) un biscuit au chocolat ? **6.** Nous ne voulons pas de confiture. **7.** Comprenez-vous les paroles de la chanson ? **8.** Comment fais-tu ces gâteaux ? **9.** Ces bonbons-là ne sont pas chers.
2. Compléter avec un démonstratif : 1. ¿Es ... chocolate de allí bueno? **2.** Sí, señora, ... es muy bueno : es belga. **3.** ... tarta del fondo no tiene crema. **4.** ¿Qué es ..., que hay allí? **5.** Y ... pastel, ¿tiene chocolate? **6.** ... turrón está muy bueno. **7.** ... pastelería está cerrada los lunes. **8.** ... tartas son caras. **9.** ¿Enciendes ... velas de allí?

La piscina

Susana — Siento mucho no tener tiempo para ir a la piscina.
Julia — Es lógico. ¡El agua está tan buena!
Susana — ¿A qué piscina vas?
Julia — En el barrio hay dos.
Susana — ¿A cuál vas? ¿Cuál prefieres?
Julia — Voy a las dos. En las dos el agua está muy limpia y tiene poco cloro.
Susana — ¿No sientes pereza para ir a nadar después de la oficina?
Julia — No; al contrario.
Susana — Pepe también siente mucho no poder ir pero de momento, no es posible.
Julia — En la vida hay que escoger. Querer no es siempre poder.

La piscine

Susanne — Je regrette beaucoup de n'avoir pas (le) temps d'aller (pour aller) à la piscine.
Julie — C'est logique. L'eau est tellement bonne !
Susanne — A quelle piscine vas-tu ?
Julie — Dans le quartier il y en a deux.
Susanne — A laquelle vas-tu ? Laquelle préfères-tu ?
Julie — Je vais aux deux. Dans les deux l'eau est très propre et contient (a) peu de chlore.
Susanne — Tu as le courage d'aller nager (tu ne ressens pas de paresse pour aller nager) après le bureau ?
Julie — Oui, bien sûr (Non ; au contraire.)
Susanne — Pépé aussi regrette beaucoup (de) ne pas pouvoir (y) aller mais pour le moment, ce n'est pas possible.
Julie — Dans la vie il faut choisir. Vouloir n'est pas toujours pouvoir.

Vocabulaire

Se conjuguent comme « sentir » :
presentir : pressentir
mentir : mentir
preferir : préférer
divertir : amuser
sugerir : suggérer

el ala (f.) : l'aile
el hambre (f.) : la faim
el ave (f.) : l'oiseau
el aula (f.) : la salle
el arma (f.) : l'arme

Présent de l'indicatif des verbes irréguliers du type « SENTIR » (SENTIR, REGRETTER)

siento
sientes
siente
sentimos
sentís
sienten

Règle : voir leçon 17

Emploi des articles « el » et « un » au lieu de « la » et « una »

Devant un *substantif féminin singulier* commençant par *A* (ou *HA*) *tonique,* on emploie les articles « el » et « un » au lieu de « la » et « una » (voir leçon 7).

El *agua fría.* L'eau froide.

Si une des conditions ci-dessus n'est pas remplie, la règle ne s'applique pas :

La amiga (a non tonique). L'amie.
La alta torre (a tonique mais adj.). La haute tour.

Traduction de « quel », « lequel » (quels, quelle(s), lesquels, etc.)

1. « Quel » se traduit par :
— « qué » devant un substantif
¿**Qué** *piscina prefieres? Quelle* piscine préfères-tu ?
— « cuál » devant un verbe
¿**Cuál** *es la piscina que prefieres? Quelle* est la piscine que tu préfères ?

2. « Lequel » se traduit par « cuál »
¿**Cuál** *prefieres? Laquelle* préfères-tu ?

Attention ! « Cuál » a un pluriel : « cuáles »

¿**Cuáles** *son los discos de Luis? Quels* sont les disques de Louis ?
¿**Cuáles** *prefieres? Lesquels* préfères-tu ?

Exercices

1. Mettre le verbe à la forme correcte
1. ¿No (sentir) (vosotros) pereza? — No, no (sentir) pereza. 2. ¿(Preferir) (tú) España o Italia? — (Preferir) España. 3. ¿(Mentir) ese niño? — No, no (mentir). 4. Este libro (divertir) mucho a los niños pero yo (preferir) aquél. 5. Carmen y Susana (sentir) no poder ir al cine. 6. Ud. (preferir) el agua del mar. 7. Los pasatiempos (divertir) a los adultos. 8. (Presentir) (yo) unas buenas vacaciones. 9. Esta persona (preferir) los pasteles de nata. 10. ¿Qué (sugerir) (tú)? — Yo, no (sugerir) nada.

2. Employer l'article qui convient
1. ... alas de ... ave. 2. ... aguas del mar. 3. ... hambre enorme. 4. ... arma muy moderna. 5. ... alta casa.

Récapitulation

I. Compléter avec le mot adéquat :
1. Ricardo ... arquitecto.
2. Pedro es catedrático de la ... de Barcelona.
3. ¿Usted no ... contento?
4. El séptimo mes del año es ...
5. Pasamos ... Zaragoza.
6. Los padres de los padres son los ...
7. Hay vino blanco y vino ...
8. Las cuatro comidas del día son : ..., ..., ... y ...
9. ¡... mucho calor!
10. Son las seis en ...
11. Esta habitación da ... mar.
12. Tengo que ir ... compras esta tarde.
13. Un equipo de fútbol comprende once ...
14. ¿A qué hora ... usted el autobús para ir al colegio?
15. Lo contrario de sumar es ...
16. Esta tarde voy a ... las entradas para el cine.
17. Una canción tiene música y ...
18. La especialidad de la casa en esta ... son los pasteles de crema.
19. Yo voy tres veces ... semana.
20. Después de la comida tomamos siempre un ...

II. Compléter avec « qué », « cuál » ou « cuáles »
1. ¿... día es hoy? 2. ¿... es la dirección de Luis?
3. ¿... deportes prefieres? 4. ¿A ... piscina vas esta semana? 5. ¿... son los discos que hay allí? 6. ¿... excursión hacemos hoy? 7. ¿De ... instituto hablas ?
8. ¿... son los meses del año? 9. ¿... es el profesor de español? 10. ¿... color escoges?

III. Indiquez le nom des objets qui se trouvent dans le dessin ci-dessous

1. ...	6. ...	11. ...	16. ...
2. ...	7. ...	12. ...	17. ...
3. ...	8. ...	13. ...	18. ...
4. ...	9. ...	14. ...	19. ...
5. ...	10. ...	15. ...	20. ...

Controlando las cosas personales

José — ¿Qué haces?

Celia — Cuento mis discos.

José — ¿Por qué?

Celia — ¿Tú no cuentas tus discos? Mi hermano todos los meses cuenta sus discos y mi hermana sus libros. Mi primo comprueba si la aguja de su tocadiscos está en perfecto estado. Es la única manera de llevar un control.

José — ¡Qué familia!

Celia — Sí, todos somos muy ordenados. Contamos los libros, los discos,... todo. ¡Ah! Mi padre lleva también control de sus revistas.

José — ¿Contáis todo? ¡Cuidado con las manías!

Celia — ¿En tu familia no vigiláis las cosas? Pues es necesario.

José — Sí, es verdad. Pero en mi casa somos muy despreocupados.

Celia — Pues, ¡ojo! que las cosas vuelan.

En contrôlant ses (les) affaires personnelles

José — Que fais-tu ?

Célia — Je compte mes disques.

José — Pourquoi ?

Célia — Tu ne comptes pas tes disques, toi ? Mon frère compte ses disques tous les mois et ma sœur ses livres. Mon cousin vérifie si l'aiguille de son tourne-disques est en parfait état. C'est la seule façon d'effectuer (mener) un contrôle.

José — Quelle famille !

Célia — Oui, nous sommes tous très ordonnés. Nous comptons les livres, les disques,... tout. Ah ! Mon père effectue (mène) aussi un contrôle de ses revues.

José — Vous comptez tout ? Attention aux manies !

Célia — Dans ta famille, vous ne surveillez pas vos (les) affaires ? Eh bien, c'est nécessaire.

José — Oui, c'est vrai. Mais chez moi nous sommes très insouciants.

Célia — Eh bien, attention, car les affaires (s'en)volent.

Vocabulaire

Se conjuguent comme « contar » :

costar : coûter
encontrar : trouver, rencontrer
probar : essayer, goûter
consolar : consoler
jugar : jouer

soñar (con) : rêver (de)
volar : voler
comprobar : vérifier
aprobar : réussir

el estante : l'étagère, le rayonnage	**quitar un disco** : enlever un disque
el altavoz : le haut-parleur	**estar rayado** : être rayé, griffé
el amplificador : l'amplificateur	**el volumen** : le volume
la radio : la radio	**el sonido** : le son
la cadena estereofónica : la chaîne stéréophonique	**grave** : grave
la alta fidelidad : la haute-fidélité	**agudo** : aigu
la cara : la face	**la música está alta** : la musique va haut, va fort
poner un disco : mettre un disque	

Possessifs (I)

	MI	Mi hermano	*Mon* frère
		Mi hermana	*Ma* sœur
Sg.	*TU*	Tu hermano	*Ton* frère
		Tu hermana	*Ta* sœur
	SU	Su hermano	*Son* frère
		Su hermana	*Sa* sœur
	MIS	Mis hermanos	*Mes* frères
		Mis hermanas	*Mes* sœurs
Pl.	*TUS*	Tus hermanos	*Tes* frères
		Tus hermanas	*Tes* sœurs
	SUS	Sus hermanos	*Ses* frères
		Sus hermanas	*Ses* sœurs

Mot interrogatif

¿Por qué? Pourquoi ?

> *¿Por qué cuentas tus discos?* **Pourquoi** comptes-tu tes disques ?

Attention ! Ne pas confondre avec « porque » : « parce que »

> *Porque es necesario.* **Parce que** c'est nécessaire.

Présent de l'indicatif des verbes irréguliers du type CONTAR (compter, raconter)

cuento	contamos
cuentas	contáis
cuenta	cuentan

Règle : le O du radical devient UE en position tonique.

Exercices

1. Mettre le verbe entre parenthèses à la forme correcte
1. Los discos (costar) caros. **2.** (Yo) no (encontrar) su libro. **3.** José (soñar) con Nueva York. **4.** ¿(Probar) (tú) la mermelada? **5.** Los niños (jugar) en la calle. **6.** La madre (contar) una historia a su hijo. **7.** ¿Cómo (encontrar) (vosotros) la casa? **8.** ¿Cuánto (costar) esto? **9.** (Yo) (soñar) todas las noches. **10.** No (encontrar) (nosotros) trabajo.

2. Répondre affirmativement en employant l'adjectif possessif qui convient : 1. ¿Son tus discos? — Sí, ... **2.** ¿Eres el amigo de Pedro? — Sí, ... **3.** ¿Tenéis las entradas de Pedro? — Sí, ... **4.** ¿Es mi pastel? — Sí, ... **5.** ¿Son éstos mis libros? — Sí, ... **6.** ¿Es su tocadiscos? — Sí, ... **7.** ¿Son sus altavoces? — Sí, ... **8.** ¿Son las revistas de tu padre? Sí, ... **9.** ¿Está rayado tu disco? — Sí, ... **10.** ¿Es esta chica tu prima? — Sí, ...

| *En coche al banco*

Chófer — Su coche está ya en la calle. ¿No tiene que ir al banco?

Señor — Sí, pero voy en coche con Juan porque él también tiene que salir al centro.

Chófer — Entonces, ¿meto el coche en el garaje y dejo su cartera en su despacho con sus documentos?

Señor — Sí, por favor. Ya sé que usted no mueve las cosas, que no toca nada.

Chófer — Yo no muevo nada, puede estar seguro. Dejo todo encima de la mesa.

En voiture à la banque

Chauffeur — Votre voiture est déjà dans la rue. Vous ne devez pas aller à la banque ?

Monsieur — Si, mais je vais en voiture avec Jean parce que lui aussi doit aller en ville (au centre).

Chauffeur — Alors, je mets votre (la) voiture dans le garage et je laisse votre serviette dans votre bureau avec vos documents ?

Monsieur — Oui, s'il vous plaît. Je sais bien que vous ne déplacez pas mes (les) affaires, que vous ne touchez (à) rien.

Chauffeur — Je ne déplace rien, vous pouvez (en) être sûr. Je laisse tout sur la table.

Vocabulaire

Sé conjuguent comme « mover » :
volver : revenir
devolver : rendre
envolver : envelopper
soler : avoir l'habitude de
morder : mordre
llover : pleuvoir

cobrar : toucher (de l'argent)
la sucursal : la succursale
la ventanilla : le guichet
la caja fuerte : le coffre-fort
el cheque : le chèque

el talón : le chèque
el cheque de viaje : le chèque de voyage
el talonario : le carnet de chèques
la transferencia : le transfert
la operación bancaria : l'opération bancaire
el cambio : le change
el pago : le paiement
la letra de cambio : la lettre de change
recibí : pour acquit
el billete : le billet

Présent de l'indicatif des verbes irréguliers du type « MOVER » (bouger, mouvoir, déplacer, remuer)

muevo	movemos
mueves	movéis
mueve	mueven

Présent de l'indicatif du verbe irrégulier « PODER » (pouvoir)

puedo	podemos
puedes	podéis
puede	pueden

Règle : voir leçon 21

En el banco

Cliente — ¡Buenos días! Necesito un carnet de cheques, y saber la situación de mi cuenta.

Empleado — Aquí tiene su carnet de cheques. Ud. no mueve la cuenta a menudo, de modo que está igual que hace una semana*.

Cliente — Bien. Hoy quiero ingresar esta cantidad y cambiar francos en pesetas.

Empleado — ¿Puede firmar aquí? Este es el justificante y el dinero.

Cliente — Gracias. Adiós.

A la banque

Client — Bonjour ! J'ai besoin d'un carnet de chèques et (je voudrais) savoir la situation de mon compte.

Employé — Voici votre carnet de chèques. Vous n'utilisez (changez) pas souvent votre (le) compte, ainsi donc il est dans la même situation (égal) qu'il y a une semaine.

Client — Bien ! Aujourd'hui je voudrais (je veux) déposer (rentrer) cette somme (quantité) et changer des francs en pesetas.

Employé — Vous pouvez signer ici ? Voici le reçu et l'argent.

Client — Merci. Au revoir.

---

* « *Hace una semana* » : indication de temps composée du verbe « HA-CER » (3ème personne du singulier) et d'une expression de temps (una semana, un mes, un año, dos semanas, dos días, etc.) qui signifie : « il y a ... »

Possessifs II : forme polie des adjectifs possessifs

> *Su - Sus* pour *de usted, de ustedes*
> *Su coche.* Votre voiture.
> *Su cartera.* Votre portefeuille.
> *Sus documentos.* Vos documents.
> *Sus pesetas.* Vos pesetas.

Exercices

1. Compléter avec l'adjectif possessif (forme polie) qui convient
1. Vd. tiene una tarjeta. Es ... tarjeta. **2.** Vds. sacan la entrada. Es ... entrada. **3.** Vd. tiene discos. Son ... discos. **4.** Vds. tienen tocadiscos. Es ... tocadiscos. **5.** Vd. lee un libro. Es ... libro. **6.** Vd. controla las revistas. Son ... revistas. **7.** Vds. mueven las cuentas. Son ... cuentas. **8.** Vds. compran coches. Son ... coches. **9.** Vd. deja los documentos sobre la mesa. Son ... documentos. **10.** Vds. cambian francos. Son ... francos.

2. Mettre le verbe entre parenthèses à la forme correcte
1. El niño (mover) la mesa. **2.** En otoño (llover) mucho. **3.** Vd. (envolver) el disco. **4.** Nosotros (poder) hacer una transferencia. **5.** Vds. (poder) firmar el cheque. **6.** ¿Cuándo (volver) (Vd.) de la oficina? **7.** Tú (mover) el coche todos los días. **8.** Yo no (soler) escribir a máquina. **9.** Yo no (mover) nada de su sitio. **10.** El empleado (devolver) el dinero.

En el coche nuevo

Enrique — Acabo de ver que nuestro coche está estropeado.

Fernando — ¿Vuestro coche está estropeado? Pues venís en el nuestro que acabamos de comprar y vamos a dar un paseo.

Enrique — ¿Tenéis coche nuevo?

Fernando — Sí. Acabo de llegar del garaje y, como podéis comprobar, nuestro coche está todavía en rodaje. Pero no importa. Podemos salir a hacer kilómetros. Mis hermanos van con los niños en su coche y en el kilómetro 40 podemos estar todos a las cinco y merendar juntos allí.

Enrique — ¡Qué buena idea! Aceptamos vuestra invitación. Hoy vamos en el vuestro y otro día venís vosotros en el nuestro.

Fernando — A lo mejor es una avería insignificante. De todos modos puedes preparar la cartera...

Enrique — Sí. Es verdad. Pero tenemos la suerte de que nuestros mecánicos — padre e hijo — son personas de toda confianza. Sus facturas responden a su trabajo ; algo que no ocurre siempre.

Dans la nouvelle voiture

Henri — Je viens de constater (voir) que notre voiture est en panne.

Fernand — Votre voiture est en panne ? Eh bien vous venez dans la nôtre que nous venons d'acheter et nous allons faire une promenade.

Henri — Vous avez (une) nouvelle voiture ?

Fernand — Oui. Je viens de rentrer (d'arriver) du garage et comme vous pouvez constater, notre voiture est encore en rodage. Mais ça ne fait rien (ça n'importe pas). Nous pouvons sortir faire des kilomètres. Mes frères vont avec les enfants dans leur voiture et nous pouvons être tous à cinq heures au kilomètre 40 et y goûter ensemble.

Henri — Quelle bonne idée ! Nous acceptons votre invitation. Aujourd'hui nous allons dans la vôtre et un autre jour vous venez dans la nôtre.

Fernand — C'est peut-être une panne insignifiante. De toute manière tu peux préparer ton portefeuille...

Henri — Oui, c'est vrai. Mais nous avons la chance que nos garagistes — père et fils — soient (sont) des personnes de confiance. Leurs factures répondent à leur travail ; ce qui (quelque chose qui) n'arrive pas toujours.

Vocabulaire

arrancar : démarrer
acelerar : accélérer

frenar : freiner
aparcar : garer, parquer

dar marcha atrás : reculer, faire marche arrière	**el pedal** : la pédale
llenar el depósito : faire le plein (remplir le réservoir)	**el volante** : le volant
	el maletero : le coffre
pinchar : crever	**el cristal** : la vitre
el pinchazo : la crevaison	**la rueda (de recambio, de repuesto)** : la roue (de rechange)
las luces : les feux	**el botiquín** : la boîte de secours
el faro : le phare	**el extintor** : l'extincteur
el intermitente : le clignoteur	**las marchas** : les vitesses
arreglar : réparer	**la velocidad** : la vitesse
el claxon : le claxon	**la gasolinera** : la pompe à essence
el freno : le frein	

Possessifs (III)

	NUESTRO	*Nuestro camión.*	Notre camion.
	NUESTRA	*Nuestra moto.*	Notre moto.
Sg.	VUESTRO	*Vuestro camión.*	Votre camion.
	VUESTRA	*Vuestra moto.*	Votre moto.
	SU	*Su camión.*	Leur camion.
		Su moto.	Leur moto.

	NUESTROS	*Nuestros camiones.*	Nos camions.
	NUESTRAS	*Nuestras motos.*	Nos motos.
Pl.	VUESTROS	*Vuestros camiones.*	Vos camions.
	VUESTRAS	*Vuestras motos.*	Vos motos.
	SUS	*Sus camiones.*	Leurs camions.
		Sus motos.	Leurs motos.

ACABAR DE + inf. = passé récent

Acabamos de comprar un coche. Nous venons d'acheter une voiture.

IR A + inf. = futur proche

Vamos a comprar un coche. Nous allons acheter une voiture.

Y et O

La conjonction « y » (et) devient « e » devant un mot commençant par « i » ou « hi ».

Padre e hijo. Père et fils.

De la même manière, la conjonction « o » (ou) devient « u » devant un mot commençant par « o » ou « ho ».

Siete u ocho. Sept ou huit.

Exercices

Traduire

1. Nous venons de rentrer du cinéma. **2.** Je viens de sortir de la maison. **3.** Tu vas aller au garage ? **4.** Il vient d'enregistrer le dernier disque de Mocedades. **5.** Vous allez (politesse) acheter une voiture ? **6.** La voiture que nous venons d'acheter est en panne. **7.** Vous venez de changer une roue ? **8.** Je viens de faire le plein. **9.** Nous allons garer la voiture en face du musée. **10.** Il vient d'accélérer.

Después de una reunión

Inés — ¿De quién es este abrigo?

Teresa — Es mío. ¡Ah! No. No es mío; es tuyo, Pilar.

Pilar — Teresa, el tuyo está encima de una silla en el salón.

Teresa — ¿Dónde está la gabardina de Pedro?

Pilar — La suya está en el perchero.

Pedro — ¡Qué lío! ¿Quién cambia los abrigos de sitio?

Juan — Nadie. Es que somos muchos y la casa es pequeña.
Yo tengo el mío aquí con mis cosas, pero hay otros en las
habitaciones de arriba.

Inés (hablando a un grupo) — Los vuestros están también
arriba. Pilar duerme aquí porque está muy cansada y vive
muy lejos.

Pilar — Creo que en estos momentos todos estamos
cansados. Yo duermo en el suelo si no hay cama pero ya
no doy un paso más.

Inés — Bueno. Ahora a descansar y mañana a emprender el
trabajo de nuevo con alegría.

Après une réunion

Inès — A qui est ce manteau ?

Thérèse — Il est à moi (mien). Ah ! Non. Il n'est pas à moi (mien) ; il
est à toi (tien), Pilar.

Pilar — Thérèse, le tien est sur une chaise au (dans le) salon.

Thérèse — Où est la gabardine de Pierre ?

Pilar — La sienne est au portemanteau.

Pierre — Quelle salade (situation embarrassante ou inextricable) !
Qui change les manteaux de place ?

Jean — Personne. (C'est que) nous sommes nombreux (beaucoup)
et la maison est petite. J'ai le mien ici avec mes affaires, mais il y
(en) a d'autres dans les chambres d'en haut.

Inès (parlant à un groupe) — Les vôtres sont aussi en haut. Pilar dort
ici parce qu'elle est très fatiguée et (qu')elle habite très loin.

Pilar — Je crois qu'en ces moments-ci nous sommes tous fatigués.
Je dors par terre (sur le sol) s'il n'y a pas de lit mais je ne fais
(donne) pas un pas de plus.

Inès — Bon. Maintenant, repos (se reposer) et demain de nouveau
au travail dans la joie (se remettre au travail avec joie) !

Vocabulaire

el impermeable : l'imperméable
el paraguas : le parapluie
la bufanda : l'écharpe
el gorro : le bonnet
el sombrero : le chapeau
las botas : les bottes
los guantes : les gants

las manoplas : les moufles
el pañuelo : le foulard, le mouchoir
el club : le club
la discoteca : la discothèque

se conjugue comme « dormir » :
morir : mourir

Possessifs (IV)

Mío, -a, -os, -as	*El camión es mío*	*Es el mío*
	Le camion est **à moi**	C'est **le mien**
	La bicicleta es mía	*Es la mía*
	La bicyclette est **à moi**	C'est **la mienne**
	Los camiones son míos	*Son los míos*
	Les camions sont **à moi**	Ce sont **les miens**
	Las bicicletas son mías	*Son las mías*
	Les bicyclettes sont **à moi**	Ce sont **les miennes**
Tuyo, -a, -os, -as	*El camión es tuyo*	*Es el tuyo*
	Le camion est **à toi**	C'est **le tien**
	etc.	
Suyo, -a, -os, -as	*El camión es suyo**	*Es el suyo*
	Le camion est **à lui/elle**	C'est **le sien**
	etc.	
Nuestro, -a, -os, -as	*El camión es nuestro*	**Es el nuestro**
	Le camion est **à nous**	C'est **le nôtre**
Vuestro, -a, -os, -as	*El camión es vuestro*	*Es el vuestro*
	Le camion est **à vous**	C'est **le vôtre**
Suyo, -a, -os, -as	*El camión es suyo**	**Es el suyo**
	Le camion est **à eux/elles**	C'est **le leur**

* Suyo, el suyo,... peuvent signifier également *à vous, le vôtre,...* (forme polie). En effet, en espagnol, la forme polie s'exprime toujours par la troisième personne (verbe, possessif, pronom, etc.)

Présent de l'indicatif des v. irréguliers du type DORMIR (dormir)

duermo
duermes
duerme
dormimos
dormís
duermen

Règle : le O du radical devient UE en position tonique.

Remarque : l'espagnol emploie souvent l'infinitif dans un sens impératif. Cet infinitif peut être précédé de la préposition « a ».
> *¡A descansar!* Repos !
> *¡A trabajar!* Au travail !

SER (VII)

« SER » exprime le nombre :
> *Somos 10.* Nous sommes dix.

| *Recapitulación* |

Exercices

1. Traduire

1. Cette gabardine est à moi, celle-là est à toi et celle-là, là-bas, est à lui. **2.** A qui est le parapluie ? C'est à toi ? Non, c'est à moi. **3.** C'est mon chapeau, ce n'est pas le tien. **4.** Où est sa sœur ? Là-bas ? Non, ce n'est pas la sienne, c'est la mienne. **5.** A qui sont les gants ? Ils sont à nous. Ce sont les nôtres. **6.** Ce n'est pas ma maison ; c'est la vôtre. La mienne est à côté du parc. **7.** Ce manteau est à moi. Le tien est au portemanteau. **8.** A qui sont ces moufles ? Elles ne sont pas à moi, elles sont à mon fils. **9.** Ces livres sont à vous ? Non, ils ne sont pas à nous, ils sont à Pierre. **10.** A qui est cette voiture ? Elle est à elle.

2. Compléter avec les possessifs qui conviennent

Carlos — Mi mujer trabaja. ¿Y ...?
Felipe — ... también.
Carlos — ¿Qué horario tiene ... ?
Felipe — ... trabaja de siete a ocho.

3. Compléter avec le possessif qui convient

Carlos — ¿Es cara ... casa?
Felipe — Sí, ... casa es cara pero muy grande; ¿y ... ?
Carlos — ... no es cara pero está lejos de ... oficina.
Felipe — Es un inconveniente. También el colegio de ... hijos está lejos de ... casa.
Carlos — ¿Trabaja ... mujer también?
Felipe — Sí, trabaja cerca de ... casa. ¿Y ... ?
Carlos — ... no; ... hijos son todavía pequeños.
Felipe — ... situación es diferente ... mujer va a la oficina y ... hijos ya van solos al colegio.

4. Compléter avec les possessifs qui conviennent

1. Carmen, ¿es este pañuelo ... ? No, no es ...
2. Inés, ¿son aquellos guantes ... ? No, no son ..., son ...
3. ¿Dónde están Pedro y Miguel? Aquí están ... gabardinas.
4. Este es el paraguas de María, ¿no? Sí, es ...
5. ... casa es pequeña, ¿no? Sí, ¿y ... ? ... también.

Pasatiempo

Horizontal
1. Contrario de pequeño.
2. Tienda grande.
3. Para sacar dinero.
4. Elemento de un tocadiscos.
5. Para escuchar música.
6. Ultimo mes del año.
7. Es útil cuando llueve.
8. Contrario de todo.
9. Cuando la música está ... es desagradable.

Vertical
1. Entre abrigo e impermeable.

LECCIÓN VEINTICINCO BIS

			I	II	I	
Un seul possesseur	Singulier	M.	*mi* libro *mon*	el libro es *mío* à moi es *el mío* le mien	*tu* libro *ton*	
Un seul possesseur	Singulier	F.	*mi* casa *ma*	la casa es *mí* à moi es *la mía* la mienne	*tu* casa *ta*	
Un seul possesseur	Pluriel	M.	*mis* libros *mes*	los libros son *míos* à moi son *los míos* les miens	*tus* libros *tes*	
Un seul possesseur	Pluriel	F.	*mis* casas *mes*	las casas son *mías* à moi son *las mías* les miennes	*tus* casas *tes*	
Plusieurs possesseurs	Singulier	M.	*nuestro* libro *notre*	el libro es *nuestro* à nous es *el nuestro* le nôtre	*vuestro* libro *votre*	
Plusieurs possesseurs	Singulier	F.	*nuestra* casa *notre*	la casa es *nuestra* à nous es *la nuestra* la nôtre	*vuestra* casa *votre*	
Plusieurs possesseurs	Pluriel	M,	*nuestros* libros *nos*	los libros son *nuestros* à nous son *los nuestros* les nôtres	*vuestros* libros *vos*	
Plusieurs possesseurs	Pluriel	F.	*nuestras* casas *nos*	las casas son *nuestras* à nous son *las nuestras* les nôtres	*vuestras* casas *vos*	
			Première personne		Deuxième	

Récapitulation générale des possessifs

II	I	II

el libro es *tuyo*
   à toi
es *el tuyo*
   le tien
	su libro
	son, votre
	(f.p.)
		el libro es *suyo*
		à lui, à elle, à vous (f.p.)
		es *el suyo*
		le sien, le vôtre (f.p.)

la casa es *tuya*
   à toi
es *la tuya*
   la tienne
	su casa
	sa, votre
	(f.p.)
		la casa es *suya*
		à lui, à elle, à vous (f.p.)
		es *la suya*
		la sienne, la vôtre (f.p.)

los libros son *tuyos*
   à toi
son *los tuyos*
   les tiens
	sus libros
	ses, vos
	(f.p.)
		los libros son *suyos*
		à lui, à elle, à vous (f.p.)
		son *los suyos*
		les siens, les vôtres (f.p.)

las casas son *tuyas*
   à toi
son *las tuyas*
   les tiennes
	sus casas
	ses, vos
	(f.p.)
		las casas son *suyas*
		à lui, à elle, à vous (f.p.)
		son *las suyas*
		les siennes, les vôtres (f.p.)

el libro es *vuestro*
   à vous
es *el vuestro*
   le vôtre
	su libro
	leur, votre
	(f.p.)
		el libro es *suyo*
		à eux, à elles, à vous (f.p.)
		es *el suyo*
		le leur, le vôtre (f.p.)

la casa es *vuestra*
   à vous
es *la vuestra*
   la vôtre
	su casa
	leur, votre
	(f.p.)
		la casa es *suya*
		à eux, à elles, à vous (f.p.)
		es *la suya*
		la leur, la vôtre (f.p.)

les libros son *vuestros*
   à vous
son *los vuestros*
   les vôtres
	sus libros
	leurs, vos
	(f.p.)
		los libros son *suyos*
		à eux, à elles, à vous (f.p.)
		son *los suyos*
		les leurs, les vôtres (f.p.)

las casas son *vuestras*
   à vous
son *las vuestras*
   les vôtres
	sus casas
	leurs, vos
	(f.p.)
		las casas son *suyas*
		à eux, à elles, à vous (f.p.)
		son *las suyas*
		les leurs, les vôtres (f.p.)

personne	Troisième personne	

Electrodomésticos

La vendedora — ¡Buenos días! ¿Qué desean?

Los clientes (marido y mujer) — Queremos ver neveras y aspiradoras.

La vendedora — Esta de aquí es tan grande como aquélla del escaparate y más económica que ésa.

El marido — ¿Sigues con la idea de un congelador mayor que el nuestro?

La mujer — Sí. Sigo con la misma idea. Pero si pides un catálogo a la señora podemos ver en casa distintos modelos y marcas.

La vendedora — ¿Qué tipo de aspiradora buscan?

La mujer — Queremos una aspiradora pequeña y menos pesada que ésa.

La vendedora — Esta marca es buena, no es cara y el aparato es bastante manejable.

El marido — Entonces ¿elegimos esa aspiradora y aquella nevera?

La mujer — Yo elijo éstas. Pero de todos modos, pedimos un catálogo para elegir el congelador en casa.

La vendedora — Aquí tienen los catálogos que piden.

Los clientes — Muchas gracias. Hasta otro día.

Electroménagers

La vendeuse — Bonjour. Que désirez-vous ?

Les clients (mari et femme) — Nous voudrions (voulons) voir des frigos et des aspirateurs.

La vendeuse — Celui-ci (d'ici) est aussi grand que celui (celui-là) de l'étalage et plus économique que celui-là.

Le mari — Tu as toujours envie (tu continues avec l'idée) d'un congélateur plus grand que le nôtre ?

La femme — Oui. J'ai toujours la même idée (je continue avec la même idée). Mais si tu demandes un catalogue à Madame, nous pouvons voir à la maison différents modèles et (différentes) marques.

La vendeuse — Quel genre d'aspirateur cherchez-vous ?

La femme — Nous voulons un petit aspirateur, (et) moins lourd que celui-là.

La vendeuse — Cette marque-ci est bonne ; elle n'est pas chère et l'appareil est assez maniable.

Le mari — Alors, nous choisissons cet aspirateur et ce frigo ?

La femme — Moi, je choisis ceux-ci. Mais de toute façon, nous demandons un catalogue pour choisir le congélateur à la maison.

La vendeuse — Voici les catalogues que vous demandez.

Les clients — Merci beaucoup. A bientôt (à un autre jour).

Vocabulaire

Se conjuguent comme « PEDIR »
seguir : suivre
conseguir : obtenir, arriver à
elegir : choisir
medir : mesurer
vestir (se) : (s')habiller
repetir : répéter

el lavaplatos : le lave-vaisselle
la lavadora : la machine à laver
la plancha : le fer à repasser
la cocina : la cuisinière

el horno : le four
la freidora : la friteuse
la cafetera : la cafetière
el tostador : le grille-pain
la batidora : le mixeur
el secador : le séchoir
el molinillo : le moulin
el calentador de agua : le chauffe-eau
la escurridora : l'essoreuse
fregar los platos : faire la vaisselle

Présent de l'indicatif des v. irréguliers du type PEDIR (demander)

pido	pedimos
pides	pedís
pide	piden

Règle : le E du radical devient I quand il n'est pas suivi par la voyelle I

Modifications orthographiques dans les verbes

verbes en -GUIR (ex. « seguir »)   verbes en -GIR (ex. « elegir »)
GU → G devant A et O   G → J devant A et O

seguir	sigo	elegir	elijo
seguimos		elegimos	
sigue		elige	

Comparatif (I) l'adjectif et l'adverbe

Supériorité	*más... que*	Es *más* caro *que* el otro
		Il est *plus* cher *que* l'autre
Infériorité	*menos... que*	Es *menos* caro *que* el otro
		Il est *moins* cher *que* l'autre
Egalité	*tan... como*	Es *tan* caro *como* el otro
		Il est *aussi* cher *que* l'autre

Remarque :

« *mayor* » : comparatif irrégulier équivalent à « *más grande* »
« *menor* » : comparatif irrégulier équivalent à « *más pequeño* »
« *mejor* » : comparatif irrégulier équivalent à « *más bueno* »
« *peor* » : comparatif irrégulier équivalent à « *más malo* »

Exercices

1. Mettre les verbes entre parenthèses à la forme correcte et répondre affirmativement 1. ¿(Tú) (seguir) con la misma idea? Sí, ... **2.** ¿(Vosotros) (elegir) una nevera? Sí, ... **3.** ¿María (vestir) mal? Sí, ... **4.** ¿(Yo) (elegir) bien? Sí, ... **5.** ¿Vd. (medir) la habitación? Sí, ... **6.** ¿(Seguir) (vosotros) con los ejercicios? Sí, ... **7.** ¿(Elegir) (Vds.) éste? Sí ... **8.** ¿(Seguir) Vds. las flechas? Sí, ... **9.** ¿(Conseguir) (tú) entender a Enrique? Sí, ... **10.** ¿(Elegir) (tú) esta reproducción? Sí, ...

2. Compléter les phrases suivantes avec un comparatif (+ supériorité / − infériorité / = égalité) 1. Ese secador es ... práctico ... éste (=) **2.** Esta cafetera es ... cara ... aquélla (+) **3.** Aquella freidora es ... rápida ... esta otra (−) **4.** Esos electrodomésticos son ... útiles ... aquéllos (+) **5.** Mi molinillo es ... manejable ... el tuyo (−). **6.** Tu tostador es ... caro ... el otro (=). **7.** Este lavaplatos es ... práctico ... el otro (−). **8.** Esa plancha es ... buena ... la anterior (+). **9.** Esta batidora es ... frágil ... ésa (=). **10.** Aquella cocina es ... moderna ... la mía (=).

Esperando la visita de unos amigos

Sara — ¿Qué estáis haciendo?

Matilde — Estamos preparando las habitaciones y haciendo las camas porque van a venir unos amigos. ¿Conoces a los Fernández Soto?

Sara — Sí, conozco a los padres y al hijo menor.

Matilde — Pues vienen todos este fin de semana y, como es natural, estamos poniendo un poco de orden en la casa.

Sara — Pero, si está todo en orden.

Matilde — Sí, casi todo. Y además, con este cielo azul sin nubes, vamos a estar mucho tiempo en el jardín tomando el sol. Pero es bonito tener una casa acogedora para los amigos, ¿no?

Sara — En el jardín tenéis ya tantas flores como en primavera.

Matilde — Sí, y tantos capullos rojos como el año pasado, si no más.

Sara — Vosotros cuidáis mucho del jardín.

Matilde — Desde luego. Mi marido trabaja tanto como yo, y mis jornadas son muy largas cuando cojo las herramientas.

Sara — Da gusto venir a vuestra casa. Sois únicos para recibir a los amigos.

Matilde — Gracias. Esas cosas suelen ser recíprocas.

En attendant la visite de quelques amis

Sara — Qu'êtes-vous en train de faire ?

Mathilde — Nous sommes en train de préparer les chambres et de faire les lits parce que des amis vont arriver (venir). Tu connais les Fernandez Soto ?

Sara — Oui, je connais les parents et le fils cadet.

Mathilde — Eh bien, ils viennent tous ce week-end et, naturellement (comme il est naturel), nous mettons un peu d'ordre dans la maison.

Sara — Mais, enfin, tout est en ordre.

Mathilde — Oui, presque tout. Et, de plus, avec ce ciel bleu sans nuages, nous allons passer (être) beaucoup de temps dans le jardin à prendre des bains de soleil (prenant le soleil). Mais, c'est bien (joli) (d')avoir une maison accueillante pour les amis, non ?

Sara — Vous avez déjà dans le jardin autant de fleurs qu'au printemps.

Mathilde — Oui, et autant de boutons rouges que l'année passée, si pas plus.

Sara — Vous soignez beaucoup votre jardin.

Mathilde — Bien sûr. Mon mari (y) travaille autant que moi, et mes journées sont très longues quand je m'y mets (prends les outils).

Sara — Ça fait plaisir (de) venir chez vous (à votre maison). Vous êtes uniques pour recevoir les amis.

Mathilde — Merci. Ces choses-là sont habituellement réciproques.

Vocabulaire

Se conjuguent comme « conocer » :
aparecer : apparaître
agradecer : remercier
envejecer : vieillir
establecer : établir
favorecer : favoriser
florecer : fleurir
merecer : mériter
obedecer : obéir
ofrecer : offrir
pertenecer : appartenir

el color : la couleur
blanco : blanc
gris : gris
verde : vert
amarillo : jaune
rojo : rouge
rosa (inv.) : rose
naranja (inv.) : orange
violeta (inv.) : violet
morado : mauve
beis : beige
marrón : marron

Comparatif (II) : substantifs et verbes

Supériorité	*más ... que*	**Tengo más** libros **que** tú
		J'ai *plus* de livres *que* toi
		*Trabajo **más que** tú*
		Je travaille *plus que* toi
Infériorité	*menos ... que*	**Tengo menos** libros **que** tú
		J'ai *moins* de livres *que* toi
		*Trabajo **menos que** tú*
		Je travaille *moins que* toi
Egalité	*tanto (a, os, as)*	**Tengo tantos** libros **como** tú
	... como	J'ai *autant* de livres *que* toi
	tanto ... como	*Trabajo **tanto como** tú*
		Je travaille *autant que* toi

Présent de l'indicatif du verbe CONOCER (connaître)

conozco	conocemos
conoces	conocéis
conoce	conocen

Règle : C devient ZC devant A et O

Si / Sí

— La particule *si* peut avoir une *valeur conditionnelle* :
    Si no más. Si pas plus.
ou simplement une *valeur d'emphase*
    Pero, si todo está en orden. Mais, *enfin*, tout est en ordre
— La particule *sí* signifie « oui »

Exercices

1. Utiliser les trois possibilités du comparatif
1. Carmen y Pilar son inteligentes. **2.** Pedro y Juan tienen muchos libros.
3. Isabel y María trabajan. **4.** Mis hijos y los tuyos son pequeños. **5.** El camarero y el director son amables. **6.** La lección y los ejercicios son interesantes. **7.** Sara y Matilde leen. **8.** Hernando y Tomás sueñan. **9.** Juana y Fernanda comen caramelos. **10.** Tú y yo tenemos hijos.

2. Mettre le verbe à la forme correcte du présent de l'indicatif
1. No (conocer) (yo) a Juan. **2.** Pedro no (merecer) un tocadiscos. **3.** Usted no (obedecer). **4.** Estos libros no (pertenecer) a nadie. **5.** Las flores (florecer) en el jardín. **6.** ¿(Conocer) (tú) a Isabel? **7.** El sol (aparecer). **8.** Yo no (merecer) eso. **9.** No (conocer) (nosotros) a nadie. **10.** (Yo) (agradecer) a Juan su carta.

Los vecinos del inmueble

Bernardo — ¿Quién es ese chico que viene por ahí?
Joaquín — ¿Quién? ¿Ese alto, de cara ancha y nariz pequeña?
Bernardo — Sí. Es un chico amabilísimo.
Joaquín — Es un vecino del tercero. En esa familia, son varios hermanos muy diferentes físicamente : morenos y rubios; altos y bajos.
Bernardo — ¡Claro! En las familias numerosas hay de todo : guapos y feos ; gordos y delgados. Pero, los niños pelirrojos que encuentro todos los días no son de la misma familia, ¿verdad?
Joaquín — No. La familia del tercero es muy distinta físicamente, pero no tanto. Los niños pelirrojos, de boca más bien grande y ojos negros, viven en el quinto.
Bernardo — ¿En el quinto?
Joaquín — Sí. Tienen dos pisos unidos — derecha e izquierda — y de este modo el piso es grandísimo y elegantísimo. El padre gana mucho dinero; son riquísimos.
Bernardo — No es posible conocer a todos los vecinos.
Joaquín — Yo vivo aquí desde hace cinco años y siempre veo las mismas personas.

Les voisins de l'immeuble

Bernard — Qui est ce garçon qui arrive (vient) là-bas ?
Joachim — Qui ? Ce grand-là, au visage large et au nez petit ?
Bernard — Oui. C'est un garçon très aimable.
Joachim — C'est un voisin du troisième. Dans cette famille-là, il y a (sont) plusieurs frères et sœurs très différents physiquement : des noirs et des blonds ; des grands et des petits.
Bernard — Evidemment. Dans les familles nombreuses il y a de tout : des beaux et des laids ; des gros et des minces. Mais les enfants roux que je rencontre tous les jours ne sont pas de la même famille, n'est-ce pas ?
Joachim — Non. La famille du troisième est physiquement très différente mais pas autant. Les enfants roux, à la bouche plutôt grande et aux yeux noirs habitent au cinquième.
Bernard — Au cinquième ?
Joachim — Oui. Ils ont deux appartements qui communiquent (unis) — (celui de) droite et (celui de) gauche — et de cette façon l'appartement est très grand et très chic (élégant). Le père gagne beaucoup d'argent ; ils sont très riches.
Bernard — Il n'est pas possible de connaître tous les voisins.
Joachim — Moi j'habite ici depuis cinq ans et je vois toujours les mêmes personnes.

Vocabulaire

alquilar : louer
el alquiler : le loyer
el inquilino : le locataire
el dueño : le propriétaire
el propietario : le propriétaire
las cargas : les charges

el contador : le compteur
el portal : l'entrée (d'un immeuble)
el portero : le concierge, le portier
el portero automático : le parlo-
phone
la fianza : la garantie

Superlatif absolu

Il se rend en espagnol, de deux manières différentes :
— au moyen de l'adverbe *muy* placé devant l'adjectif ou l'adverbe.
> *El piso es **muy** grande.* L'appartement est très grand.
> *Habla **muy** alto.* Il parle très haut.

— au moyen du suffixe *-ísimo, -a, -os, -as*, additionné à l'adjectif ou à l'adverbe. Si ceux-ci sont terminés par une voyelle, cette dernière tombe.
> *El piso es grand**ísimo**.*
> *Habla alt**ísimo**.*

Quelques superlatifs irréguliers

rico	riquísimo	largo	larguísimo
simpático	simpatiquísimo	amable	amabilísimo
blanco	blanquísimo	fiel	fidelísimo

Traduction de la préposition « depuis »

— Idée de **lieu** → DESDE
> ***Desde** la estación.* Depuis la gare.

— Idée de **temps**
a) La préposition renvoie à **une date**, à **un événement** précis → DESDE
> ***Desde** 1965.* Depuis 1965.
> ***Desde** el lunes.* Depuis lundi.

b) La préposition exprime **une durée** → DESDE HACE
> ***Desde hace** 5 años.* Depuis 5 ans.

Présent de l'indicatif d'un v. irrégulier : VENIR (venir)

vengo	venimos
vienes	venís
viene	vienen

¿Quién es el mejor de los dos?

Cristóbal — ¿Tenéis perro en tu casa?

Félix — ¡Huy! No. Si digo a mi padre que quiero un perro, va a decir que es imposible en un piso. « Los perros en el campo y en los chalés », dice siempre mi padre. Teme molestar a los vecinos.

Cristóbal — Nosotros vivimos en un piso y, sin embargo, tenemos un perro negro, buenísimo, el más bueno de todos los perros. Está muy bien educado y los vecinos nunca dicen nada de él.

Félix — Pues nosotros tenemos una gata blanca, preciosa, la más preciosa de todas las gatas. Los gatos son fidelísimos a sus amos.

Cristóbal — ¿Tú crees? Yo pienso que los perros son los animales más fieles, capaces de morir junto a sus amos, si llega el caso.

Félix — Es curioso, cada uno defiende lo suyo. No hay duda de que tú quieres a tu perro y yo a mi gata. Los dos son los mejores ejemplares del mundo, ¿a que sí?

Qui est le meilleur des deux ?

Christophe — Vous avez (un) chien chez toi ?

Félix — Oh ! là ! là ! Non. Si je dis à mon père que je veux un chien, il va dire que c'est impossible dans un appartement. « Les chiens à la campagne et dans les maisons (avec jardin) » dit toujours mon père. Il craint (de) déranger les voisins.

Christophe — Nous, nous habitons un appartement et pourtant nous avons un chien noir, très gentil (bon), le plus gentil (le meilleur) de tous les chiens. Il est très bien élevé et les voisins ne disent jamais rien de lui.

Félix — Eh bien nous, nous avons une chatte blanche, ravissante, la plus ravissante de toutes les chattes. Les chats sont très fidèles à leurs maîtres.

Christophe — Tu crois ? Je pense que les chiens sont les animaux les plus fidèles, capables de mourir à côté de leurs maîtres, le cas échéant (si le cas arrive).

Félix — C'est curieux, chacun défend son bien (le sien). Il n'y a pas de doute que tu aimes ton chien et moi ma chatte. Tous deux (les deux) sont les meilleurs spécimens du monde, hein oui ?

Vocabulaire

el caballo : le cheval
la vaca : la vache
el cerdo : le cochon, le porc

el asno : l'âne
el burro : l'âne
la oveja : la brebis

el cordero : l'agneau	**la gallina** : la poule
la cabra : la chèvre	**la pintada** : la pintade
el conejo : le lapin	**el pájaro** : l'oiseau
el pato : le canard	**el loro** : le perroquet
la oca : l'oie	**el canario** : le canari
el pollo : le poulet	**el ratón** : la souris

Superlatif relatif

Il se forme, comme en français, en faisant précéder le comparatif (d'infériorité ou de supériorité) de l'article défini.

Más simpático	**El más** simpático	Le plus sympathique
Menos inteligente	**El menos** inteligente	Le moins intelligent
Mejor	**El mejor**	Le meilleur

Remarque : Le superlatif placé *immédiatement* après un nom *déterminé* s'emploie sans article.

> Este perro es **el** más precioso de todos.
> MAIS Este es **el** perro más precioso de todos.

Présent de l'indicatif d'un verbe irrégulier : DECIR (dire)

digo	decimos
dices	decís
dice	dicen

Exercices

1. Compléter les phrases suivantes avec « desde » ou « desde hace »

1. Trabajo en esta oficina ... tres años. **2.** ¿Vivís aquí ... mucho tiempo? **3.** No, vivimos en este piso ... el primero de marzo. **4.** ¿Está lejos? ... la estación hay dos kilómetros. **5.** Estamos esperando el autobús ... un cuarto de hora. **6.** Estoy enfermo ... el cumpleaños de Carlos. **7.** ¿... cuándo tienes teléfono? **8.** Este grupo canta ... muchos años. **9.** Ponen la película ... dos semanas. **10.** Los vecinos no pagan el alquiler ... el mes de enero.

2. Traduire

1. Cette fille est très belle. **2.** Les livres coûtent très cher. **3.** La première leçon est très facile. **4.** Cette chanson est très jolie. **5.** C'est très simple. **6.** Ils habitent très loin d'ici. **7.** La rue est très longue mais très étroite. **8.** Ce modèle de frigo est très lourd mais la marque est très bonne. **9.** Ce travail est très difficile mais très intéressant. **10.** Tes pralines sont très bonnes.

3. Traduire

1. Janvier est le mois le plus froid de l'année. **2.** Le lave-linge est l'électroménager le plus utile. **3.** J'habite le quartier le plus vert de la ville. **4.** Cette chambre est la plus petite de l'hôtel. **5.** Le cheval est un des animaux les plus intelligents. **6.** L'été est la saison la plus gaie et la plus agréable de l'année. **7.** C'est le garçon le plus joyeux de la famille. **8.** Cet immeuble est le plus haut et le plus moderne de la ville. **9.** C'est le Monsieur le plus riche du pays. **10.** Tu es le plus bronzé du groupe.

Recapitulación

Les verbes à irrégularités systématiques

Modèle I : diphtongaison
Le E (O) du radical devient IE (UE) quand il est frappé par l'accent tonique.

PENSAR	ENTENDER	CONTAR	MOVER
pienso	entiendo	cuento	muevo
piensas	entiendes	cuentas	mueves
piensa	entiende	cuenta	mueve
pensamos	entendemos	contamos	movemos
pensáis	entendéis	contáis	movéis
piensan	entienden	cuentan	mueven

Modèle II : changement de timbre
Le E (O) du radical devient I (U) quand il n'est pas suivi par la voyelle I

PEDIR	PODRIR (V. peu fréquent ; on trouve également PUDRIR)
pido	pudro
pides	pudres
pide	pudre
pedimos	podrimos
pedís	podrís
piden	pudren

Modèle III : diphtongaison et changement de timbre
Le changement de timbre s'applique à toutes les formes verbales qui n'ont pas subi de modification à la suite de la diphtongaison (modèle I).

SENTIR	DORMIR
siento	duermo
sientes	duermes
siente	duerme
sentimos	dormimos
sentís	dormís
sienten	duermen

Note : Les trois règles énoncées s'appliquent à la totalité des formes verbales.

Exercices

Mettre le verbe entre parenthèses à la forme correcte du présent de l'indicatif

1. Nosotros (beber) ... vino, no agua.
2. Vosotros (hablar) ... español.
3. Tú no (vivir) ... en Madrid.
4. Uds. no (ser) ... españoles.
5. ¿Por qué (estar) ... tú aquí?
6. Las clases (comenzar) ... a las ocho.
7. Yo no (contar) ... nada.
8. Felipe (pensar) ... mucho.
9. Enrique (mover) ... la cuenta.
10. El empleado (cerrar) ... la ventanilla.
11. No te (pedir) (yo) ... nada.
12. (Nosotros) (preferir) ... estar aquí.
13. Todos los días (morir) ... mucha gente.
14. Isabel no (mentir) ... nunca.
15. Pedro (jugar) ... al fútbol.
16. ¿Cuando (ir) (tú) ... a Madrid?
17. ¿Qué (hacer) (Uds.) ... esta tarde?
18. (Vosotros) (salir) ... de casa esta noche.
19. Ud. no (poder) ... trabajar más.
20. Javier (tener) ... tres hermanos.
21. El cuarto (dar) ... a la calle.
22. Como (tú) (ver) ..., están trabajando.
23. ¿Por qué no (coger) ... Ud. el tren?
24. Yo no (saber) ... nada.
25. ¿(Yo) (poner) ... un disco de Mocedades?
26. Manuel (empezar) ... a trabajar.
27. Rosa no (entender) ... la lección.
28. ¿(Tú) (querer) ... algo más?
29. (Yo) no (encontrar) ... la calle.
30. (Vosotros) (dormir) ... un poco por la tarde.

De tiendas

Berta — ¿Adónde vas tan deprisa?

Elena — Voy a ver escaparates, necesito ropa.

Berta — ¿Te acompaña Juan?

Elena — No. Le quiero mucho, pero no para ir de compras. Prefiero recorrer las tiendas sola.

Berta — ¿Qué quieres comprar, un vestido o un traje de chaqueta?

Elena — No sé, depende. Tal vez una falda y una blusa, y también una chaqueta para ir a la oficina. Pero está todo tan caro que temo entrar en los almacenes.

Berta — Cerca de mi casa hay rebajas muy buenas. ¿Recuerdas un jersey marrón que suelo llevar con una falda escocesa?

Elena — Sí, lo recuerdo, y también la falda que es ideal; la recuerdo perfectamente.

Berta — Pues, chica*, las dos cosas son baratísimas.

Elena — ¡Ah! Entonces voy a apuntar la dirección de la tienda. Pero no podemos ir las dos vestidas igual.

Berta — No es necesario. Hay mucho donde elegir.

Elena — Espero no caer en la trampa y comprar sólo lo que necesito, pues cuando las cosas son buenas, bonitas y baratas... tienen su peligro.

* L'emploi du vocatif « chico/chica » est très fréquent dans le langage parlé. Il implique un certain degré de confiance entre les interlocuteurs.

Vocabulaire

las prendas de vestir : les vêtements
la ropa : les vêtements
la camiseta : la chemisette
los calzoncillos : le caleçon, le slip
los calcetines : les chaussettes
la camisa : la chemise
la corbata : la cravate
la americana : le veston
la chaqueta : le veston, la veste, le gilet
el chaleco : le gilet (sans manches)

los pantalones : les pantalons
el traje de caballero : le costume d'homme
los gemelos : les boutons de manchette
el cinturón : la ceinture
la capa : la cape
el sostén : le soutien-gorge
las bragas : la culotte, le slip
la faja : la gaine
la combinación : la combinaison
las medias : les bas

Présent de l'indicatif d'un v. irrégulier : CAER (tomber)

caigo	caemos
caes	caéis
cae	caen

Attention ! Les verbes « *necesitar* » et « *recordar* » sont deux verbes transitifs. Ils se construisent donc SANS préposition, à la différence du français.

Necesitar algo. Avoir besoin *de* qqch.

Recordar algo. Se souvenir *de* qqch.

Emplettes

Berthe — Où vas-tu si vite ?

Hélène — Je vais voir (les) étalages, j'ai besoin de vêtements.

Berthe — Jean t'accompagne ?

Hélène — Non. Je l'aime beaucoup mais pas pour aller faire les courses. Je préfère (parcourir) faire les magasins seule.

Berthe — Que veux-tu acheter, une robe ou un tailleur ?

Hélène — Je ne sais pas ; ça dépend. Peut-être une jupe et un chemisier et aussi une veste pour aller au bureau. Mais tout est tellement cher que j'ai peur d'entrer dans les magasins.

Berthe — Près de chez moi (près de ma maison), il y a de très bonnes soldes. Tu te souviens d'un pull marron que je porte habituellement avec une jupe écossaise ?

Hélène — Oui, je m'en souviens et de la jupe aussi qui est très belle (idéale) ; je m'en souviens parfaitement.

Berthe — Eh bien, ma fille, les deux affaires (choses) sont très bon marché.

Hélène — Ah ! Alors je vais noter l'adresse de la boutique. Mais, nous ne pouvons pas être (aller) habillées (toutes) les deux de la même façon.

Berthe — Ce n'est pas nécessaire. Il y a beaucoup de choix (il y a beaucoup où choisir).

Hélène — J'espère ne pas tomber dans le piège et acheter seulement ce dont j'ai besoin, car quand les choses sont bonnes, belles et pas chères... elles comportent (ont) leur(s) danger(s).

Pronoms personnels compléments directs

Me	escucha	
Te	escucha	
Lo*	escucha	Il l'écoute (le disque/le directeur)
		Il vous écoute (f. polie)
La	escucha	Il l'écoute (la chanson/la directrice)
		Il vous écoute (f. polie fém.)
Nos	escucha	
Os	escucha	
Los*	escucha	Il les écoute (les disques/les étudiants)
		Il vous écoute (f. polie)
Las	escucha	Il les écoute (les chansons/les étudiantes)
		Il vous écoute (f. polie fém.)

* Au lieu du pronom *lo*, on emploie également la forme *le* lorsqu'il y a référence à des *personnes*.

    Escucha al profesor. Lo/le escucha.

Au pluriel, la substitution de *los* par *les* est moins fréquente.

    Escucha a los profesores. Los/les escucha.

Place des pronoms personnels compléments

Règle générale : Les pronoms personnels compléments se placent DEVANT le verbe conjugué.

Dos amigas cantan

Teresa — María me dice que cantas bien. Canta algo, ¿quieres?

Felisa — ¿Qué os canto? ¿algo clásico?

Teresa — No, canta algo moderno, pero bebe primero, que tienes la garganta seca. Escribe la letra, así no te equivocas.

Felisa — ¿Me traes un lápiz o un bolígrafo?

Teresa — Sí, te dejo ése que está ahí. Pilar, canta tú la segunda voz. Cantad las dos, pero antes bebed las dos.

Felisa — Está bien. ¿Y no añades : « escribid las dos »?

Teresa — ¡Qué bromista!

Felisa — ¿Les cantamos la última canción de Julio Iglesias?

Teresa — Sí, cantad la última o la penúltima. Es igual, pero cantad.

Deux amies chantent

Thérèse — Marie me dit que tu chantes bien. Chante quelque chose, tu veux (bien) ?

Félicie — Qu'est-ce que je vous chante ? Quelque chose (de) classique ?

Thérèse — Non, chante quelque chose (de) moderne, mais bois d'abord, car tu as la gorge sèche. Ecris les paroles, ainsi tu ne te tromperas pas (tu ne te trompes pas).

Félicie — Tu m'apportes un crayon ou un stylo à bille ?

Thérèse — Oui, je t'apporte (je te laisse) celui(-là) qui est là. Pilar, chante la deuxième voix. Chantez (toutes) les deux, mais avant buvez (toutes) les deux.

Félicie — Ça va (c'est bien). Et tu n'ajoutes pas : « écrivez (toutes) les deux » ?

Thérèse — Quelle farceuse !

Félicie — On leur chante (nous leur chantons) la dernière chanson de Julio Iglesias ?

Thérèse — Oui, chantez la dernière ou l'avant-dernière. C'est égal, mais chantez.

Vocabulaire

tocar un instrumento : jouer d'un instrument
dirigir : diriger
el director de orquesta : le chef d'orchestre
el conjunto : l'ensemble
la orquesta : l'orchestre
la batuta : la baguette
el músico : le musicien
el cantante : le chanteur
afinar un instrumento : accorder un instrument

desafinar : chanter, jouer faux
el micrófono : le micro
la partitura : la partition
el piano : le piano
el violín : le violon
la flauta : la flûte
la guitarra : la guitare
la trompeta : la trompette
el arpa (f.) **:** la harpe
el tambor : le tambour
las castañuelas : les castagnettes
la pandereta : le tambourin

Pronoms personnels compléments indirects

Me *habla*

Te *habla*

Le *habla*   Il lui parle (à lui/à elle)

                    Il vous parle (f. polie)

Nos *habla*

Os *habla*

Les *habla*   Il leur parle (à eux/à elles)

                    Il vous parle (f. polie)

Impératif régulier (I) : tutoiement

— **tú** → même forme que la 3ème pers. du sing. du présent de l'indicatif

canta	il chante/chante
come	il mange/mange
escribe	il écrit/écris
piensa	il pense/pense
cuenta	il compte, il raconte/compte, raconte
elige	il choisit/choisis
etc.	

— **vosotros, -as** → s'obtient en remplaçant le R final de l'infinitif par un D

canta~~r~~ → d	cantad	chantez
come~~r~~ → d	comed	mangez
escribi~~r~~ → d	escribid	écrivez
pensa~~r~~ → d	pensad	pensez
conta~~r~~ → d	contad	comptez, racontez
elegi~~r~~ → d	elegid	choisissez
etc.		

Présent de l'indicatif d'un v. irrégulier : TRAER (apporter, rapporter)

traigo	traemos
traes	traéis
trae	traen

Exercices

1. Traduire

1. Je t'apporte ma guitare. **2.** Il n'obéit pas à ses parents. **3.** Je vous rends votre crayon. **4.** Ils lui racontent leurs vacances. **5.** Le propriétaire de l'immeuble nous loue un appartement. **6.** Tu me recommandes cet hôtel ? **7.** Je leur achète des disques et des bonbons. **8.** Le professeur nous explique les leçons les plus difficiles. **9.** Tu me rends l'argent demain ? **10.** Ils me laissent leur voiture.

2. Transformer les phrases suivantes selon le modèle :

Hay que comer → come/comed

1. Hay que comprar vino. **2.** Hay que volver antes de las 6. **3.** Hay que cerrar la puerta. **4.** Hay que pedir el horario. **5.** Hay que seguir las flechas. **6.** Hay que encender las luces. **7.** Hay que escoger. **8.** Hay que dar marcha atrás. **9.** Hay que medir la habitación. **10.** Hay que calentar el agua.

Viajes en avión y en tren

Agustín — ¿A ti te gusta viajar en avión?

Diego — Sí, a mí me gustan los viajes en avión porque son rápidos.

Agustín — A nosotros — a mi mujer y a mí — nos da miedo volar. Preferimos el tren; además a nuestros hijos les gusta también el tren.

Diego — El avión es más cómodo y más limpio.

Agustín — ¿Viajas mucho?

Diego — Sí, bastante. Cuando voy a España llevo las maletas vacías y las traigo llenas de libros.

Agustín — ¿Y qué haces en el aeropuerto con ellas?

Diego — Las facturo y viajo con un bolso de mano en donde meto un poco de todo.

Agustín — A las familias numerosas nos tiene que gustar el tren ¿sabes? Es más económico, podemos pasar la noche y dormir en literas. El avión, sin embargo, está por las nubes y no al alcance de todos los bolsillos.

Voyages en avion et en train

Augustin — Tu aimes voyager en avion, toi ?

Jacques — Oui, moi, j'aime les voyages en avion parce qu'ils sont rapides.

Augustin — Nous — ma femme et moi — nous avons peur de voler. Nous préférons le train ; de plus, nos enfants aussi aiment le train.

Jacques — L'avion est plus confortable et plus propre.

Augustin — Tu voyages beaucoup ?

Jacques — Oui, assez. Quand je vais en Espagne j'emporte mes (les) valises vides et je les rapporte pleines de livres.

Augustin — Et, que fais-tu avec elles à l'aéroport ?

Jacques — Je les enregistre et je voyage avec un sac à main où je mets un peu de tout.

Augustin — Nous, les familles nombreuses, nous devons aimer le train. Tu sais ? Il est plus économique, nous pouvons y passer la nuit et dormir en couchettes. L'avion, cependant, est hors prix (dans les nuages) et (n'est) pas à la portée de toutes les bourses.

Vocabulaire

el departamento : le compartiment
la ventanilla : la fenêtre (du train)
la rejilla : le filet (du train)
la plataforma : la plate-forme
el vagón : le wagon
la máquina : la locomotive
el andén : le quai
la vía : la voie
el revisor : le contrôleur

el equipaje : les bagages
el carrito : le chariot
la sala de espera : la salle d'attente
picar el billete : poinçonner le billet
el enlace : la correspondance
transbordar : changer de train
hacer transbordo : changer de train
la azafata : l'hôtesse
despegar : décoller

aterrizar : atterrir
el cinturón de seguridad : la cein-
ture de sécurité

la tripulación : l'équipage
la tarjeta de embarque : la carte
d'embarquement

Les tournures affectives

En espagnol, dans les expressions affectives, le complément français
devient sujet :

> *me gusta el avión :* j'aime l'avion.
> *me gustan los trenes :* j'aime les trains.

De même :

> *me duele(n) :* j'ai mal à
> *me toca(n) :* c'est à moi de
> *me da miedo :* j'ai peur de
> *me da vergüenza :* j'ai honte de
> *me cuesta (trabajo) :* j'ai du mal à
> *me apetece(n) :* j'ai envie de

Formes renforcées du pronom personnel complément indirect

> *(a mí) me gusta viajar :* (moi) j'aime voyager
> *(a ti) te gusta viajar :* (toi) tu aimes voyager
> *(a él/a ella/a Pedro) le gusta viajar :* (lui, elle, Pierre) il/elle
> aime voyager
> *(a Ud.) le gusta viajar :* (vous) vous aimez voyager
> *(a nosotros, -as) nos gusta viajar :* (nous) nous aimons
> voyager
> *(a vosotros, -as) os gusta viajar :* (vous) vous aimez voyager
> *(a ellos, -as/a Pedro y Juan) les gusta viajar :* (eux, elles,
> Pierre et Jean) ils aiment voyager
> *(a Uds.) les gusta viajar :* (vous) vous aimez voyager (f.p.)

Traer (apporter, rapporter), venir (venir), llevar (emporter, emmener), ir (aller)

Traer et *venir* indiquent toujours un mouvement vers la première
personne (la personne qui parle). *Llevar* et *ir* vers une autre personne.

Al teléfono : I = locuteur ; II = interlocuteur

— *¿**Vienes** a mi casa esta tarde?* I ← II
— *Sí, **voy** a tu casa esta tarde.* I → II
— *¿**Traes** el último disco de Julio Iglesias?* I ← II
— *Sí, **te llevo** el último disco de Julio.* I → II

Exercices

1. Traduire 1. J'aime ces exercices. **2.** J'ai mal aux yeux. **3.** J'ai envie d'aller
à la piscine. **4.** J'ai peur des chiens. **5.** C'est à moi de jouer. **6.** J'ai du mal à
comprendre. **7.** Je n'ai pas peur de travailler. **8.** Je n'aime pas le soleil.
9. J'aime l'avion. **10.** Je n'aime pas le train.

2. Traduire 1. Tu aimes les études ? **2.** Nous avons peur de voyager en
avion. **3.** Il n'a pas envie de sortir. **4.** Vous n'aimez pas l'école ? **5.** C'est à
vous de payer. **6.** Jean a peur de l'eau. **7.** Moi, j'aime les voyages. **8.** Lui, il
n'aime pas l'avion. **9.** Nous, nous avons du mal à démarrer. **10.** Vous, vous
aimez la langue espagnole.

Hablar español a la perfección

Madrid, 20 de marzo de 1986

Querida María :

Estoy en Madrid desde hace dos días y ya quiero comunicarme contigo. Voy a pasar en esta ciudad unos días. Intento aplicar los conocimientos de español que tengo. Estudio la conjugación y, cuando hablo, la pongo en práctica. Los verbos irregulares todavía los confundo, pero estoy segura de que dentro de poco los voy a emplear a la perfección. ¡Qué optimista! ¿verdad?

Estoy con una familia que me corrige cuando hago faltas; se lo agradezco mucho.

Hoy voy a visitar el parque de El Retiro*. Vienen conmigo unos amigos españoles.

Todavía tengo poco que contarte pero te lo pienso decir todo, todo.

Un fuerte abrazo

Madrid, (le) 20 mars 1986

Chère Marie,

Je suis à Madrid depuis deux jours et déjà j'ai envie (je veux) de t'écrire (me communiquer avec toi). Je vais passer quelques jours dans cette ville. J'essaie d'appliquer les connaissances d'espagnol que j'ai. J'étudie la conjugaison et, quand je parle, je la mets en pratique. Les verbes irréguliers je les confonds encore, mais je suis sûre que (de ce que) dans peu (de temps) je vais les employer à la perfection. Quelle optimiste ! N'est-ce pas ?

Je suis dans (avec) une famille qui me corrige quand je fais des fautes et je l'en remercie beaucoup.

Aujourd'hui je vais visiter le parc du Retiro. Quelques amis espagnols m'accompagnent (viennent avec moi).

J'ai encore peu (de choses) à te raconter mais je pense te (le) dire tout, tout (tout).

Je t'embrasse (bien) fort.

Isabelle

* *El Retiro* : nom d'un parc madrilène bien connu, situé à côté de la Puerta de Alcalá. L'article « el » fait partie du nom propre « El Retiro » et ne se contracte pas avec la préposition *de*.

Exercices

Remplacer les termes en italique par le pronom personnel atone qui convient 1. Pedro me deja *el coche*. **2.** Te compro *el paraguas*. **3.** Le cuento *mi vida*. **4.** Os llevo *un bocadillo*. **5.** ¿Me dejas *las servilletas*? **6.** ¿Nos das *el bolígrafo*? **7.** Doy *champán a mi mujer*. **8.** ¿Me das *la entrada*? **9.** ¿Me traes *el bocadillo*? **10.** Doy *caramelos a los niños*.

Vocabulaire

Srta. María Fernández García
Santiago Rusiñol 8
AVILA

Rte. Isabelle Dubois
Paseo del Prado 104
28040 MADRID

P.D. (Postdata) : P.S. (Post-scriptum)
Rte. (Remite) : Exp. (Expéditeur)
Destinatario : Destinataire
Estimado(s) señor(es)(:) : Monsieur(,), cher Monsieur (,), Messieurs (,)
Querida María(:) : Chère Marie(,)
(Muy) Distinguido(s) señor(es)(:) : Monsieur(,), Messieurs (,)

Muy atentamente : Veuillez agréer...
Sr. D. Carlos Pérez García : Monsieur Charles...
Sra. Da. Isabel Gómez López : Madame Isabelle...
Srta. Carmen Alonso Alvarez : Mademoiselle Carmen...
Señores de González Ruiz : Monsieur et Madame...

Les pronoms précédés de la préposition « con »

conmigo (avec moi)
contigo (avec toi)
con él/ella/usted (avec lui, elle, vous)
consigo (= réfléchi) (avec soi)
con nosotros, -as (avec nous)
con vosotros, as (avec vous)
con ellos/ellas/ustedes (avec eux, elles, vous)
consigo (avec soi)

La place des pronoms personnels atones avec infinitif

Le pronom se place après le verbe quand celui-ci est à l'infinitif. Quand ce dernier dépend d'un verbe conjugué, le pronom peut aller devant le verbe conjugué (voir leçon 31) ou après l'infinitif auquel il se soude.

*quiero comunicar**me** contigo*
***me** quiero comunicar contigo*
***te lo** pienso decir todo*
*pienso decír**telo** todo*

Deux pronoms consécutifs (le lui, la leur, vous le,...)

1. Le pronom complément indirect se place toujours le premier.
2. La combinaison est indivisible.
3. Lorsque les deux pronoms appartiennent à la troisième personne, l'indirect se change en SE :

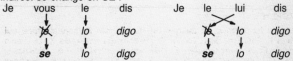

Se = vous, lui, leur

Juego de la oca

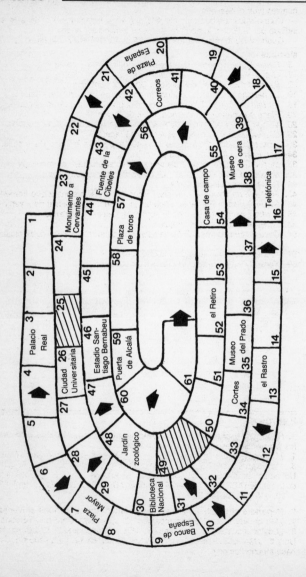

Règles du jeu :

— Avancez du nombre de cases indiqué sur le dé.
— Quand vous tombez sur un *monument*, faites l'exercice qui correspond au numéro (voir ci-dessous).
— Quand vous tombez sur une *flèche* (→ ; ←), reparcourez, dans le sens indiqué par la flèche, le nombre de cases indiqué sur le dé.
— Quand vous tombez sur les cases *25* et *49*, retournez à la case 1.

Monuments

3. *Palais Royal :* donnez le présent de l'indicatif de « *soñar* ».
7. *Grand-Place :* donnez le contraire de « *poner un disco* ».
9. *Banque d'Espagne :* complétez : *Un disco tiene dos ...*
13. *Le marché aux puces :* donnez le présent de l'indicatif de « *soler* ».
16. *Bureau central du Téléphone :* donnez un synonyme de « cheque ».
20. *Place d'Espagne :* citez cinq parties de la voiture.
23. *Monument à Cervantès :* donnez le présent de l'indicatif de « *dormir* ».
26. *Cité universitaire :* citez cinq électroménagers.
30. *Bibliothèque Nationale :* citez trois objets pour se protéger de la pluie.
34. *Parlement :* citez trois types de maisons.
35. *Musée du Prado :* citez trois types d'établissements commerciaux.
38. *Musée de cire :* complétez : *Estoy en Bélgica ... dos años.*
41. *Postes :* citez cinq couleurs.
43. *Fontaine de Cybèle :* traduisez : Henri est aussi intelligent que Fernand.
46. *Stade Santiago Bernabeu :* donnez le présent de l'indicatif de « *venir* ».
48. *Jardin zoologique :* donnez le superlatif absolu de « *blanco* ».
53. *Le Retiro :* citez cinq animaux.
54. *Casa de campo* (maison de campagne) : donnez le présent de l'indicatif de « *elegir* ».
57. *Arènes :* que signifie l'abréviation : *Rte.* ?
59. *Porte d'Alcala :* citez cinq moyens de transport.

Exercices

1. Répondre aux questions en remplaçant les compléments directs par les pronoms personnels correspondants

1. ¿Conoces a tus vecinos? Sí, ... **2.** ¿Queréis a vuestro perro? Sí, ...
3. ¿Vigilas tus cosas? Sí, ... **4.** ¿Compra Ud. la reproducción? Sí, ... **5.** ¿Tiene Ud. su sombrero? Sí, ... **6.** ¿Cogen Uds. el autobús? Sí, ... **7.** ¿Sabes la letra de la canción? Sí, ... **8.** ¿Abres el paraguas? Sí, ... **9.** ¿Esperas a tu amiga? Sí, ... **10.** ¿Ves la flecha? Sí, ...

2. Répondre affirmativement et négativement aux questions suivantes

1. ¿Me quieres? **2.** ¿Nos acompañáis? **3.** ¿Le invita Ud.? **4.** ¿Te conoce? **5.** ¿Los encuentras todos los días? **6.** ¿Os está esperando? **7.** ¿Le recuerda Ud.? **8.** ¿Me estás escuchando? **9.** ¿Los compras? **10.** ¿Lo sabe Ud. desde hace mucho tiempo?

¿Cuándo es Nochebuena?

Adela — Dame un calendario, por favor. Quiero saber en qué día de la semana caen este año algunas fiestas.

Cecilia — ¿Estás hablándome a mí?

Adela — Sí, claro. Estoy hablándote a ti que tienes una agenda al lado. Acércamela, anda.

Cecilia — Tómala.

Adela — Gracias. Mira, Nochebuena cae en martes y por tanto Navidad, en miércoles.

Cecilia — ¡Qué estupendo! porque así tenemos vacaciones desde el sábado 21 hasta el 7 de enero.

Adela — ¿Y qué día son los Reyes?

Cecilia — El lunes 6 de enero.

Adela — Bueno, el 6 de enero siempre. Lo que me interesa es el día de la semana.

Cecilia — ¡Cómo me gustan estas fiestas! Son días de alegría vividos en familia. Ya estoy frotándome las manos con lo que vamos a gozar.

Quand est-ce la nuit de Noël ?

Adèle — Donne-moi un calendrier, s'il te plaît. Je voudrais (veux) savoir (en) quel jour de la semaine tombent quelques fêtes cette année-ci.

Cécile — Tu me parles à moi ?

Adèle — Oui, bien sûr. Je te parle à toi car tu as un agenda à côté (de toi). Donne-le-moi (approche-le-moi), allons (va).

Cécile — Tiens (Prends-le).

Adèle — Merci. Regarde, (la) veillée de Noël tombe mardi et par conséquent Noël mercredi.

Cécile — C'est formidable ! car ainsi nous sommes en vacances (nous avons des vacances) à partir du samedi 21 jusqu'au 7 janvier.

Adèle — Et quel jour tombe la fête des Rois ?

Cécile — Le lundi 6 janvier.

Adèle — Evidemment, (c'est) toujours le 6 janvier. Ce qui m'intéresse, c'est le jour de la semaine.

Cécile — Comme j'aime ces fêtes ! Ce sont des jours de joie vécus en famille. Je m'en réjouis déjà (je me frotte déjà les mains avec ce que nous allons jouir).

Vocabulaire

Año Nuevo : le Nouvel An
Carnaval : le Carnaval
la Cuaresma : le Carême
Semana Santa : la Semaine Sainte
Pascua : Pâques
Pentecostés : la Pentecôte

Todos los Santos : la Toussaint
el Día de Difuntos : le Jour des Morts
Nochevieja : la Nuit de la St.-Sylvestre
el árbol de Navidad : le sapin de Noël

el belén : la crèche	**¡Feliz Navidad!** : Joyeux Noël !
el nacimiento : la crèche	**¡Felices Pascuas!** : Joyeuses Pâ-
el villancico : le chant de Noël	ques !, Joyeux Noël !

Place du pronom personnel atone avec l'impératif et le gérondif

— Le pronom personnel atone se place *après* l'impératif (affirmatif)

Dame un calendario. Donne-moi un calendrier.

Acércamela. Approche-la-moi (la agenda).

— Le pronom personnel atone se place *après* le gérondif

Estoy hablándote. Je suis en train de te parler.

Quand le gérondif dépend d'un verbe conjugué, le pronom peut aussi se placer *devant* le verbe conjugué (voir leçon 31).

Estoy hablándote.

Te estoy hablando.

Attention ! Les pronoms atones postposés *se soudent* à la forme verbale qui précède :

Toma + la → Tómala

Hablando + te → Hablándote

Decir + te + lo → Decírtelo (voir leçon 34)

L'accent tonique de la forme verbale n'est pas modifié pour autant, ce qui peut imposer le placement de l'accent écrit (voir règle générale de l'accent).

Traduction de « depuis ... jusqu'à /de ... à » : desde ... hasta / de ... a

— **Temps :** *desde las cinco hasta las seis ; de cinco a seis*

— **Lieu :** *desde la plaza hasta la estación ; de la plaza a la estación*

Exercices

1. Répondre affirmativement en remplaçant les compléments par les pronoms personnels correspondants

1. ¿Conoces a ese señor? Sí, ... **2.** ¿Te interesa este libro? Sí, ... **3.** ¿Nos dejáis aquí? Sí, ... **4.** ¿Le apetece trabajar en nuestra oficina? Sí, ... **5.** ¿Me quieres? Sí, ...

1. ¿Estás hablándome a mí? Sí, ... **2.** ¿Está usted esperando a Inés? Sí, ... **3.** ¿Estás lavando a los niños? Sí, ... **4.** ¿Está Elena planchando la ropa? Sí, ... **5.** ¿Estás afinando la guitarra? Sí, ...

1. ¿Quiere Ud. cerrar la puerta? Sí, ... **2.** ¿Quieres ver a Juan? Sí, ... **3.** ¿Quieren Uds. conocer a María? Sí, ... **4.** ¿Queréis sacar las entradas ahora? Sí, ... **5.** ¿Quieres escuchar el disco? Sí, ...

2. Répondre à l'impératif en remplaçant les compléments par les pronoms correspondants

1. ¿Me dejas escoger un libro? Sí, ... **2.** ¿Me dejas coger la agenda? Sí, ... **3.** ¿Me dejáis despertar al niño? Sí, ... **4.** ¿Me dejas consultar el reloj? Sí, ... **5.** ¿Me dejas fregar los platos? Sí, ...

Mi jornada se presenta así

Me gusta apuntarlo todo en el diario. Soy así : ordenado por naturaleza. Me levanto siempre a la misma hora, me lavo — mejor dicho — me ducho o me baño y después me visto.

Después de desayunar me afeito, me peino y mientras, oigo las catastróficas noticias en la radio. Sí, catastróficas, como suena, porque parece que sólo lo catrastrófico es noticia.

Me voy a la oficina temprano y vuelvo a casa tarde. ¡Qué horario, Dios mío!

Después de comer me echo un cuarto de hora de siesta y luego, casi siempre, sigo trabajando. Salgo poco durante la semana. Veo la televisión, cuando hay algo interesante, y me acuesto a una hora prudente. ¿Creen ustedes todo esto? Pues así es mi vida.

Ma journée se présente comme suit (ainsi)

J'aime tout noter dans mon (le) journal. Je suis ainsi : ordonné par nature. Je me lève toujours à la même heure, je me lave — ou plutôt (mieux dit) — je me douche ou je prends un bain (je me baigne) et après je m'habille.

Après le petit déjeuner (prendre le petit déjeuner) je me rase, je me peigne et entretemps, j'écoute (j'entends) les nouvelles catastrophiques à la radio. Oui, catastrophiques, comme je vous le dis (comme cela sonne), (parce qu')il semble que seul (seulement) ce qui est catastrophique est nouvelle.

Je pars (je m'en vais) tôt au bureau et je rentre (reviens) tard chez moi. Quel horaire, mon Dieu !

Après avoir mangé je fais une sieste d'un quart d'heure et ensuite, presque toujours, je continue à travailler. Je sors peu pendant la semaine. Je regarde (vois) la télévision, quand il y a quelque chose d'intéressant et je me couche à une heure décente (prudente). Qui l'eût cru (Vous croyez tout ceci) ? Eh bien ma vie est ainsi.

Vocabulaire

el cuarto de baño : la salle de bain
la bañera / el baño : la baignoire
la ducha : la douche
el lavabo : le lavabo
el grifo : le robinet
el váter : le water
el bidé : le bidet
el radiador : le radiateur
el espejo : le miroir
el agua fría : l'eau froide
el agua caliente : l'eau chaude
la toalla : la serviette de toilette

la toalla de baño : l'essuie de bain
la manopla : le gant de toilette
la esponja : l'éponge
el jabón : le savon
el champú : le shampooing
la pasta dentífrica : le dentifrice
la máquina de afeitar : le rasoir électrique
el peine : le peigne
el cepillo (de pelo, de dientes) : la brosse (à cheveux, à dents)

Pronoms personnels réfléchis

me levanto
te levantas
se levanta :   il / elle se lève / Vous vous levez (f. polie)
nos levantamos
os levantáis
se levantan :
　　　　ils / elles se lèvent / Vous vous levez (f. polie)

L'action en cours. Emploi du gérondif (II)

Le gérondif précédé d'un auxiliaire permet d'exprimer diverses nuances de l'action en cours :

la durée : ESTAR + gérondif : « être en train de »
Estoy aprendiendo español. Je suis en train d'apprendre l'espagnol.

la continuité : SEGUIR + gérondif : « continuer à »
Sigo aprendiendo español. Je continue à apprendre l'espagnol.

la progression : IR + gérondif : « ... peu à peu »
Voy aprendiendo español (poco a poco). J'apprends peu à peu l'espagnol.

Présent de l'indicatif d'un v. irrégulier : OIR (entendre)

oigo	oímos
oyes	oís
oye	oyen

Exercices

Traduire

1. Je me lave tous les jours. 2. Tu ne te peignes pas. 3. Il se rase le matin. 4. Elle prend souvent une douche. 5. Nous partons demain. 6. Vous vous couchez tard. 7. Vous prenez un bain le dimanche. 8. Ils font la sieste tous les après-midi. 9. Elles s'habillent bien. 10. Nous nous levons à 7 heures moins le quart.

En la sala de espera

Paciente primero — ¿Está ya el doctor?

Paciente segundo — No, y me duele el estómago como pocas veces.

Paciente tercero — ¿Cómo puede llegar tarde hoy que a todos nos duele algo? Parece que cuando tenemos dolores, los médicos llegan más tarde que de costumbre.

Paciente primero — A mí me duelen tanto las piernas que subo difícilmente las escaleras cuando no funciona el ascensor.

Paciente segundo — Tenemos que tener paciencia pues nada se arregla con lamentos.

Paciente tercero — Es cierto. Pero cuando nos quejamos, parece que los dolores se nos alivian.

Paciente primero — Tenemos que pensar que no nos duele nada. Todo esto es, como dicen los entendidos ahora, psicológico.

Paciente segundo — ¡Ah! ¿sí? Pues voy a pensar que no me duele nada, ni el estómago, ni el hígado, ni el bazo, nada. ¿Quieren ustedes hacer la prueba conmigo? No les duele nada. Podemos marcharnos a casa sin recetas y sin medicinas. A ahorrarnos dinero y a ahorrárselo al Estado. Hacemos con ello una buena obra.

Vocabulaire

El cuerpo humano : le corps humain

La salud : la santé
caer enfermo : tomber malade
coger una enfermedad : attraper une maladie
estar regular : ne pas être très bien
tener fiebre : avoir de la fièvre
tener molestias : être dérangé
tener escalofríos : avoir des frissons
estar acatarrado : être enrhumé
resfriarse : se refroidir
estornudar : éternuer
toser : tousser
romperse una pierna : se casser une jambe
torcerse un tobillo : se tordre une cheville
el catarro : le rhume
la gripe : la grippe
la angina : l'angine
la consulta : la consultation
el reconocimiento : l'examen médical

reconocer : examiner
auscultar : ausculter
tomar el pulso : prendre le pouls
poner el termómetro : mettre le thermomètre
poner una inyección : faire une piqûre
sacar la lengua : tirer la langue
vacunar : vacciner
curar : soigner, guérir
hacer un análisis (de sangre, de orina) : faire une analyse (de sang, d'urine)
ciego : aveugle
sordo : sourd
mudo : muet

la espalda : le dos
la lengua : la langue
el diente : la dent

Dans la salle d'attente

Premier patient — Est-ce que le docteur est déjà là ?

Deuxième patient — Non et j'ai mal à l'estomac comme ça ne m'arrive pas souvent (comme peu de fois).

Troisième patient — Comment peut-il arriver en retard (tard) alors (aujourd'hui) que nous avons tous mal quelque part (quelque chose nous fait mal à tous) ? On dirait que (il semble que) quand nous avons mal (nous avons des douleurs), les médecins arrivent plus tard que d'habitude.

Premier patient — Moi, j'ai tellement mal aux jambes que je monte difficilement les escaliers quand l'ascenseur ne fonctionne pas.

Deuxième patient — Il faut être patient (nous devons avoir de la patience) car se lamenter ne sert à rien (rien ne s'arrange avec des lamentations).

Troisième patient — C'est vrai. Mais quand nous nous plaignons, on dirait (il semble) que nos douleurs s'allègent (les douleurs s'allègent pour nous).

Premier patient — Nous devons penser que nous n'avons mal nulle part. Tout ceci est, comme disent maintenant les connaisseurs, psychologique.

Deuxième patient — Ah ! oui ? Eh bien, je vais penser que je n'ai mal nulle part, ni à l'estomac, ni au foie, ni à la rate, nulle part. Vous voulez faire le test avec moi ? Vous n'avez mal nulle part. Nous pouvons rentrer chez nous sans ordonnance(s) et sans médicaments. Epargnons notre (l') argent et celui de l'Etat (et épargnons-le-lui à l'Etat). Nous faisons ainsi (avec cela) une bonne œuvre.

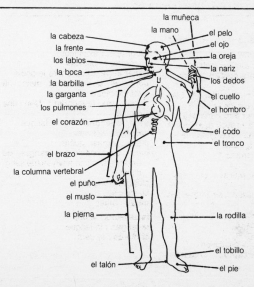

la muñeca
la mano
la cabeza
la frente
los labios
la boca
la barbilla
la garganta
los pulmones
el corazón
el brazo
la columna vertebral
el puño
el muslo
la pierna
el pelo
el ojo
la oreja
la nariz
los dedos
el cuello
el hombro
el codo
el tronco
la rodilla
el tobillo
el pie
el talón

En la farmacia

Cliente — ¡Buenas tardes! ¿Me da aspirinas, por favor?

Farmacéutico — ¿Corrientes o efervescentes?

Cliente — Puede dármelas con vitamina C.

Farmacéutico — Sí, pero tómelas durante el día ; quitan el sueño.

Cliente — ¿Qué nos recomienda para la garganta? Mi mujer y yo tenemos muchas veces faringitis.

Farmacéutico — Tomen, entonces, estas pastillas. Chúpenlas lentamente. Por la noche beban algo caliente antes de acostarse con esto que les doy.

Cliente — Escríbanos aquí, por favor, el nombre de la medicina que nos recomienda para nuestro hijo.

Farmacéutico — Es un complejo vitamínico. Son cápsulas de vitaminas y sales minerales. Puede tomarlo toda la familia, los resultados son excelentes y no tiene ninguna contraindicación.

Cliente — Muchas gracias por sus consejos y hasta otro día.

Farmacéutico — Espero verles pronto por aquí y ... en plena forma. Cuídense. La vida es más importante que la bolsa.

A la pharmacie

Client — Bonjour ! (Vous me donnez) des aspirines, s'il vous plaît ?

Pharmacien — Normales (courantes) ou effervescentes ?

Client — Vous pouvez me les donner avec vitamine C.

Pharmacien — Oui, mais prenez-les pendant la journée ; elles empêchent de dormir (elles enlèvent le sommeil).

Client — Qu'est-ce que vous nous recommandez pour la gorge ? Ma femme et moi avons souvent des pharyngites.

Pharmacien — Alors, prenez ces pastilles. Sucez-les lentement. Le soir, buvez quelque chose de chaud avant de vous coucher avec ce que je vous donne.

Client — Ecrivez-nous ici, s'il vous plaît, le nom du médicament que vous nous recommandez pour notre fils.

Pharmacien — C'est un complexe vitaminé. Ce sont des capsules de vitamines et de sels minéraux. Toute la famille peut le prendre ; les résultats sont excellents et il n'y a (il n'a) aucune contre-indication.

Client — Merci beaucoup pour vos conseils et à bientôt.

Pharmacien — J'espère vous (re)voir (par ici) bientôt et ... en pleine forme. Soignez-vous. La vie est plus importante que l'argent.

Vocabulaire

la píldora : la pilule
el comprimido : le comprimé
las gotas : les gouttes

el supositorio : le suppositoire
la mercromina : le mercurochrome
el éter : l'éther

el agua oxigenada : l'eau oxygénée	**la gasa** : la gaze
el alcohol : l'alcool	**la jeringa** : la seringue
el desinfectante : le désinfectant	**la loción** : la lotion
el algodón : l'ouate	**la pomada** : la pommade
el esparadrapo : le sparadrap	**los polvos de talco** : la poudre de talc
las tiritas : les pansements	

Impératif régulier (II) : forme polie

Ud. → se forme à partir de l'impératif 2ème pers. sing. (tú) ; si celui-ci est terminé en -A, l'impératif forme polie sing. se terminera en -E et vice-versa.

canta	cante	chantez
come	coma	mangez
escribe	escriba	écrivez
piensa	piense	pensez
cuenta	cuente	comptez / racontez
elige	elija*	choisissez
etc.		

* voir modifications orthographiques dans les verbes (leçon 26)

Uds. → se forme en ajoutant -N à la forme polie sing.

canten	chantez (f. polie plur.)
coman	mangez (f. polie plur.)
escriban	écrivez (f. polie plur.)
piensen	pensez (f. polie plur.)
cuenten	comptez / racontez (f. polie plur.)
elijan	choisissez (f. polie plur.)

Attention !

On dit :

> *Muchas gracias **por** sus consejos.* Merci beaucoup pour vos conseils.
> *El cliente le da las gracias **por** sus consejos.* Le client le / vous remercie pour ses / vos conseils.

mais

> *Le agradece sus consejos.* Il le / vous remercie pour ses / vos conseils.

Exercices

1. Mettre à l'impératif en suivant le modèle :

> *Ud. no chupa las pastillas → Chupe las pastillas.*

1. Ud. no bebe vino. **2.** Uds. no siguen mis consejos. **3.** Uds. no escriben a sus amigos. **4.** Ud. no firma el cheque. **5.** Uds. no nadan en la piscina. **6.** Ud. no barre la acera. **7.** Uds. no cogen el tren. **8.** Ud. no pide el catálogo. **9.** Uds. no aprenden la letra de la canción. **10.** Ud. no duerme.

2. Mettre à l'impératif et remplacer le complément par un pronom en suivant le modèle :

> *Uds. comen mermelada → Cómanla*

1. Ud. lee un libro. **2.** Uds. miran la foto. **3.** Uds. compran medicinas. **4.** Ud. toma una aspirina. **5.** Ud. pide un cepillo de dientes. **6.** Uds. comen pasteles. **7.** Uds. echan la carta. **8.** Ud. envuelve el pañuelo. **9.** Ud. llena el depósito. **10.** Uds. lavan la ropa.

I. Compléter

1. Soy ... Madrid.
2. Soy profesor ... español.
3. Felipe ... contento.
4. Estamos ... agosto.
5. ¿Adónde (ir) (nosotros) ... esta tarde?
6. Voy ... preparar los bocadillos ahora.
7. 21 nietos se escribe : ...
8. El plural de melón es : ...
9. Pedro escribe ... máquina.
10. Yo (salir) ... de aquí.
11. Las 8.45 se escribe : ...
12. 101 alumnos se escribe : ...
13. No hay otra solución : tenemos ... trabajar.
14. Estamos (escribir) ... una carta.
15. El disco ... cerrado.
16. 1.421 pesetas se escribe : ...
17. ... libro de aquí es muy interesante.
18. ... libro de ahí es más interesante todavía.
19. ... libro de allí es ... más interesante de todos.
20. Nosotros (preferir) ... trabajar por la mañana.
21. José (jugar) ... en la calle.
22. En Bélgica (llover) ... mucho.
23. ¡... trabajar!
24. (Yo) no te (conocer) ...
25. Te agradecemos ... consejos.
26. Este perro es muy fiel ; es ...
27. ¿Por qué no (venir) (tú) ... a verme?
28. ¿Por qué no me (decir) ... Ud. la verdad?
29. Esta es la casa ... más cara de todas.
30. Te (pedir) ... (yo) un favor.
31. ¿No me (entender) ... (tú)?
32. A mí ... gusta el tren.
33. A Ud. ... duele la cabeza.
34. ¿Te doy el libro? — Sí, ...
35. ¿Me das la entrada? — Sí, ...
36. ¿Me da Ud. su bolígrafo? — Sí, ...
37. ¿Está Ud. esperando al Señor García? — Sí, ...
38. ¿Me da el calendario, por favor? — Sí, ...
39. ¡Muchas gracias ... sus consejos!
40. Durante las vacaciones, no (hacer) (yo) ... nada.

II. Compléter

1. La capital de Bélgica es ...
2. Un profesor de Universidad es un ...
3. Lo contrario de *detrás de* es ...
4. El cuarto día de la semana es ...
5. El marido de mi hija es mi ...
6. La hija de mi hermana es mi ...
7. Vamos a tomar un mosto con ...
8. La comida que precede a la cena es ...
9. ¡ ... mucho calor!
10. Echar una carta al ...
11. ¿Qué hora ...?
12. Esta habitación da ... mar.
13. ¿Qué significa la abreviatura P.V.P.?
14. Cristóbal juega ... fútbol.
15. Hay que ... 3 y 5 para llegar a 8.
16. Cuatro ... cuatro son ocho.
17. Las estaciones del año son : ..., ..., ..., ...
18. (Nosotros) (fregar) ... los platos cantando.
19. Lo contrario de *caro* es ...
20. Tenemos clase en el ... número 5.
21. Una cadena estereofónica tiene dos ...
22. ¿Por qué no ... Ud. la cuenta?
23. ¡No ... (yo) un paso más!
24. Tengo las manos frías. Me voy a comprar unos ... o unas ...
25. *Desde luego* significa ...
26. Pedro trabaja aquí ... el mes de marzo.
27. ¿ ... (tú) bien la guitarra?
28. Alquilamos el piso. No somos ... ; somos ...
29. No hay ... de que tú quieres a tu gato.
30. Lo contrario de *cerca de* es ...
31. Las partes de un traje de caballero son : ..., ... y ...
32. Lo contrario de *primero* es ...
33. Los aviones ... en el aeropuerto.
34. ... las seis ... las siete.
35. La noche antes de Navidad es ...
36. El pie y la mano tienen ...
37. El médico ... al paciente.
38. La vida es más importante que la ...
39. La ... del médico empieza a las seis.
40. Me limpio los dientes con ... y ... .

El mercado de mi barrio

Catalina — ¡Qué carne tan buena! ¿Dónde la compráis? ¿En algún mercado de por aquí?

Esther — Sí. Realmente no hay ningún carnicero como el nuestro. Todos los invitados lo dicen. En este mercado hay cien puestos más o menos y a cuál mejor.

Catalina — ¿Pero todos los puestos son de carne?

Esther — No. Hay tiendas de todo : carnicerías, fruterías, mantequerías, pescaderías, etc., etc. pero de primerísima calidad.

Catalina — ¿Cuántos pisos tiene el mercado?

Esther — Dos. En el primer piso encuentras frutas, verduras, quesos, embutidos, etc. En la planta baja : carnes y pescados.

Catalina — ¡Qué suerte tenéis!

Esther — Y si te digo que están poniendo el hilo musical*, ¿qué me dices?

Le marché de mon quartier

Catherine — Quelle bonne viande ! Où l'achetez-vous ? Dans un marché des environs (de par ici) ?

Esther — Oui. Réellement il n'y a aucun boucher comme le nôtre. Tous les invités le disent. Dans ce marché-ci il y a plus ou moins cent magasins et tous sont meilleurs les uns que les autres.

Catherine — Mais tous les magasins vendent de la (sont de) viande ?

Esther — Non. Il y a des magasins de tout : des boucheries, des magasins de fruits, des crémeries, des poissonneries, etc., etc. mais de toute première qualité.

Catherine — Combien d'étages a le marché ?

Esther — Deux. Au premier étage tu trouves des fruits, des légumes, des fromages, de la charcuterie, etc. Au rez-de-chaussée : les viandes et les poissons.

Catherine — Quelle chance vous avez !

Esther — Et si je te dis qu'ils sont en train d'installer le fil musical, qu'est-ce que tu me réponds ?

---

* *El hilo musical* : programme de musique continue.

Vocabulaire

la manzana : la pomme
la cereza : la cerise
el albaricoque : l'abricot
la ciruela : la prune
la fresa : la fraise
la nuez : la noix
la castaña : la châtaigne
la almendra : l'amande
el plátano : la banane
la piña : l'ananas
las uvas : les raisins
el guisante : le pois
la patata : la pomme de terre
el rábano : le radis

el puerro : le poireau
la zanahoria : la carotte
la cebolla : l'oignon
el ajo : l'ail
la calabaza : le potiron
la lechuga : la laitue
el pimiento : le poivron
la col, el repollo : le chou
las coles de Bruselas : les choux de Bruxelles
la lombarda : le chou rouge
las judías verdes : les haricots verts
el pepino : le concombre
la berenjena : l'aubergine

L'apocope

Les adjectifs

uno, primero, tercero, bueno, malo, alguno, ninguno

perdent le -o final devant un nom masculin sing.

Algún mercado. Un marché.
El primer piso. Le premier étage.
Ningún hombre. Aucun homme.

Les adjectifs

grande, cualquiera,

deviennent *gran, cualquier,* devant un nom singulier masculin ou féminin.

Una gran ciudad. Une grande ville.
Cualquier día. N'importe quel jour.

Exercices

1. Traduire

1. Le premier jour. 2. Aucun homme, aucune femme. 3. Le troisième élève. 4. Une grande maison, une grande voiture. 5. Un mauvais moment. 6. Cent pommes. 7. Un bon étudiant. 8. Un bon marché. 9. Le premier numéro. 10. Un jour.

2. Que vend-on dans les établissements suivants ?

1. Carnicería. 2. Frutería. 3. Mantequería. 4. Pescadería. 5. Panadería. 6. Relojería. 7. Librería. 8. Cafetería. 9. Pastelería. 10. Papelería.

España y los españoles

André — Se dice que a los españoles les gustan los toros, tocan las castañuelas, bailan flamenco, ... Sin embargo, uno se encuentra muchas veces con españoles que ni van a los toros ni tocan las castañuelas.

Jacques — ¡Es lógico! Dicen tantas cosas, se repiten tanto las frases que al final uno se convence de que es verdad.

André — Son tópicos, que existen en todos los países. Yo recuerdo una chica andaluza que baila y toca las castañuelas como pocas.

Jacques — Yo también me acuerdo de Carmen, una chica sevillana, que tiene mucha gracia bailando.

André — Claro, entre los españoles hay de todo.

L'Espagne et les Espagnols

André — On dit que les Espagnols aiment les corridas (les taureaux), jouent des castagnettes, dansent le flamenco,... Cependant, on rencontre souvent des Espagnols qui ne vont pas aux courses de taureaux et (qui) ne jouent pas des castagnettes.

Jacques — C'est normal ! On dit tant de choses, on répète tellement les phrases qu'à la fin on se convainc que c'est la vérité.

André — Ce sont des clichés qui existent dans tous les pays. Je me souviens d'une jeune fille andalouse qui danse et qui joue des castagnettes comme peu (savent le faire).

Jacques — Moi aussi je me souviens de Carmen, une jeune fille de Séville, qui a beaucoup de style en dansant (quand elle danse).

André — Bien sûr, parmi les Espagnols il y a de tout.

Les noms de pays

Certains noms propres de pays peuvent être accompagnés de l'article défini. Cependant la tendance actuelle est de le supprimer.

> *En España, en Francia, en Bélgica, en Italia, en Holanda, en Alemania, en Brasil, en (el) Perú, en Japón, en Ecuador, etc.*

Toutefois, tous les noms propres de pays déterminés par un complément sont précédés de l'article

> *La España meridional. La Francia de Luis XIV.*

Traduction du français « on »

1. Troisième personne du pluriel

> ***Dicen*** *tantas cosas que al final uno se convence de que es verdad.*

2. La tournure réfléchie

> ***Se dice*** *que a los españoles les gustan los toros.*
> ***Se repiten*** *tanto las frases que...*

Attention ! Le verbe s'accorde avec le complément pluriel, qui, en espagnol, devient sujet.

3. Uno (una) + troisième personne du singulier

> ***Uno se encuentra*** *muchas veces con españoles que...*

Cette construction présente un double intérêt :

a) elle permet d'éviter la répétition de *se* devant un verbe réfléchi.

> ***Uno se convence*** *de que...*

b) elle implique toujours une référence à la première personne (le locuteur : je).

Exercices

1. Traduire

1. On vit bien ici. **2.** On s'amuse bien. **3.** On mange bien. **4.** On dit qu'il ment. **5.** On se souvient de nous. **6.** On vend des appartements. **7.** On sait que tu es content. **8.** A Séville, on danse beaucoup. **9.** On loue une maison. **10.** On comprend l'espagnol.

2. Etablir la correspondance entre les deux colonnes :

Los países de América latina y sus capitales (les pays d'Amérique latine et leurs capitales)

Argentina	Santiago
Paraguay	Méjico
Uruguay	Guatemala
Chile	San Salvador
Bolivia	Tegucigalpa
Perú	Managua
Ecuador	San José
Venezuela	Panamá
Colombia	La Habana
Cuba	San Juan
Puerto Rico	Santo Domingo
República Dominicana	Bogotá
Panamá	Caracas
Costa Rica	Quito
Nicaragua	Lima
Honduras	La Paz
Salvador	Asunción
Guatemala	Montevideo
Méjico	Buenos Aires

Mi hermana la mayor

Mi hermana la mayor es buena pero le gusta mandar. Como somos varios hermanos (chicos y chicas) no hace más que darnos órdenes desde que amanece : levantaos, duchaos, arreglaos, vestíos... y así sucesivamente. A veces, les digo a mis hermanos : vámonos a la calle ; no se la puede aguantar. Menos mal que dentro de poco se casa ; tenemos boda a la vista.

A los hermanos mayores les gusta mandar, como es natural ; pero, a los menores no les gusta obedecer. Todo se comprende, ¿verdad?

Ma sœur aînée

Ma sœur aînée est gentille mais elle aime commander. Comme nous sommes plusieurs frères et sœurs (garçons et filles) elle ne fait que nous donner des ordres dès que le jour se lève : levez-vous, douchez-vous, préparez-vous (arrangez-vous), habillez-vous... et ainsi de suite. Parfois, je (leur) dis à mes frères et sœurs : sortons (allons à la rue) : elle est insupportable (on ne peut pas la supporter). Heureusement que d'ici peu elle se marie. Il y a (nous avons) mariage en vue.

Les (frères et sœurs) aînés aiment commander, (comme) c'est normal ; mais les cadets n'aiment pas obéir. Tout se comprend, n'est-ce pas ?

Vocabulaire

el nacimiento : la naissance	**casado :** marié
la niñez : l'enfance	**viudo :** veuf
la adolescencia : l'adolescence	**separado :** séparé
la juventud : la jeunesse	**divorciado :** divorcé
la edad adulta : l'âge mûr	**cristiano :** chrétien
la vejez : la vieillesse	**católico :** catholique
la muerte : la mort	**protestante :** protestant
el bautizo : le baptême (fête)	**musulmán :** musulman
el bautismo : la baptême (sacrement)	**judío :** juif
	casarse : se marier
el matrimonio : le mariage	**separarse :** se séparer
la iglesia : l'église	**divorciarse :** divorcer
el Ayuntamiento : l'Hôtel de Ville	
soltero : célibataire	

Impératif régulier (III) : exhortation

nosotros, -as → se forme à partir de l'indicatif 1ère pers. sg. : si celui-ci est terminé en -amos l'impératif d'exhortation se terminera en -emos ; s'il est terminé en -emos ou -imos, l'impératif se terminera en -amos.

cant<u>amos</u>	cant<u>emos</u>	chantons
com<u>emos</u>	com<u>amos</u>	mangeons
escrib<u>imos</u>	escrib<u>amos</u>	écrivons
pens<u>amos</u>	pens<u>emos</u>	pensons
cont<u>amos</u>	cont<u>emos</u>	comptons, racontons

Impératif des verbes réfléchis

> levánt<u>ate</u>
> levánt<u>ese</u>
> levantém<u>onos</u>*
> levanta<u>os</u>*
> levánt<u>ense</u>

*Le « s » final du verbe tombe devant le pronom « nos »
> levantemos-nos — levantémonos.

De même, le « d » final tombe devant le pronom « os »
> levantad-os — levantaos.

Remarque : L'impératif d'exhortation de « irse » est : « vámonos »

Exercices

1. Mettre à l'impératif

1. Vosotros os afeitáis todos los días. **2.** Nosotras nos escribimos. **3.** Vosotros os peináis muy bien. **4.** Uds. aprenden español. **5.** Os vestís con colores alegres. **6.** Nos marchamos de paseo. **7.** Vosotros os arregláis para salir. **8.** Nos vamos a la calle. **9.** En primavera, nos compramos la ropa para el verano. **10.** Ud. me cuenta la verdad.

2. Traduire

1. J'aime la jeunesse. **2.** Ces jeunes vont se marier. **3.** Elle aime nous donner des ordres. **4.** Aujourd'hui c'est le baptême de mon frère. **5.** Prenez une douche (tutoiement pluriel). **6.** Etes-vous musulman ? **7.** Dans très peu de temps, c'est le mariage de ma sœur aînée. **8.** Mon frère cadet n'aime pas obéir. **9.** Ecrivez-nous à Paris. **10.** Chantons cette chanson.

Una casa de campo

Román — Mis abuelos están construyendo una casa en el campo. Ya no quieren vivir en la ciudad.

Ernesto — ¿Tus abuelos construyen?

Román — No. Se dice así : construimos una casa, pero en realidad la construyen los albañiles. Pero mis abuelos la pagan.

Ernesto — ¿Cómo es la casa?

Román — Ya está terminada, pero todavía no tenemos la calefacción. Tiene un salón grande con una chimenea, cinco habitaciones, una cocina moderna y dos cuartos de baño.

Ernesto — ¿Sólo tiene un piso?

Román — No. Al lado del garaje, hay una sala de juegos para los niños. Allí nos metemos sobre todo cuando llueve y hace frío.

Ernesto — ¿No tiene jardín?

Román — Sí, jardín con flores delante, y detrás un huerto pequeño con judías, calabacines, perejil,... y árboles frutales.

Une maison de campagne

Roman — Mes grands-parents sont en train de construire une maison à la campagne. Ils ne veulent plus vivre en ville.

Ernest — Tes grands-parents construisent ?

Roman — Non. On dit (ainsi) : nous construisons une maison, mais en réalité (ce sont) les maçons (qui) la construisent. Mais (ce sont) mes grands-parents (qui) la paient.

Ernest — Comment est la maison ?

Roman — Elle est déjà presque terminée, mais nous n'avons pas encore le chauffage. Il y a (elle a) un grand salon avec un feu ouvert (une cheminée), cinq chambres, une cuisine moderne et deux salles de bain.

Ernest — Elle a seulement un étage ?

Roman — Non. A côté du garage, il y a une salle de jeux pour les enfants. Nous nous y installons (nous nous y mettons) surtout quand il pleut et qu'il fait froid.

Ernest — Elle n'a pas de jardin ?

Roman — Si, un jardin avec des fleurs devant et derrière, un petit potager avec des haricots, des courgettes, du persil,... et des arbres fruitiers.

Vocabulaire

el mueble : le meuble
el armario : l'armoire
el armario empotrado : l'armoire encastrée
el sillón : le fauteuil
la librería : la bibliothèque
la mesilla : la table de nuit
el sofá : le sofa
el tresillo : le salon (fauteuils + divan)
la lámpara : la lampe, le lustre
el cajón : le tiroir
la alfombra : le tapis (de sol)
el colchón : le matelas
la almohada : l'oreiller
el cojín : le coussin

la manta : la couverture
la sábana : le drap de lit
la colcha : le couvre-lit
la ventana : la fenêtre
el balcón : le balcon
la terraza : la terrasse

Se conjuguent comme « construir » :
destruir : détruire
concluir : conclure
huir de : fuir
influir en : influer sur
contribuir a : contribuer à
sustituir : substituer, remplacer
disminuir : diminuer
distribuir : distribuer, répartir

Présent de l'indicatif des v. irréguliers du type « CONSTRUIR » (construire)

construyo
construyes
construye
construimos
construís
construyen

Ya/todavía — ya no/todavía no

ya : déjà
ya no : ne ... plus
todavía : encore
todavía no : pas encore

> ¿**Todavía** vas a clase de música?
> No, **ya no** voy.
> ¿**Ya** tenéis calefacción?
> No, **todavía no**

Exercices

Mettre le verbe entre parenthèses à la forme correcte du présent de l'indicatif

1. Mis padres (construir) en España. **2.** Yo (huir) de la ciudad. **3.** El deporte (influir) en la salud. **4.** Nosotros (contribuir) a la difusión de la lengua española. **5.** Julio (sustituir) a Rafael. **6.** Los niños (destruir) las cosas. **7.** El calor (disminuir) en otoño. **8.** Nosotros (distribuirse) el trabajo. **9.** (Tú) (concluir) siempre del mismo modo. **10.** (Nosotros) (huir) al campo.

Tableau général
des pronoms personnels

	SUJETS	COMPLEMENTS DIRECTS	
Singulier 1ère personne	yo	me	
2ème personne	tú	te	
3ème personne	él / ella usted	lo, le / la lo, le / la	
Pluriel 1ère personne	nosotros, -as	nos	
2ème personne	vosotros, -as	os	
3ème personne	ellos / ellas ustedes	los, les / las los, les / las	

Notes

1. Pour les pronoms réfléchis nous citons d'abord la forme du complément direct et indirect et ensuite la forme prépositionnelle.

2. Seule la 3ème personne du pronom réfléchi présente des formes spécifiques : *se* et *sí (consigo).*

COMPLEMENTS INDIRECTS	AVEC PREPOSITION	REFLECHIS
me	mí (sauf conmigo)	me mí (sauf conmigo)
te	ti (sauf contigo)	te ti (sauf contigo)
le le	él / ella usted	se sí (sauf consigo) se sí (sauf consigo)
nos	nosotros, -as	nos nosotros, -as
os	vosotros, -as	os vosotros, -as
les les	ellos / ellas ustedes	se sí (sauf consigo) se sí (sauf consigo)

Exercice
¡Buscar las parejas! / Chercher les paires !

alta-	abri-	-do	-tes
pi-	go-	-lón	-ler
due-	ma-	-guas	-ca
va-	cam-	-bio	-so
raya-	alqui-	-voz	-ño
ama-	pá-	-rro	-jilla
alma-	aza-	-cén	-chara
ta-	cu-	-go	-llo
para-	se-	-rrón	-fata
guan-	re-	-rillo	-jaro

El Rastro

Cuando era niña me gustaba ir al Rastro. Allí se veía de todo. Iba los domingos, después de misa y paseaba entre una multitud de gente de todas las razas : blanca, negra, amarilla. ¡Qué variedad! Me encantaba contemplar los objetos de metal; los cacharros de cobre y de estaño me volvían loca. También los adornos de oro (eso decían que era) y de plata me entusiasmaban.

Al lado de esto, había puestos de ropa de segunda mano, vendedores de aparatos de fotos, motores,... y de todo lo inimaginable.

En el Rastro también había estudiantes que hacían sus negocios vendiendo libros de texto y... todo lo que podían.

Le Rastro (marché aux puces)

Quand j'étais enfant, j'aimais aller au Rastro. On y voyait de tout. J'(y) allais le dimanche, après la messe et je (me) promenais parmi une foule de gens de toutes (les) races : blanche, noire, jaune. Quelle diversité (variété) ! J'adorais regarder les ustensiles (objets) de métal ; les objets en cuivre et en étain me rendaient folle. Les bijoux (ornements) en or (selon eux, c'en était) et en argent m'enthousiasmaient aussi.

A côté (de cela) il y avait des échoppes de vêtements d'occasion, des vendeurs d'appareils photos, de moteurs,... et de tout ce qu'on peut imaginer (de tout ce qui est inimaginable).

Au Rastro, il y avait aussi des étudiants qui faisaient leurs affaires (en) vendant des livres scolaires et... tout ce qu'ils pouvaient (vendre).

Vocabulaire

el hierro : le fer
el acero : l'acier
el bronce : le bronze
el aluminio : l'aluminium
el anticuario : l'antiquaire
el librero : le libraire, le bouquiniste
la caseta : le stand, la baraque de foire
el ruido : le bruit
el jaleo : le tapage, le chahut, le chambard

armar jaleo : faire du tapage, du chahut
regatear : marchander
el regateo : le marchandage
engañar : tromper
pregonar : crier, annoncer une marchandise
robar : voler
el robo : le vol
el ladrón : le voleur
el carterista : le pickpocket

Formation de l'imparfait de l'indicatif des verbes réguliers

Verbes en -AR	Verbes en -ER	Verbes en -IR
Radical + termin.	Radical + termin.	Radical + termin.
entr- -aba	com- -ía	escrib- -ía
entr- -abas	com- -ías	escrib- -ías
entr- -aba	com- -ía	escrib- -ía
entr- -ábamos	com- -íamos	escrib- -íamos
entr- -abais	com- -íais	escrib- -íais
entr- -aban	com- -ían	escrib- -ían

Trois imparfaits irréguliers

IR	SER	VER
iba	era	veía
ibas	eras	veías
iba	era	veía
íbamos	éramos	veíamos
ibais	erais	veíais
iban	eran	veían

Note : A l'exception de ces trois verbes, la formation de l'imparfait de l'indicatif est TOUJOURS régulière.

Il y a / Il y avait

Rappelons que **la forme impersonnelle : « il y a / avait, ... »** se traduit, en espagnol, par la *3ème personne du singulier* de « haber » : « hay, había,... » (voir leçon 11). Il en ira de même pour tous les temps.

> *Hay / había un libro antiguo / libros antiguos.* Il y a / avait un livre ancien / des livres anciens.

Exercices

1. Mettre à l'imparfait

1. No puedo decírtelo. **2.** ¿Cuántos discos tienes ? **3.** Queremos comprar un piso. **4.** Llueve mucho. **5.** Habla muy bien español. **6.** ¿Vais a bailar todos los sábados? **7.** No dices la verdad. **8.** Hay de todo. **9.** Eres alegre. **10.** Le apetecen los viajes.

2. Jeroglíficos (rébus)

blanca
negra
amarilla

¿Dónde estaba tu padre?

METAL

NEGACION

+ S

¿Qué comías?

Al teatro

Emilio — ¡Hola, Lucía! ¿Qué estabas haciendo?

Lucía — Estaba llamando al teatro Español para ver si había entradas para la sesión de la tarde.

Emilio — ¿Y había?

Lucía — Están comunicando sin parar. Quería saber no sólo si tenían localidades sino también a qué precios.

Emilio — En el teatro Avenida estaban poniendo una de Paso. Si no hay entradas en el Español, podemos ir.

Lucía — De acuerdo. Con Paso podemos divertirnos. Si siguen comunicando, al Avenida.

Emilio — De todos modos podemos intentar otra vez. Yo tengo interés en ir al teatro hoy; es una idea fija.

Lucía — De acuerdo. Yo, desde luego, esta tarde no me quedo en casa. Aquí me aburro. Hoy salgo de todas, todas.

Au théâtre

Emile — Salut, Lucie ! Qu'est-ce que tu étais en train de faire ?

Lucie — J'étais en train de téléphoner (d'appeler) au théâtre Español pour voir s'il y avait des billets pour la séance du soir.

Emile — Et il y (en) avait ?

Lucie — C'est tout le temps occupé (ils sont en train de communiquer sans arrêter). Je voulais savoir non seulement s'ils avaient des places mais aussi à quels prix.

Emile — Au théâtre Avenida, on donnait une (pièce) de Paso. S'il n'y a pas de billets à l'Español, nous pouvons (y) aller.

Lucie — D'accord. Avec Paso ça peut être amusant (nous pouvons nous amuser). Si c'est encore occupé (s'ils continuent à communiquer), à l'Avenida.

Emile — De toute façon, nous pouvons essayer encore une fois (une autre fois). Je veux absolument (j'ai intérêt) aller au théâtre aujourd'hui ; c'est une idée fixe.

Lucie — D'accord. Moi, c'est clair, cet après-midi, je ne reste pas à la maison. Ici je m'ennuie. Aujourd'hui je sors coûte que coûte.

Vocabulaire

subir el telón : lever le rideau, se lever (le rideau)
caer el telón : tomber (le rideau)
la decoración : le décor
la compañía : la troupe
el actor : l'acteur
la actriz : l'actrice
el espectador : le spectateur
actuar : jouer (théâtre)
representar : jouer (théâtre)

los bastidores : les coulisses
el personaje : le personnage
la función : la représentation
el éxito : le succès
el fracaso : l'échec
el escenario : la scène
aplaudir : applaudir
la ópera : l'opéra
la localidad numerada : la place numérotée

las butacas (de delantera, de patio, de entresuelo) : les fauteuils (du premier rang, du parterre, du premier balcon)

el palco : la loge
la propina : le pourboire

Forme progressive

La forme progressive, tant à l'imparfait qu'au présent ou à n'importe quel autre temps exprime l'*action en cours* et se forme au moyen du verbe ESTAR suivi du GERONDIF.

Está diciendo que no hay entradas. Il est en train de dire qu'il n'y a pas d'entrées.

Estaba diciendo que no había entradas. Il était en train de dire qu'il n'y avait pas d'entrées.

Quelques gérondifs difficiles

decir → diciendo
ir → yendo
leer → leyendo
oír → oyendo
ver → viendo

traer → trayendo
poder → pudiendo
caer → cayendo
dormir → durmiendo

Traduction de « mais »

A. Après une structure affirmative : **pero**

Es inteligente **pero** *no trabaja.* Il est intelligent *mais* il ne travaille pas.

B. Après une structure négative

1. Pero pour marquer une **restriction,** une **rectification** par rapport à ce qui précède

No habla español **pero** *lo entiende bien.* Il ne parle pas l'espagnol *mais* il le comprend bien.

2. Sino pour marquer une **opposition** par rapport à ce qui précède

No habla español **sino** *italiano.* Il ne parle pas espagnol *mais* italien.

Notes :

— « non seulement ... mais aussi » = « *no sólo ... sino también* »

Toca **no sólo** *el piano* **sino también** *la guitarra.* Il joue *non seulement* du piano *mais aussi* de la guitare.

— quand l'opposition s'exerce entre deux propositions, on emploie **sino que** au lieu de **sino**

No escucha **sino que** *duerme.* Il n'écoute pas mais il dort.

Exercices

Traduire : 1. Je vais manger non seulement un sandwich mais aussi un gâteau. **2.** Le film n'était pas long mais il était intéressant. **3.** Il n'y avait pas de soleil mais il ne faisait pas froid. **4.** Il ne louait pas l'appartement mais il (en) était propriétaire. **5.** Il n'était pas malade mais il n'était pas très bien. **6.** Je n'ai pas besoin de timbres mais d'enveloppes. **7.** Il n'était pas musicien mais il aimait l'opéra. **8.** Elle n'est pas jolie mais sympathique. **9.** Ils n'achetaient pas cher mais bon marché. **10.** Je veux y aller mais je ne peux pas.

Una conversación por teléfono

Doña María — Dígame.

Herminia — Buenos días. Soy Herminia. ¿Está Julia en casa?

Doña María — Sí. Un momentito, Herminia, que ahora se pone.

Julia — ¡Ah! ¿Eres tú, Herminia? ¿Pensabas ir a la feria del libro con el día de perros que hace?

Herminia — Pues sí. Quería salir a pesar del frío y de la nieve, ¿no te animas?

Julia — Antes, siempre iba de las primeras, si nevaba como si llovía; pero ahora, este clima me acobarda.

Herminia — Bueno, sacude la pereza y haz como hacías antes. Te pones el gorro y las botas y... ¡a la calle! ¿Quedamos a las cuatro en Correos?

Julia — De acuerdo. Siempre acabas convenciéndome. A las cuatro, allí.

Une conversation téléphonique

Madame Marie — Allo ! (Dites-moi)

Herminie — Bonjour. C'est (Je suis) Herminie. Est-ce que Julie est là ?

Madame Marie — Oui. Un petit moment, Herminie, elle arrive (elle se met maintenant).

Julie — Ah! C'est toi, Herminie ? Tu pensais aller à la foire du livre avec le temps de chien qu'il fait ?

Herminie — Ben oui. Je voulais sortir malgré le froid et la neige ; ça ne te dit rien (tu ne t'animes pas) ?

Julie — Avant, j'y allais toujours dans les premières, qu'il neige (s'il neigeait) ou qu'il pleuve (comme s'il pleuvait), mais maintenant ce temps (climat) m'enlève tout courage.

Herminie — Eh bien, secoue-toi (secoue la paresse) et fais comme tu faisais avant. Tu mets ton chapeau et tes bottes et... dehors ! Rendez-vous (nous nous donnons rendez-vous) à quatre heures à la Poste ?

Julie — D'accord. Tu finis toujours par me convaincre. A quatre heures, là-bas.

Vocabulaire

húmedo : humide	**llover a cántaros** : pleuvoir à seaux
seco : sec	**la lluvia** : la pluie
cálido : chaud (pays, climat, etc.)	**la nieve** : la neige
caliente : chaud	**el viento** : le vent
nevar (ie) : neiger	**el aire** : l'air
lloviznar : bruiner	**el clima** : le climat
granizar : grêler	**mediterráneo** : méditerranéen
helar (ie) : geler	**continental** : continental
diluviar : pleuvoir à verse	**oceánico** : océanique

polar : polaire

el periódico : le journal
la revista : la revue

el semanario : l'hebdomadaire
el atlas : l'atlas
el cuento : le conte
la novela : le roman

Emploi de l'imparfait

En général, l'imparfait espagnol correspond à l'imparfait français :

— Il exprime une **répétition** (une *habitude*) dans le passé.

*Antes siempre **iba** a la feria del libro.* Avant j'allais toujours à la foire du livre.

***Iba** los domingos al Rastro.* J'allais au Rastro le dimanche.

— Il traduit une **description** dans le passé.

*En el Rastro **había** estudiantes.* Au Rastro il y avait des étudiants.

— Il présente une action (considérée) dans sa **durée.**

*Cuando **era** niña me gustaba ir al Rastro.* Quand j'étais enfant, j'aimais aller au Rastro.

Les diminutifs

L'emploi des diminutifs est très fréquent en espagnol. Souvent ils ont une *valeur affective*.

Le suffixe diminutif le plus courant est : -ito, -a, -os, -as.

Formation (I)

— Mot terminé par *une consonne* (sauf *n, r*) : + -ito

árbol → arbolito

— Mot terminé par *o, a* : moins la voyelle + -ito

perro → perrito

mesa → mesita

Le verbe « quedar »

Il peut signifier notamment : « se donner rendez-vous »

¿Quedamos a las cuatro en Correos?

Exercices

1. Former les diminutifs des mots suivants

1. pequeño **2.** hijos **3.** casa **4.** cuchara **5.** papel

2. Traduire

1. Nous n'allions plus dans ce magasin. **2.** Nous étions 27.
3. Pendant que je regardais (voyais) la télévision, ma mère dormait.
4. Avant je travaillais beaucoup. **5.** Où habitait Julie quand elle était enfant ?

Antes de entrar en la zapatería

Rosalía — ¿Entramos en ésta?

Montserrat — Ven, mira estos zapatos de este escaparate, ¿te gustan?

Rosalía — Sí, pero son demasiado cerrados y muy altos.

Montserrat — Póntelos. Dile a la dependienta que quieres probártelos.

Rosalía — Mira, ésos son más bajos y más abiertos; tal como yo los estaba buscando.

Montserrat — Y ésos de tacón más bajo y corte de salón, ¿no te gustan?

Rosalía — Sí, no están mal, pero prefiero los otros.

Montserrat — ¿Entramos y te pruebas los dos pares?

Rosalía — Sí. Tenme estos paquetes, por favor, que quiero verlos en la mano.

Montserrat — ¿Ya estás decidida? Pues, entremos.

Avant d'entrer au magasin de chaussures

Rosalie — On entre (nous entrons) ici (dans celui-ci) ?

Montserrat — Viens, regarde ces souliers ici à l'étalage (de cet étalage). Ils te plaisent ?

Rosalie — Oui, mais ils sont trop fermés et fort hauts.

Montserrat — Essaie-les (mets-les-toi). Dis(-lui) à la vendeuse que tu veux (te) les essayer.

Rosalie — Regarde, ceux-là sont plus bas et plus ouverts ; (tels) comme je les voulais (cherchais).

Montserrat — Et ceux-là, plus bas (au talon plus bas) et plus habillés (coupe de salon), tu ne les aimes pas ?

Rosalie — Si, ils ne sont pas mal, mais je préfère les autres.

Montserrat — On entre (nous entrons) et tu (t') essaies les deux paires ?

Rosalie — Oui. Tiens-moi ces paquets, s'il te plaît ; (car) je veux les avoir en mains (les voir dans la main).

Montserrat — Tu es déjà décidée ? Eh bien, entrons.

Vocabulaire

el calzado (mot générique) : la chaussure

el zapato bajo : la chaussure basse

el zapato escotado : la chaussure décolletée

las zapatillas : les pantoufles

las pantuflas : les mules

las sandalias : les sandales

las alpargatas : les espadrilles

las chanclas : les mules

las playeras : les chaussures de sport

sacar brillo : faire briller

impermeabilizar : imperméabiliser

frotar : frotter

quitar el barro : enlever la boue

los zapatos de ante : les chaussures en daim

los zapatos de charol : les chaussures vernies
la suela (de goma, de cuero, de plástico) : la semelle (en caoutchouc, en cuir, en plastique)
la hebilla : la boucle
el lazo : le nœud

el cordón : le lacet
el betún : le cirage
la crema : le cirage
la gamuza : la peau de chamois
el cepillo : la brosse
calzarse : se chausser

Impératifs irréguliers

Quelques verbes ont un impératif de tutoiement singulier irrégulier :

hacer	haz
decir	di
poner	pon
salir	sal
ir	ve
tener	ten
venir	ven

Formation du participe passé

Verbes en -AR → Radical + -ADO → entr-ado
Verbes en -ER → Radical + -IDO → com-ido
       -IR   decid-ido

Demasiado (trop)

1. Peut être adverbe → est invariable
   *Trabaja **demasiado**.* Il travaille trop.
   *El zapato es **demasiado** cerrado.* Le soulier est trop fermé.
2. Peut être adjectif → s'accorde avec le substantif
   *Tiene **demasiados** alumnos.* Il a trop d'élèves.
Attention ! Le « de » français ne se traduit pas.

Exercices

1. Mettre à la forme correcte de l'impératif (tutoiement singulier)
1. ¡(Comer) un poco, niño! **2.** ¡(Tener) un poco de paciencia!
3. ¡(Llamar) al médico! **4.** ¡(Escribir) una carta a tu primo!
5. ¡(Contestar), por favor! **6.** ¡(Salir) de aquí! **7.** ¡(Hacer) lo bien!
8. ¡(Venir) aquí! **9.** ¡(Decir) me toda la verdad! **10.** ¡(Ir) a la tienda!

2. Donner le participe passé des verbes suivants
1. comer **2.** tener **3.** ser **4.** estar **5.** levantar **6.** llegar **7.** ir **8.** vivir
9. venir **10.** leer.

El tiempo

pasado	passé
presente	présent
futuro	futur
dos días antes	deux jours avant
anteayer	avant-hier
ayer	hier
la víspera	la veille
anoche	hier soir
hoy	aujourd'hui
al día siguiente	le lendemain
mañana	demain
pasado mañana	après-demain
a los dos días	deux jours après
hace una semana	il y a une semaine
hace media hora	il y a une demi-heure
el mes pasado	le mois dernier
dentro de poco	d'ici peu
dentro de un rato	dans un instant
el año próximo	l'année prochaine
la semana que viene	la semaine prochaine
en seguida	immédiatement
a veces	parfois
muchas veces	souvent
de vez en cuando	de temps en temps
de madrugada	à l'aube
por la mañana	le matin
por la tarde	l'après-midi
por la noche	le soir
al amanecer	à l'aube
a mediodía	à midi
al atardecer	en fin d'après-midi
al anochecer	à la tombée de la nuit
a medianoche	à minuit
de día	de jour
de noche	de nuit
nunca	jamais
siempre	toujours
temprano	tôt
tarde	tard
tarde o temprano	tôt ou tard

Exercices

1. Mettre à l'imparfait

1. ¿Qué (hacer) los niños mientras tú (estudiar) ? 2. Cuando el tiempo (ser) bueno, mis padres (salir) de paseo. 3. Cuando (yo) (ir) a Madrid, (visitar) todos los museos. 4. Cuando (nosotros) (ser) niños, (jugar) mucho. 5. ¿Qué (hacer) (vosotros) mientras el profesor (explicar) la lección? — (Escribir).

2. Mettre à l'impératif (tutoiement singulier et pluriel)

1. Sigo hasta la cuarta calle. 2. Cojo este paseo. 3. Dejo el cine a la derecha. 4. Paseo por el parque. 5. Paso tres calles. 6. Voy a la central de correos. 7. Tengo cuidado con el tráfico. 8. Pongo el coche en marcha. 9. Salgo deprisa. 10. Vengo aquí todos los días.

De nuevo a España

David — ¿Volvéis a España este año ?

Vincent — Sí, pero vamos en avión. El año pasado decidimos ir en coche porque éramos tres jóvenes. Cogimos la autopista y llegamos en poco tiempo.

David — ¿Os resultó barato el viaje?

Vincent — Sí, más que éste. Además, mi primo escribió a una agencia y ésta nos aconsejó una buenísima compañía de seguros. Nunca se sabe qué puede ocurrir.

David — ¿Sabíais que en España, en caso de accidente, es aconsejable ir a la comisaría o llamar a la policía que se encarga de rellenar el impreso de declaración?

Vincent — Sí, sí, pero no la necesitamos.

David — ¿Llevabais una buena caja de herramientas?

Vincent — Sí, claro. Yo me encargué de comprar una estupenda antes de ponernos en camino. Un amigo decidió llevar un bidón de aceite y una botella de agua destilada. Por supuesto que metimos también en el maletero una segunda correa del ventilador.

David — ¿Adónde vais este año?

Vincent — A Andalucía. Vamos a saludar a unos amigos que viven en Sevilla y que nos ayudaron mucho el año pasado. Pero pensamos recorrer otras ciudades.

Emploi du passé simple

Le passé simple est d'un emploi beaucoup plus fréquent en espagnol qu'en français.

Il exprime une action passée, accomplie dans une période de temps sans relation avec le présent. On l'utilisera donc avec des compléments de temps tels que : « ayer (hier) », « el año pasado (l'année dernière) », « el otro día (l'autre jour) », etc.

> *Ayer llovió todo el día.* Hier il a plu toute la journée.
> *La semana pasada, me compré un mapa de España.* La semaine dernière, je me suis acheté une carte d'Espagne.

A la différence de l'imparfait qui exprime la durée et/ou la répétition (v. leçon 48), le passé simple exprime une action ponctuelle et/ou unique.

> *Estaba trabajando cuando **llegó** mi primo.*
> *Mi hijo **nació** el 15 de julio de 1980.*

De nouveau en Espagne

David — Vous retournez en Espagne cette année-ci ?

Vincent — Oui, mais nous allons en avion. L'année dernière nous avons décidé d'(y) aller en voiture parce que nous étions trois jeunes. Nous avons pris l'autoroute et nous sommes arrivés en peu de temps.

David — Le voyage vous a coûté cher (le voyage vous est revenu bon marché) ?

Vincent — Non, moins que celui-ci (oui, plus que celui-ci). De plus, mon cousin a écrit à une agence et celle-ci nous a conseillé une très bonne compagnie d'assurances. On ne sait jamais ce qu'il peut arriver.

David — Vous saviez qu'en Espagne, en cas d'accident, il est conseillé d'aller au commissariat ou d'appeler la police qui se charge de remplir le constat d'accident (l'imprimé de déclaration) ?

Vincent — Oui, oui, mais nous n'en avons pas eu besoin.

David — Vous emportiez un bon coffret d'outils ?

Vincent — Oui, bien sûr. Je me suis chargé d'en acheter un superbe avant de nous mettre en route. Un ami a décidé d'emporter un bidon d'huile et une bouteille d'eau distillée. Evidemment, nous avons aussi mis dans le coffre une deuxième courroie de ventilateur.

David — Où allez-vous cette année-ci ?

Vincent — En Andalousie. Nous allons rendre visite (saluer) à des amis qui habitent Séville et qui nous ont beaucoup aidés l'année dernière. Mais nous pensons parcourir d'autres villes.

Formation du passé simple des verbes réguliers

Verbes en -AR		Verbes en -ER		Verbes en -IR	
entr-	é	com-	í	escrib-	í
entr-	aste	com-	iste	escrib-	iste
entr-	ó	com-	ió	escrib-	ió
entr-	amos	com-	imos	escrib-	imos
entr-	asteis	com-	isteis	escrib-	isteis
entr-	aron	com-	ieron	escrib-	ieron

Exercices

Mettre les verbes entre parenthèses au passé simple
1. (Yo) (encargar) ... un coche la semana pasada. **2.** Mis primos (decidir) ... acompañarnos. **3.** Tu hermana nos (escribir) ... ayer. **4.** El año pasado, yo (coger) ... la autopista para volver a España. **5.** Tu mujer (escoger) ... un nuevo modelo. **6.** ¿Dónde (meter) (tú) ... las llaves del coche? **7.** ¿A quién (encontrar) ... Ud. ayer? **8.** ¿Cómo (arrancar) ... el coche ayer? **9.** ¿Dónde (aparcar) (vosotros) ... el coche el otro día? **10.** (Nosotros) (vivir) ... en España un año.

Las señales

Vocabulaire

las señales : les signaux

Dirección obligatoria

Ceda el paso

Circulación prohibida

Acceso o dirección
prohibida

Cruce con prio-
ridad

Sentido de giro
obligatorio

Paso de peatones

Prohibición de es-
tacionar

Cruce

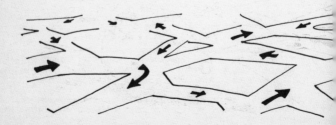

Velocidad limitada

 Paso a nivel con barreras

 Badén

 Vuelta prohibida

 Paso a nivel sin barreras

 Calzada deslizante

 Prohibición de adelantar

 Curva a la derecha

 Obras

 Peligro indefinido

 Atención : carretera preferente

En la peluquería

Ayer, como estaba harta de pelo largo, me fui a la peluquería y me corté el pelo. Se acabó el quedarme por la noche a ponerme rulos en las puntas. La verdad es que de otro modo el pelo, cuando llueve, se me queda tieso.

Pues sí, me lo corté y muy cortito. Me dieron un buen champú, una buena loción y luego me lo secaron con secador de mano, como a mí me gusta.

Cuando me vine a casa me fui derecha al espejo. No estoy mal — me dije — sin embargo el pelo largo me daba un calorcito ... Seguro que lo voy a echar de menos.

Chez le coiffeur

Hier, comme j'en avais assez (j'étais lasse) d'avoir les cheveux longs (de cheveux longs), je suis allée chez le coiffeur (au salon de coiffure) et je me suis fait couper (je me suis coupé) les cheveux. Fini de rester le soir à me mettre des rouleaux aux pointes. Il est vrai que (la vérité est que) sinon (d'une autre manière), quand il pleut mes cheveux deviennent tout raides (me restent raides).

Eh bien oui, je me les suis fait couper (je me les suis coupés) et très courts. On m'a fait un bon shampooing (on m'a donné), une bonne lotion et ensuite on me les a séchés avec le sèche-cheveux comme j'aime.

Quand je suis rentrée à la maison, je suis allée directement (droite) devant le miroir. Je ne suis pas mal — me dis-je — cependant, mes cheveux longs me tenaient chaud (les cheveux longs me donnaient une petite chaleur) ... Sûrement que je vais les regretter.

Vocabulaire

el pelo : la chevelure, les cheveux
liso : lisse, plat
ondulado : ondulé
rizado : frisé
las canas : les cheveux blancs
el peinado : la coiffure
el corte con tijeras : la coupe aux ciseaux
el corte con navaja : la coupe au rasoir
teñirse el pelo : se teindre les cheveux

el tinte : la teinture
darse mechas : se faire des mèches
aclarar : rincer
la permanente : la permanente
el fijador : le fixant
el baño de crema : le bain-crème
marcar : faire une mise en plis
la laca : la laque
pedir hora : prendre rendez-vous
tener hora : avoir rendez-vous.

Quelques passés simples irréguliers

IR et SER	DAR	VENIR	DECIR
fui	di	vine	dije
fuiste	diste	viniste	dijiste
fue	dio	vino	dijo
fuimos	dimos	vinimos	dijimos
fuisteis	disteis	vinisteis	dijisteis
fueron	dieron	vinieron	dijeron

Les diminutifs

Formation (II)
— Mot terminé par **-n, -r, -e** → + -cito

    calor → calorcito
    joven → jovencito
    coche → cochecito

Attention ! Les règles de formation des diminutifs que nous avons énoncées (voir leçon 48 et ci-dessus) n'ont rien d'absolu. La formation des diminutifs est si variée et leur emploi tellement délicat, qu'il vaut mieux se contenter d'utiliser uniquement ceux que l'usage aura fait connaître.

Remarque : En espagnol, l'emploi de l'article devant un infinitif pris substantivement est fréquent.

    *Se acabó **el** quedarme por la noche* ... Fini (le fait) de rester le soir...

Exercices

Traduire

1. Je suis allée chez le coiffeur hier à 5 heures. **2.** On m'a fait des mèches. **3.** Hier, je me suis levé à 6 heures, j'ai pris une douche, j'ai déjeuné et à 7 heures j'étais à la gare. **4.** Vous êtes venus lundi dernier ? **5.** Qu'est-ce que le médecin t'a dit ? **6.** Il m'a dit que je ne devais rien faire. **7.** Tu l'as remercié ? **8.** Nous lui avons dit la semaine dernière que l'avion était plus cher que le train. **9.** Le médicament qu'il a pris hier soir l'a empêché de dormir. **10.** A quelle heure êtes-vous sorti du bureau mardi dernier ?

Deportes de invierno

El invierno pasado decidí ir a la Sierra a esquiar con un grupo de jóvenes.

Un día cogí el coche y me fui a varias agencias para informarme. Recuerdo que conduje a toda velocidad pues me entró la prisa de repente.

Estuve en la Sierra dos semanas y aprendí a esquiar pues el monitor que tuve era formidable : enseñaba con mucha paciencia. Las pistas estaban maravillosas porque el año pasado nevó mucho, y el ambiente, entre jóvenes y viejos (si así puedo expresarme) era sensacional. Desde luego, voy a comprarme los esquís y todo el equipo. En adelante voy a hacer deporte al aire libre ¿por qué no ?

Sports d'hiver

L'hiver dernier, j'ai décidé d'aller à la montagne skier avec un groupe de jeunes.

Un jour j'ai pris la voiture et je suis allé à différentes agences pour m'informer. Je me souviens que j'ai conduit à toute vitesse car subitement l'envie d'aller vite (l'empressement) me prit (m'entra).

Je suis resté deux semaines à la montagne et j'ai appris à skier car le moniteur que j'ai eu était formidable : il expliquait (enseignait) avec beaucoup de patience. Les pistes étaient merveilleuses car l'année dernière il a beaucoup neigé, et l'ambiance entre jeunes et vieux (si je peux m'exprimer ainsi) était sensationnelle. Ça ne fait pas de doute, je vais m'acheter les skis et tout l'équipement. Dorénavant je vais faire du sport de plein air (à l'air libre), pourquoi pas ?

Vocabulaire

el telesilla : le télésiège
el telesquí : le téléski
las telecabinas : les télécabines
hacer cola : faire la file
el esquiador : le skieur
los bastones : les bâtons
la pendiente : la pente
deslizarse : glisser
resbalarse : glisser, déraper
caer : tomber

la caída : la chute
la fractura : la fracture
el esguince : l'entorse
escayolar : plâtrer
el alud : l'avalanche
el trineo : le traîneau
el patín : le patin
el patinaje : le patinage
el hielo : la glace, le verglas

Quelques passés simples irréguliers

CONDUCIR	ESTAR	TENER	ANDAR (MARCHER)
conduje	estuve	tuve	anduve
condujiste	estuviste	tuviste	anduviste
condujo	estuvo	tuvo	anduvo
condujimos	estuvimos	tuvimos	anduvimos
condujisteis	estuvisteis	tuvisteis	anduvisteis
condujeron	estuvieron	tuvieron	anduvieron

Remarque : aprender et enseñar

Il ne faut pas confondre : « aprender » (acquérir un savoir) et
« enseñar » (dispenser un savoir).

*El profesor / el monitor **enseña**.*
*Los alumnos / los estudiantes **aprenden**.*

Exercices

Mettre les verbes entre parenthèses au passé simple
1. El invierno pasado (yo) (aprender) ... a esquiar. **2.** (Nosotros) (tener) ... que hacer cola media hora. **3.** David (conducir) ... muy mal aquel día. **4.** ¿Qué le (decir) (tú) ... cuando (él) (llegar) ... a casa? **5.** ¿Dónde (estar) (vosotros) ... ayer? **6.** Lo (tener) ... que escayolar (sujet indéterminé). **7.** Ayer (ellos) (andar) ... todo el día por la ciudad. **8.** ¿Cuándo (irse) ... Ud.? **9.** El esquiador (resbalarse) ... y (romperse) ... una pierna. **10.** Ayer Carlos (estar) ... en la cama todo el día.

Los países y sus habitantes

Les pays et leurs habitants

Complétez les phrases suivantes. Par exemple :

*Los uruguayos viven en **Uruguay***
***España** es el país de los españoles.*

Los uruguayos viven en ...	... **es el país de los españoles**
Los brasileños ...	... de los italianos
Los suizos ...	... de los portugueses
Los mejicanos ...	... de los chilenos
Los bolivianos ...	... de los ingleses
Los franceses ...	... de los paraguayos
Los rusos ...	... de los holandeses
Los israelíes ...	... de los escoceses
Los argentinos ...	... de los suecos
Los belgas ...	... de los egipcios
Los estadounidenses ...	... de los irlandeses
Los alemanes ...	... de los cubanos
Los húngaros ...	... de los japoneses
Los canadienses ...	... de los marroquíes
Los griegos ...	... de los austríacos
Los colombianos ...	... de los panameños
Los peruanos ...	... de los polacos
Los chinos ...	... de los australianos
Los indios ...	... de los chinos
Los venezolanos ...	... de los puertorriqueños

Les pays : Perú, Hungaria, Inglaterra, Francia, Paraguay, Bolivia, Austria, Grecia, Venezuela, Chile, Polonia, Méjico, Alemania, Egipto, China, Cuba, Panamá, España, Italia, Suiza, Portugal, Suecia, Bélgica, Estados Unidos, Rusia, Holanda, Irlanda, Japón, India, Israel, Australia, Colombia, Puerto Rico, Marruecos, Escocia, Argentina, Canadá, Uruguay, Brasil.

Attention ! *Suecia* = La Suède
Suiza = La Suisse

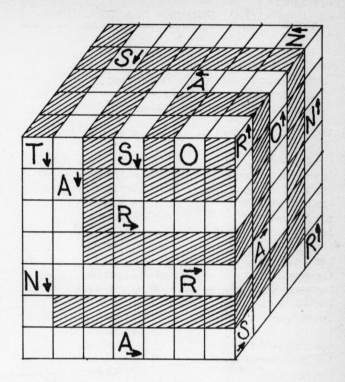

El cubo de las palabras
Le cube des mots

1. T...N : parte del zapato. **2.** N....A : obra literaria. **3.** A...S : libro de geografía. **4.** S...R : lo contrario de bajar. **5.** R...N : lo que hacen los ladrones. **6.** N..Z : fruta. **7.** Z.....S : se llevan en los pies. **8.** S....A : parte de un mes. **9.** A......R : antes de ayer. **10.** R..A : color. **11.** A...O : metal. **12.** O...A : teatro cantado. **13.** A...S : lo contrario de después. **14.** S.R : infinitivo de éramos. **15.** R.....R : decir dos veces. **16.** R..O : habitante de un país europeo.

Un incendio

Dámaso — No pude telefonearte ayer. Quise hacerlo ¿sabes? Pero hubo un incendio al lado de casa y estuvimos el día entero sin teléfono.

Clotilde — ¿Cómo se produjo?

Dámaso — Unos estudiantes quisieron celebrar el cumpleaños de uno de ellos. Se ocuparon ellos mismos de la instalación eléctrica y provocaron, sin quererlo, claro, un corto circuito.

Clotilde — ¿Quién quiso hacer semejante cosa?

Dámaso — El corto circuito, nadie, por supuesto. Pero el incendio, bastante aparatoso, fue cuando más contentos estaban todos.

Clotilde — ¿Tuvieron que llamar a los bomberos?

Dámaso — Sí. Bomberos y policías intervinieron en el asunto. Pronto acabó todo, pero el susto no nos lo quitó nadie.

Clotilde — ¿Todo terminó bien?

Dámaso — Sí. Todo se quedó en susto.

Un incendie

Damase — Je n'ai pas pu te téléphoner hier. J'ai voulu le faire, tu sais. Mais il y a eu un incendie à côté de chez nous et nous avons été sans téléphone la journée entière.

Clotilde — Comment cela s'est-il produit ?

Damase — Quelques étudiants ont voulu fêter l'anniversaire de l'un d'entre eux. Ils se sont occupés eux-mêmes de l'installation électrique et ont provoqué, sans le vouloir, bien entendu, un court-circuit.

Clotilde — Qui a voulu faire une chose pareille ?

Damase — Le court-circuit, personne, évidemment. Mais l'incendie, assez spectaculaire, a eu lieu alors qu'ils étaient on ne peut plus contents.

Clotilde — Ils ont dû appeler les pompiers ?

Damase — Oui. Pompiers et policiers sont intervenus dans l'affaire. Tout s'est vite terminé, mais personne ne nous a enlevé la peur que nous avons eue.

Clotilde — Tout s'est bien terminé ?

Damase — Oui. Il y a eu plus de peur que de mal.

Vocabulaire

el fuego : le feu
el humo : la fumée
las llamas : les flammes
la cerilla : l'allumette
la colilla : le mégot
el extintor : l'extincteur
el siniestro : le sinistre
la escalera : l'échelle
la ambulancia : l'ambulance

el tejado : le toit
el techo : le plafond
la pared : le mur
el muro : le mur
la chimenea : la cheminée
arder : brûler (intr.)
quemar(se) : brûler (tr. ou intr.)
extinguir : éteindre
apagar : éteindre

Deux passés simples irréguliers

QUERER	HABER
quise	hube
quisiste	hubiste
quiso	hubo
quisimos	hubimos
quisisteis	hubisteis
quisieron	hubieron

Remarques :

— Les verbes composés se conjuguent comme les verbes simples correspondants

  convenir (convenir)
  intervenir (intervenir)   comme « venir »
  prevenir (prévenir)

— Tous les verbes en -ducir se conjuguent de la même façon

  deducir (déduire)
  traducir (traduire)   comme « conducir » (v. leçon 53)
  reducir (réduire)

Note : ser

« Ser » peut signifier « avoir lieu »

  El incendio es / fue / era en mi casa. L'incendie a lieu / a eu lieu / avait lieu chez moi.

Exercices

Traduire

1. Hier, j'ai vu les pompiers qui éteignaient un feu. **2.** Nous avons vu la fumée qui sortait par les fenêtres. **3.** Les murs brûlaient comme du papier. **4.** On a dû appeler la police. **5.** Mon cousin a téléphoné au commissariat. **6.** Hier j'ai pris le train de six heures. **7.** L'accident s'est produit sur l'autoroute. **8.** J'ai voulu te téléphoner mais je n'ai pas pu. **9.** Le policier m'a aidée à remplir le constat d'accident. **10.** Nous avons dû annuler les billets.

| *España en la CEE*

Andrés — Ayer no conseguí comunicarme contigo, y eso que lo intenté varias veces.

Philippe — ¡Ah! Es que ayer, con motivo de la adhesión de España a las Comunidades, se organizó en la Embajada — mejor dicho — organizó nuestra Embajada una comida.

Andrés — ¿Dónde se hizo?

Philippe — En los salones de la Residencia del Embajador.

Andrés — ¿Y cupo mucha gente o había pocos invitados?

Philippe — Cupieron bastantes personas, pero, claro, se hicieron menos invitaciones de las deseadas.

Andrés — ¿En qué consistió el acto?

Philippe — En un banquete — la cosa no es para menos — y unos cuantos discursos de circunstancia, muy acertados, sobre la conveniencia de la integración de España y Portugal.

Andrés — ¿Se pintó todo de color de rosa?

Philippe — No, no. Los conferenciantes hicieron una presentación realista.

Andrés — ¡Ah! Entonces seguro que hablaron del I.V.A.

L'Espagne dans la CEE

André — Hier je n'ai pas réussi à te joindre (communiquer avec toi) et pourtant j'ai essayé plusieurs fois.

Philippe — Ah ! C'est qu'hier, à l'occasion de l'adhésion de l'Espagne aux Communautés, on a organisé à l'Ambassade — plus exactement — notre Ambassade a organisé un déjeuner.

André — Ça s'est fait où ?

Philippe — Dans les salons de la Résidence de l'Ambassadeur.

André — Et il y a eu place pour beaucoup de monde ou il y avait peu d'invités ?

Philippe — Il y a eu place pour pas mal de personnes, mais évidemment, on a envoyé moins d'invitations qu'on aurait pu en souhaiter (on a fait moins d'invitations que les désirées).

André — En quoi a consisté la cérémonie ?

Philippe — En un banquet — ça vaut bien cela (la chose ne mérite pas moins que cela) — et quelques discours de circonstance, très réussis, sur l'opportunité de l'intégration de l'Espagne et du Portugal.

André — On a fait un tableau tout rose (on a tout peint en couleur rose) ?

Philippe — Non, non. Les conférenciers ont fait une présentation réaliste.

André — Ah ! Alors, certainement qu'il ont parlé de la T.V.A.

Vocabulaire

elogiar : louer
hacer el elogio : faire l'éloge
aludir a : faire allusion à
hacer alusión a : faire allusion à
comentar : commenter
hacer un comentario : faire un commentaire
ayudar : aider
prestar ayuda : prêter de l'aide
solucionar : solutionner
dar una solución : solutionner
remediar : remédier
poner remedio : porter remède
adherir : adhérer

dar su adhesión : donner son adhésion
el Parlamento europeo : le Parlement européen
el Consejo de Ministros : le Conseil des Ministres
el Consejo europeo : le Conseil européen
la Comisión europea : la Commission européenne
el Tribunal de Justicia : la Cour de Justice
el Tribunal europeo de Cuentas : la Cour des Comptes européenne

---

Quelques passés simples irréguliers

CABER	HACER
cupe	hice
cupiste	hiciste
cupo	hizo
cupimos	hicimos
cupisteis	hicisteis
cupieron	hicieron

Remarques

— Le verbe « **caber** » (tenir, entrer, rentrer dans)

> *En esta botella **cabe** un litro de leche.* Cette bouteille contient un litre de lait. (littéral. : Dans cette bouteille entre un litre de lait)

Le complément français devient sujet de la phrase en espagnol.

— Lorsque le deuxième terme d'une comparaison formulée à l'affirmative est un élément de quantité, ce dernier est introduit par DE au lieu de QUE (V. leçon 26).

> *Se hicieron **menos** invitaciones **de** las deseadas*
> *Tiene **más de** 60 años.* Il a plus de 60 ans.
> *Cuesta **menos de** 1.000 francos.* Ça coûte moins de 1.000 francs.

— **IVA** = Impuesto sobre el Valor Añadido (= TVA)

Exercices

Mettre au passé simple

1. Ayer (haber) una conferencia sobre la adhesión de España. **2.** En aquel cine (caber) sólo cien personas. **3.** Ayer (vosotros) (hacer) una paella. **4.** El presidente (hacer) elogios de las naciones. **5.** (Haber) muchísima gente en el estadio. **6.** (Caber) una quinta persona en el coche. **7.** Vosotros (hacer) un discurso interesante. **8.** ¿Quién (haber) ayer en clase? **9.** La adhesión (hacerse) esperar mucho. **10.** (Yo) (hacer) el comentario solo.

Una caída

El lunes pasado me caí en casa. También mi marido se cayó el año pasado y, como yo, de una manera tonta. Estábamos en el cuarto de estar. Le traje a mi marido unas fotografías que quería enseñarle y, al rato, al ir a hacer no sé qué movimiento, me vi en el santo suelo. Mi marido pensó en seguida que tenía algo roto. Y así fue. Me quedé con una cara tan desencajada del dolor que el médico de urgencias — un jovencillo — no supo reaccionar inmediatamente al verme. Yo sí supe ; por eso pedí un calmante fuerte, pues el dolor era agudísimo.
Ya pasó todo lo peor. Pero ¡qué días!
Ahora, escayola durante varias semanas y luego ejercicios de recuperación. Esperemos con paciencia.

Une chute

Lundi dernier, je suis tombée chez moi. Mon mari aussi a fait une chute l'an dernier et, comme moi, bêtement.
Nous étions dans la salle de séjour. J'ai apporté à mon mari quelques photos que je voulais lui montrer, et l'instant d'après, en voulant faire (en allant faire) je ne sais quel mouvement, je me suis retrouvée (vue) par terre. Mon mari a pensé immédiatement que j'avais quelque chose de cassé. Et c'était le cas (ainsi fut). J'avais le visage tellement défait par la douleur (je restai avec un visage tellement défait de douleur) que le médecin du service des urgences — un tout jeunet — n'a pas su (comment) réagir tout de suite en me voyant. Moi, si (j'ai su) ; c'est pourquoi j'ai demandé un calmant fort, car la douleur était très aiguë.
Le pire est déjà passé. Mais quelles journées !
Maintenant, le plâtre pendant plusieurs semaines et après, des exercices de rééducation (récupération). Attendons avec patience.

Vocabulaire

hacer ejercicio : faire de l'exercice.
hacer reposo : prendre du repos
descansar : se reposer
levantarse tarde : se lever tard
madrugar : se lever très tôt, à l'aube
trasnochar : se coucher très tard
bostezar : bâiller
andar despacio : marcher lentement
andar deprisa : marcher vite
estar de pie : être debout
estar sentado : être assis

estar acostado : être couché
moverse : bouger
correr : courir
saltar : sauter
girar : tourner
empujar : pousser
la actividad : l'activité
la posición : la position
echarse (boca abajo, boca arriba, de espaldas) : se coucher (à plat ventre, sur le dos, sur le ventre)

Quelques passés simples irréguliers

SABER	TRAER	CAER (SE)
supe	traje	(me) caí
supiste	trajiste	(te) caíste
supo	trajo	(se) cayó
supimos	trajimos	(nos) caímos
supisteis	trajisteis	(os) caísteis
supieron	trajeron	(se) cayeron

Règle : Le verbe « **caer (se)** » change le *i non accentué intervocalique* en *y*.
Cette règle s'applique également aux verbes terminés en -eer (leer, creer), -oír (oír) et -uir (huir).

Les diminutifs (III)

A côté du suffixe *-(c)ito* (voir leçons 48 et 52), le suffixe *-(c)illo* est également d'un usage fréquent :

árbol	arbol<u>illo</u>
perro	perr<u>illo</u>
camisa	camis<u>illa</u>
joven	joven<u>cillo</u>
mujer	mujer<u>cilla</u>

Exercices

Mettre les verbes entre parenthèses à la forme correcte du passé simple

1. Isabel (leer) varias veces la novela. **2.** Yo (creer) que tenías el impreso. **3.** Juan y Pedro (caerse) del árbol. **4.** Felipe (oír) el ruido del tren. **5.** Vosotros (huir) del incendio. **6.** Dámaso (construir) su casa. **7.** (Vosotros) (leer) todas las novelas de Goytisolo. **8.** Nosotros no (oír) nada. **9.** (Ella) no lo (creer). **10.** Los albañiles (destruir) la parte vieja de la casa antes de construir.

El paro

Al salir del Banco, un hombre joven me pidió una limosna. Al entrar en el metro, también tres o cuatro chiquillos me pidieron dinero. Es terrible. Uno no sabe qué pensar. Lo que me parece claro es que con la crisis que atravesamos, el dinero no sobra y el trabajo escasea.

Un señor mayor — por no decir viejo — con un aspecto muy digno, se me acercó el otro día y me dijo que llevaba tres meses sin cobrar el sueldo. La semana pasada durmió — según añadió — únicamente dos noches, las restantes estuvo de guardia en el garaje de una casa de pisos. Se ve que el hombre, como necesita dinero para vivir, está dispuesto a hacer cualquier tipo de trabajo.

¿Cuándo va a resolverse el problema del paro? me dije. Y me puse a pensar qué soluciones podían estar a mi alcance.

Le chômage

A la sortie de la Banque, un homme jeune me demanda l'aumône. A l'entrée du métro, de même trois ou quatre gosses me demandèrent de l'argent. C'est terrible. On ne sait que penser. Ce qui me paraît clair c'est qu'avec la crise que nous traversons, il n'y a pas beaucoup d'argent (pas d'argent en trop) et le travail devient rare.

Un monsieur âgé — pour ne pas dire vieux — d'apparence très digne, s'approcha de moi l'autre jour et me dit qu'il y avait trois mois qu'il n'avait plus touché son salaire. La semaine passée, il dormit — d'après (ce qu')il ajoute — seulement deux nuits : les autres (nuits) il fut de garde dans le garage d'un immeuble à appartements. On voit que l'homme, ayant besoin (comme il a besoin) d'argent pour vivre, est disposé à faire n'importe quel type de travail.

Quand va-t-on résoudre le problème du chômage ? me dis-je. Et je me mis à penser quelles solutions pouvaient être à ma portée.

Vocabulaire

el desempleo : le sous-emploi
el parado : le chômeur
la huelga : la grève
cobrar el paro : toucher l'allocation de chômage
el subsidio de paro : l'allocation de chômage
el pluriempleo : le cumul
el jefe de personal : le chef du personnel
el sindicato : le syndicat

aburrirse : s'ennuyer
el aburrimiento : l'ennui
cansarse : se fatiguer
el cansancio : la fatigue
tener deudas : avoir des dettes
estar endeudado : être endetté
pasar hambre, sed : souffrir de la faim, de la soif
hacer quiebra (una empresa, una fábrica) : faire faillite (une entreprise, une usine)

Passé simple des verbes des modèles II et III

PEDIR	DORMIR	SENTIR
ped-í	dorm-í	sent-í
ped-iste	dorm-iste	sent-iste
pid-ió	durm-ió	sint-ió
ped-imos	dorm-imos	sent-imos
ped-isteis	dormi-isteis	sent-isteis
pid-ieron	durm-ieron	sint-ieron

Traduction du français « DEMANDER »

— **PEDIR** (demander dans le but d'*obtenir*)
>   *pedir limosna* (l'aumône), *un favor* (une faveur), *un regalo* (un cadeau), *una información* (un renseignement), *dinero* (de l'argent), *ayuda* (de l'aide), *trabajo* (du travail), etc.

— **PREGUNTAR** (demander dans le but de *savoir*, interroger)
>   *preguntar la hora* (l'heure), *la dirección* (l'adresse), *si ...* (si ...), *el camino* (le chemin)

Trois constructions synonymes
>   ***Hace*** *dos horas* **que** *lo estoy esperando.*
>   *Lo estoy esperando* **desde hace** *dos horas.*
>   ***Llevo*** *dos horas* **esperándolo.**

qui peuvent indifféremment se traduire par :
    Cela fait deux heures que je l'attends.
    Il y a deux heures que je l'attends.
    Je l'attends depuis deux heures.

Si la deuxième partie de la phrase est négative :
>   ***Hacía*** *tres meses* **que** *no cobraba el sueldo.*
>   *No cobraba el sueldo* **desde hacía** *tres meses.*
>   ***Llevaba*** *tres meses* **sin cobrar** *el sueldo.*

En résumé
1. *hace / hacía ... que*
2. *desde hace / hacía*
3. *llevar +* ⟨ gérondif (phrase affirmative)
             sin + infinitif (phrase négative)

Remarque : dans les deux premiers cas, le verbe « hacer » doit se mettre au même temps que le deuxième verbe.

Recapitulación

Récepitulation générale du passé simple

---

1. Les passés simples réguliers

Entrar	Comer	Escribir
Entré	Comí	Escribí
Entraste	Comiste	Escribiste
Entró	Comió	Escribió
Entramos	Comimos	Escribimos
Entrasteis	Comisteis	Escribisteis
Entraron	Comieron	Escribieron

---

2. Les modèles II et III (irrégularités systématiques)

Pedir	Dormir	Sentir
Pedí	Dormí	Sentí
Pediste	Dormiste	Sentiste
Pidió	Durmió	Sintió
Pedimos	Dormimos	Sentimos
Pedisteis	Dormisteis	Sentisteis
Pidieron	Durmieron	Sintieron

---

3. Les passés simples complètement irréguliers

Ser	Ir	Tener
Fui	Fui	Tuve
Fuiste	Fuiste	Tuviste
Fue	Fue	Tuvo
Fuimos	Fuimos	Tuvimos
Fuisteis	Fuisteis	Tuvisteis
Fueron	Fueron	Tuvieron

Estar	Andar	Saber
Estuve	Anduve	Supe
Estuviste	Anduviste	Supiste
Estuvo	Anduvo	Supo
Estuvimos	Anduvimos	Supimos
Estuvisteis	Anduvisteis	Supisteis
Estuvieron	Anduvieron	Supieron

Poner	Poder	Haber
Puse	Pude	Hube
Pusiste	Pudiste	Hubiste
Puso	Pudo	Hubo
Pusimos	Pudimos	Hubimos
Pusisteis	Pudisteis	Hubisteis
Pusieron	Pudieron	Hubieron

Caber	Venir	Hacer
Cupe	Vine	Hice
Cupiste	Viniste	Hiciste
Cupo	Vino	Hizo
Cupimos	Vinimos	Hicimos
Cupisteis	Vinisteis	Hicisteis
Cupieron	Vinieron	Hicieron

Querer	Decir	(Con)-ducir
Quise	Dije	Conduje
Quisiste	Dijiste	Condujiste
Quiso	Dijo	Condujo
Quisimos	Dijimos	Condujimos
Quisisteis	Dijisteis	Condujisteis
Quisieron	Dijeron	Condujeron

Traer	Dar	Ver
Traje	Di	Vi
Trajiste	Diste	Viste
Trajo	Dio	Vio
Trajimos	Dimos	Vimos
Trajisteis	Disteis	Visteis
Trajeron	Dieron	Vieron

Caer
Caí
Caíste
Cayó
Caímos
Caísteis
Cayeron

---

4. Les modifications orthographiques : voir page suivante.

| *Recapitulación (continuación)*

Formation du passé simple (suite)

---

4. Les modifications orthographiques

1. Verbes en -zar

aterrizar → aterri<u>c</u>é
aterrizaste
aterrizó

...

Z → C devant E

2. Verbes en -gar

llegar → lle<u>gu</u>é
llegaste
llegó

...

G → GU devant E

3. Verbes en -car

sacar → sa<u>qu</u>é
sacaste
sacó

...

C → QU devant E

4. Verbes en -aer, -eer, -oír, -uir

oír → oí
<u>o</u>iste
<u>o</u>yó
<u>o</u>imos
<u>o</u>isteis
<u>o</u>yeron

I atone → Y entre deux voyelles

5. Verbes en -eír (modèle II leç. 59)

reír → re-í
re-íste
r<s>i</s>-ió
re-ímos
re-ísteis
r<s>i</s>-ieron

I + I = I

Exercices

1. Compléter par la forme adéquate du passé simple

1. Ayer Isabel (dormir) en casa.
2. (Yo) (sentir) un dolor de cabeza muy fuerte.
3. Francisco me (pedir) dinero.
4. Pedro me (repetir) la pregunta varias veces.
5. (Nosotros) (seguir) el mismo camino.
6. (Vosotros) (preferir) el mar al campo.
7. Mis hijos no me (mentir) nunca.
8. (Nosotros) (dormir) muy bien en el tren.
9. Los niños (dormir) en casa de los abuelos.
10. (Ellos) (servir) en un restaurante.

2. Traduire

1. Je te demande une faveur.
2. Il me demande de l'argent.
3. Nous nous demandons où se trouve le musée.
4. Puis-je vous demander une information ?
5. Ils nous demandèrent si nous étions contents.

3. Mettre au passé simple

1. Como (nosotros) (salir) ayer tarde de la escuela, no (ir) al cine.
2. Como me (gustar) mucho el Greco, ayer (volver) al museo.
3. Como Isabel (estar) muy simpática, todos le (hacer) muchas invitaciones.
4. Como anoche (ellos) no (poder) salir de casa, (ver) la televisión.
5. Como Pedro (quedarse) tanto tiempo en nuestra casa, (querer) hacernos un regalo.

4. Même exercice

1. María no me (decir) nada.
2. (Nosotros) le (dar) las entradas.
3. (Yo) (tener) que pedir ayuda a la azafata.
4. Ramón (venir) a verme varias veces.
5. (Ellos) no (sentirse) muy contentos en Europa.
6. (Vosotros) (dormir) algunos días en mi casa.
7. (Yo) (llegar) tarde.
8. El avión (aterrizar) en Santander.
9. Los niños (leer) todos los cuentos de la biblioteca.
10. Juan me (traer) dos maravillosos regalos peruanos.
11. El maestro le (poner) tres ejercicios.
12. Los viajeros le (pedir) información.
13. (Ellos) (saber) la noticia muy tarde.
14. Ayer (yo) (reírse) mucho viendo la película.
15. Mi hermano (conducir) muy deprisa.

Mi vida en el pueblo

Acabo de llegar a la ciudad después de unos días pasados en un pueblecito. He estado realmente encantado. No he parado en casa porque necesitaba tomar el aire puro, ese aire sano que no encontramos en la ciudad. He dado paseos largos con unos amigos, unas veces despacio, otras, un poco más deprisa. Hemos cruzado calles tranquilas y hemos andado sin rumbo fijo. He atravesado el pueblo de punta a punta. Me he detenido en las bocacalles y he charlado con la gente sencilla. Hemos hablado mucho de la naturaleza.

He salido al campo, he subido a la montaña y he bajado hasta el río.

Realmente necesitaba paz y vida tranquila y la he tenido. Hay que saber pararse. ¿Habéis hecho ya la experiencia?

Ma vie au village

Je viens d'arriver à la ville après avoir passé quelques jours dans un petit village. J'ai été vraiment enchanté. Je ne suis pas resté à la maison parce que j'avais besoin de prendre l'air pur, cet air sain que nous ne trouvons pas en ville. J'ai fait de longues promenades avec des amis, parfois lentement, parfois un peu plus vite. Nous avons traversé des rues tranquilles et nous avons marché sans but précis (fixe). J'ai traversé le village de bout en bout. Je me suis arrêté dans les ruelles et j'ai bavardé avec les gens simples. Nous avons beaucoup parlé de la nature.

Je suis parti dans la campagne, je suis allé (monté) à la montagne et je suis descendu à la rivière.

Réellement j'avais besoin de paix et de vie tranquille et je l'ai eue. Il faut savoir s'arrêter. Vous (en) avez déjà fait l'expérience ?

Vocabulaire

la avenida : l'avenue
el bulevar : le boulevard
el cruce : le carrefour
el callejón sin salida : l'impasse
la rotonda : le rond-point
la carretera : la route
calle arriba : en montant la rue
calle abajo : en descendant la rue
la capital de provincia : la capitale de province
la aldea : le hameau
el suburbio : le faubourg

los alrededores : les environs, les alentours
las afueras : la banlieue
la zona industrial : la zone industrielle
dar la vuelta : faire demi-tour
dar la vuelta a : faire le tour de
dar una vuelta : faire un tour
circular : circuler
torcer / girar / doblar a la izquierda o a la derecha : tourner à gauche ou à droite
callejear : flâner dans les rues

Le participe passé

— **formation régulière** (voir leçon 49)

    cruz-<u>ar</u> → cruz-<u>ado</u>
    com-<u>er</u> → com-<u>ido</u>
    sub-<u>ir</u> → sub-<u>ido</u>

— **participes passés irréguliers**

abrir → abierto	decir → dicho
cubrir → cubierto	hacer → hecho
poner → puesto	ver → visto
morir → muerto	romper → roto
volver → vuelto	escribir → escrito
resolver → resuelto	imprimir → impreso

Le passé composé

— **Formation :** le passé composé, comme son nom l'indique, se compose d'un *auxiliaire*, qui est toujours le verbe HABER (au présent) et d'un *participe passé*, qui est toujours invariable.

HABER	Participe passé	
he	ido	Je suis allé(e)
has	bajado	Tu es descendu(e)
ha	muerto	Il/elle est mort(e)
hemos	escrito	Nous avons écrit
(os) habéis	sentado	Vous vous êtes assis(es)
(se) han	decidido	Ils/elles (vous) (f. polie) se sont (vous êtes) décidés(ées)

— **Emploi :** l'espagnol n'emploie le passé composé que pour exprimer une action passée qui reste encore en relation avec le présent, soit que ses conséquences se prolongent, soit que la période de temps où elle se situe n'est pas encore terminée. On l'utilisera donc avec des compléments de temps tels que : « hoy (aujourd'hui):, « esta mañana (ce matin) », « este mes (ce mois-ci) », « este año (cette année-ci) », « todavía (encore) », « ya (déjà) », etc. Le passé composé s'emploie également sans complément de temps. *¿Has visto la película?* Tu as vu le film ?

— **Attention !** Rien ne doit s'intercaler entre « haber » et le participe passé :

    Han andado mucho. Ils ont beaucoup marché.

Exercices

1. Mettre au passé composé

1. (Nosotros) (perder) el tren. **2.** ¿Por qué no me (escribir) (tú)? **3.** ¿Por qué no me (decir) (ellos) la verdad? **4.** Todavía no (abrir) (sujet indéterminé) la taquilla. **5.** (Yo) no (trabajar) nunca. **6.** ¡(Vosotros) nos (mentir)! **7.** José todavía no (volver) a casa. **8.** (Nosotras) no la (ver) desde hace mucho tiempo. **9.** ¡Pero todavía no (hacer) (tú) nada! **10.** ¿Usted ya (vender) su coche?

2. Traduire

1. Cela fait une demi-heure qu'il est parti. **2.** Cette année il n'a pas encore plu. **3.** J'ai perdu un grand ami. **4.** Aujourd'hui, nous avons fait une longue promenade. **5.** Philippe a toujours été un programmeur exceptionnel.

La contaminación

Daniel — ¿Qué lees en el periódico que te veo tan interesado?

Roberto — Estaba leyendo el índice de contaminación de algunas zonas. Me habían dado cifras y no había querido creerlas, pero es verdad.

Daniel — *¿No viste la semana pasada la emisión sobre los peligros de algunas fábricas cercanas a la ciudad? Pues, la habían anunciado ya la semana anterior, y fue muy interesante.*

Roberto — ¿De qué hablaron?

Daniel — De la evacuación de humos y materias tóxicas. Algunos telespectadores habían llamado antes de la emisión quejándose de lo que sueltan algunos coches y motos.

Roberto — Es verdad. Cada vez se vive peor en la ciudad. Pero si vives en el campo, tienes que coger el tren para venir a trabajar, y ahí siempre te encuentras fumadores, ¿qué es peor?

La pollution

Daniel — Que lis-tu dans le journal, que je te vois si intéressé ?

Robert — J'étais en train de lire le taux de pollution de quelques zones. On m'avait donné des chiffres et je n'avais pas voulu les croire, mais c'est la vérité.

Daniel — Tu n'as pas vu la semaine dernière l'émission sur les dangers de quelques usines proches de la ville? Eh bien, on l'avait déjà annoncée la semaine précédente, et elle fut très intéressante.

Robert — De quoi a-t-on parlé?

Daniel — De l'évacuation des fumées et des matières toxiques. Quelques téléspectateurs avaient téléphoné avant l'émission pour se plaindre (en se plaignant) de ce que rejettent certaines voitures et motos.

Robert — C'est vrai. On vit de plus en plus mal en ville. Mais si tu habites la campagne, tu dois prendre le train pour venir travailler, et là tu rencontres toujours des fumeurs ; qu'est-ce qui est pire ?

Vocabulaire

el vapor radiactivo : la vapeur radioactive
los gases : les gaz
la polución : la pollution
el combustible : le combustible
la energía nuclear (atómica), solar, eólica : l'énergie nucléaire (atomique), solaire, éolienne
el medio ambiente : le milieu ambiant, l'environnement
la atmósfera : l'atmosphère

contaminar : polluer
expulsar : expulser
respirar : respirer
la flora : la flore
la fauna : la faune
la lluvia ácida : la pluie acide
los residuos : les déchets
los desechos : les déchets
el basurero : le dépôt d'ordures
la basura : les ordures

Le plus-que-parfait

— **Formation** : le plus-que-parfait se compose d'un *auxiliaire*, qui est toujours le verbe HABER (à l'imparfait) et d'un *participe passé*, qui est toujours invariable.

HABER	Participe passé	
había	venido	J'étais venu
habías	vuelto	Tu étais revenu
había	trabajado	Il/Elle (vous) avait (aviez) travaillé
habíamos	dicho que...	Nous avions dit que...
(os) habíais	levantado	Vous vous étiez levés
(se) habían	escrito	Ils/elles (vous) s'étaient (vous étiez) écrit

— **Emploi** : le plus-que-parfait exprime une action passée, antérieure à une autre action passée.

*Cuando llegamos al aeropuerto, el avión ya **había salido**.* Quand nous sommes arrivés à l'aéroport, l'avion était déjà parti.

— **Rappel** : rien ne doit s'intercaler entre « haber » et le participe passé. *Habían andado mucho.* Ils avaient beaucoup marché.

Exercices

Mettre les verbes entre parenthèses au plus-que-parfait
1. Cuando llegué a tu casa, tus hijos ya (salir). **2.** Cuando volvió el profesor, los alumnos (terminar) el ejercicio. **3.** Cuando fui al garaje, el mecánico ya (arreglar) el coche. **4.** Cuando recibiste mi carta, ya me (escribir) (tú). **5.** Cuando los padres volvieron a casa, los niños no (hacer) nada. **6.** Cuando rellené el impreso, ya me (poner) (ellos) la multa. **7.** Cuando te propuse salir, ya (sacar) (yo) las entradas. **8.** Cuando mi mujer fue al teatro, yo ya (ver) la ópera. **9.** Cuando quise poner el disco, (ellos) (romper) el tocadiscos. **10.** Cuando llegué a la estación, ya (salir) el tren.

En una tertulia

Jorge — ¿De quién es ese periódico que está ahí?

Salvador — Es de Santiago, pero ya lo ha leído.

Santiago — Es para ti, Jorge. La noticia de primera plana es que el Príncipe heredero va a jurar la Constitución ante las Cortes.

Jorge — ¿Ya tiene el Príncipe la mayoría de edad civil?

Salvador — ¡Claro! Mañana cumple 18 años.

Jorge — ¡Cómo pasa el tiempo!

Santiago — Sí, para todos. De modo que ya están previstas dos ceremonias : la del juramento, que es en el Palacio del Congreso, y la de la condecoración del Collar de la Real Orden de Carlos III, que es en el Palacio Real.

Salvador — El Príncipe y el presidente del Gobierno tienen que pronunciar breves discursos. Por supuesto que hay una recepción.

Jorge — ¡Qué enterados os veo!

Santiago — Sí, como tú si lees la prensa.

Jorge — ¡Ah! Os falta un detalle. El Príncipe es el futuro Felipe VI.

Conversation entre amis

Georges — A qui est ce journal (qui est ici) ?

Salvador — A Jacques, mais il l'a déjà lu.

Jacques — Il est pour toi, Georges. La nouvelle de première page est que le Prince héritier va prêter serment à la Constitution devant les Cortès.

Georges — Le Prince a déjà atteint la majorité civile ?

Salvador — Bien sûr ! Il a 18 ans demain.

Georges — Comme le temps passe !

Jacques — Oui, pour tout le monde. Ainsi donc (de sorte que) deux cérémonies sont déjà prévues : (celle de) la prestation de serment, qui a lieu aux Cortès et (celle de) la remise (décoration) du Collier de l'Ordre Royal de Charles III, qui a lieu au Palais Royal.

Salvador — Le Prince et le président du Gouvernement doivent prononcer de brefs discours. Il est évident qu'il y a une réception.

Georges — Comme vous avez l'air bien informés !

Jacques — Oui, comme toi si tu lis les journaux (la presse).

Georges — Ah ! Il vous manque un détail. Le Prince est le futur Philippe VI.

Vocabulaire

los Reyes (el Rey y la Reina) : le Roi et la Reine
la princesa : la princesse
la monarquía : la monarchie
la dinastía : la dynastie
la corona : la couronne

la(s) ley(es) : la (les) loi(s)
el B.O.E. : le Bulletin officiel de l'Etat
el Gobierno de la nación : le Gouvernement de la nation
el Senado : le Sénat
las Cortes (Parlamento español) : les Cortès (Parlement espagnol)
el Congreso : le Sénat
el protocolo : le protocole

el partido : le parti
el senador : le sénateur
el diputado : le député
el real decreto : l'arrêté royal
la fidelidad : la fidélité
la autonomía : l'autonomie
prestar juramento : prêter serment
cumplir / guardar la Constitución : respecter / garder la Constitution

---

Systématisation des emplois de SER

Identité (leç. 1)	*Es* Ricardo
Nationalité (leç. 1)	*Es* portugués
Origine (leç. 1)	*Soy* de Madrid
Profession (leç. 1)	Yo *soy* médico
Possession (leç. 3)	Y el perro ¿de quién *es*?
Qualités, caractéristiques (physiques, morales) (leç. 9)	El plan *es* estupendo *Somos* muy despreocupados
Heure (leç. 10)	¿Qué hora *es*? *Es* la una
Prix (leç. 18)	¿Cuánto *es*, por favor?
Nombre (leç. 24)	*Somos* muchos
Destination (leç. 63)	*Es* para ti
« Avoir lieu / se tenir / se dérouler » (leç. 63)	La ceremonia del juramento *es* en el Palacio del Congreso
Voix passive	La Constitución *es* jurada por el Príncipe
Dans les expressions impersonnelles (leç. 6)	*Es* preferible preparar todo hoy
Quand l'attribut est un substantif (leç. 16)	Estos cuadros *son* retratos de personas de la Corte

---

Exercices

1. Compléter avec le verbe SER

1. Este horario no ... para nosotros. **2.** La fiesta ... en el Ayuntamiento. **3.** Felipe ... madrileño. **4.** Mañana ... otro día. **5.** (Yo) ... mecánico. **6.** ¿Cuánto ..., por favor? ... 1500 pesetas. **7.** La nieve ... blanca. **8.** Pablo ... riquísimo. **9.** Hoy ... sábado. **10.** El baile ... a las 10 en la Plaza Mayor.

2. Même exercice

1. Las hojas de los árboles ... verdes. **2.** Tu traje ... nuevo. **3.** ¿De quién ... la cartera? ... mía. **4.** ¿Qué hora ...? ... las dos y media. **5.** ¿Qué día ... tu santo? **6.** El deporte ... bueno para la salud. **7.** Aquel cuadro ... de Goya. **8.** El hierro ... un metal duro. **9.** Febrero ... el mes más corto del año. **10.** ¿Quién ... este señor? ... Felipe González ; ... el presidente del Gobierno.

Las flores

¡Qué largo se me está haciendo el invierno! Es verdad que también tiene su encanto y su misterio. En esta época del año la naturaleza parece que está muerta y, sin embargo, hay en ella un germen de vida. La prueba de ello está en que, en primavera, el campo renace, todo está verde. Por todas partes empiezan a brotar las florecillas, y el paisaje se viste de mil colores. Me gustan las flores : las margaritas y las rosas y también esas pequeñitas, casi diminutas — amarillas y violeta — que esmaltan los campos y con las que soy feliz.

Les fleurs

Que l'hiver me semble long ! Il est vrai qu'il a aussi son charme et son mystère. A cette époque de l'année, la nature semble morte et pourtant, il y a en elle un germe de vie. La preuve en est qu'au printemps la campagne renaît, tout est vert. Partout les petites fleurs commencent à sortir, et le paysage se revêt de mille couleurs. J'aime les fleurs : les marguerites et les roses et aussi ces fleurettes (toutes petites), quasi minuscules — jaunes et violettes — qui émaillent les champs et qui me rendent heureuse.

Vocabulaire

el geranio : le géranium	**la encina** : le chêne vert
el clavel : l'œillet	**el álamo** : le peuplier
la azucena : le lis	**el plátano** : le platane
el lirio : l'iris	**la palmera** : le palmier
el tulipán : la tulipe	**plantar** : planter
el jazmín : le jasmin	**regar** : arroser
el bosque : le bois	**talar** : couper, tailler
la selva : la forêt	**cavar** : creuser
el pinar : la pinède	**abonar** : fumer
el pino : le pin	**sembrar** : semer
el ciprés : le cyprès	**la maceta** : le pot de fleurs
el abeto : le sapin	**el tiesto** : le pot de fleurs
el roble : le chêne rouvre	

Systématisation des emplois d'ESTAR

Situation dans l'espace (leç. 3)	*Está en Madrid*
Situation dans le temps (leç. 4)	*Estamos en agosto*
Etat -physique (leç. 4) -moral (leç. 3)	*Estáis muy morenos* *¿Estáis contentos del viaje?*
Action en cours (leç. 13)	*¿Qué estáis haciendo?*
Résultat d'une action (leç. 44)	*Ya está terminada*
Avec « bien » et « mal » (leç. 9)	*Está bien. No está mal*

Remarque :

Certains adjectifs changent de sens selon qu'ils sont employés avec SER ou ESTAR.

Quelques exemples :

Ser bueno (être bon)	*Estar bueno* (être en bonne santé)
Ser malo (être mauvais, méchant)	*Estar malo* (être mal, malade)
Ser verde (être vert -couleur)	*Estar verde* (être vert -pas mûr)
Ser listo (être malin)	*Estar listo* (être prêt)
Ser vivo (être vif d'esprit)	*Estar vivo* (être vivant)

Adjectifs de couleurs

Les adjectifs de couleurs s'accordent en genre et en nombre avec le mot auquel ils se rapportent *(flores amarillas)* sauf ceux qui sont à l'origine des noms de choses, qui restent invariables *(flores violeta / rosa)*.

Exercices

1. Compléter avec le verbe ESTAR 1. El problema ... resuelto. **2.** Isabel ... sola. **3.** ¿Por qué no ... (tú) sentado? **4.** El abuelo de Jesús ... enfermo. **5.** La paella ... fría. **6.** ¿La botella ... llena o vacía? **7.** Hugo ... alegre hoy. **8.** La lámpara ... encendida. **9.** El día ... gris. **10.** El equipaje ... preparado.

2. Compléter avec SER ou ESTAR
1. El reloj ... de oro. **2.** El niño ... jugando a la pelota. **3.** Esta mermelada me gusta ; ... muy buena. **4.** ... agradable hablar con él ; ... enterado de todo. **5.** ... tarde ; ... la hora de ir a dormir. **6.** Delante de casa, la nieve ... muy sucia. **7.** ¿ ... (tú) lista? Vamos a llegar tarde. **8.** Mi hermana ... en el cuarto de baño. **9.** ... (nosotros) 28 en clase. **10.** Mis padres ... de vacaciones en Grecia.

Dos cuentos

Mettre les verbes entre parenthèses aux temps adéquats

Cuando (nosotros) (ser) pequeños, (tener) gustos distintos a los que (tener) los niños ahora. Entonces no (hablar) (nosotros) de los astronautas, claro, ni (jugar) con los miniordenadores. (Yo) (recordar) que nos (encantar) jugar a los tesoros. ¿(Saber) (vosotros) cómo (nosotros) (jugar)? Cuando (nosotros) (tener) un cromo bonito o una piedra « preciosa » la (enterrar) en secreto « absoluto » (si esto (ser) posible entre niños) en el jardín de casa.

En el suelo (hacer) un hoyito, (colocar) el « tesoro », encima (poner) un cristal y luego (recubrir) todo con tierra y lo (aplastar).

Un día alguien (robar) nuestro tesoro. ¡Qué pena (tener) (nosotros) al descubrir que (desaparecer)! (Estar) (nosotros) mucho tiempo buscando al culpable pero nunca (saber) quién (ser) el autor de esta terrible acción ni cómo (descubrir) nuestro escondite.

Vocabulaire

el gusto : le goût
el astronauta : l'astronaute
el ordenador : l'ordinateur
recordar algo : se souvenir de quelque chose
acordarse de algo : se souvenir de quelque chose
el tesoro : le trésor
el cromo : l'image
la piedra preciosa : la pierre précieuse

el hoyo : le trou
el cristal : le verre
aplastar : aplatir
descubrir : découvrir
desaparecer : disparaître
culpable : coupable
el escondite : la cachette
el cuento : l'histoire

Même exercice

Luis (ser) profesor de matemáticas en un colegio del centro de Madrid. Todos los días (ir) a la escuela exactamente a la misma hora. Y todos los días (pasar) por el mismo quiosco de periódicos.

Luis y el dueño del quiosco (conocerse) muy bien : (estudiar) los dos en el mismo colegio y (vivir) en el mismo pueblo.

Todos los días Luis (comprar) el ABC en el quiosco de su amigo y paisano. Y así (pasar) los días y las semanas.

Un día que (llover) mucho, Luis (presentarse) como de costumbre en el quiosco de su amigo. Pero éste (estar) cerrado. Luis (acercarse) a la puerta trasera del puesto y en un pequeño anuncio (poder) leer lo siguiente : « Como hasta ahora no (vender) ningún libro mío, (decidir) cerrar definitivamente este comercio. (Contar) con la comprensión de mis clientes ».

Vocabulaire

el quiosco : le kiosque
paisano : du même pays, de la même région
como de costumbre : comme d'habitude

trasero : situé à l'arrière
siguiente : suivant
la comprensión : la compréhension

En busca de obreros

Mañana — como tendré tiempo — dedicaré un buen rato a ver los « Anuncios por palabras », pues estamos a la búsqueda de obreros para arreglar nuestra segunda vivienda de la Sierra.

¿Buscarás en los periódicos algunas direcciones?, me dijo mi marido. Sí — le contesté— ; todos investigaremos hasta dar con los obreros mejores y más económicos. Tú también — supongo — estarás decidido a colaborar, ¿no? Será cuestión de escribir o de llamar por teléfono y habrá que hacerlo pronto, pues el tiempo vuela.

Al fin he conseguido concienciar — como se dice ahora — a toda la familia y, a partir de mañana, todos cogeremos los periódicos y pondremos manos a la obra.

A la recherche d'ouvriers

Demain — comme j'aurai le temps — je consacrerai un bon moment à regarder (voir) les « petites annonces », car nous sommes à la recherche d'ouvriers pour retaper (arranger) notre seconde résidence à la Sierra.

Tu chercheras quelques adresses dans les journaux, m'a dit mon mari. Oui, — lui ai-je répondu — ; nous chercherons tous jusqu'à trouver les ouvriers les plus qualifiés et les moins chers (les meilleurs et les plus économiques). Toi aussi — je suppose — tu seras disposé (décidé) à collaborer, non? Il faudra (il sera question de) écrire ou téléphoner et il faudra le faire assez rapidement, car le temps file (vole).

Finalement, je suis parvenue à conscientiser — comme on dit maintenant — toute la famille et, dès demain, nous prendrons tous les journaux et nous nous mettrons au travail.

Vocabulaire

Carpintero, ebanista ; instala parquets / tarimas; lija, acuchilla, barniza. Menuisier, ébéniste ; installe parquets ; ponce, décape, vernit.

Fontanero, calefactor ; las 24 horas ; garantizamos limpieza. Plombier, chauffagiste ; 24 h sur 24 ; propreté garantie.

Electricista ; instalaciones ; averías ; urgencias ; aire acondicionado. Servicio permanente. Electricien ; installations ; pannes ; urgences ; air conditionné. Service permanent.

Tapicero, decorador. Cortinas, moqueta, visillos ; muestras a domicilio. Reforma de viviendas, chalets y locales comerciales. Tapissier, décorateur. Tentures, moquette, rideaux ; échantillons à domicile. Transformation d'habitations, de villas et de locaux commerciaux.

Empapelador, pintor. Seriedad ; precios económicos. Tapissier, peintre. Sérieux ; prix économiques.

Tejador ; canalones y tejados. Presupuestos gratis. Couvreur ; gouttières et toits. Devis gratuits.

Formation du futur simple

Infinitif + présent de l'indicatif du verbe HABER (v. leç. 11)

Entrar -é	Comer -é	Escribir -é
Entrar -ás	Comer -ás	Escribir -ás
Entrar -á	Comer -á	Escribir -á
Entrar -emos	Comer -emos	Escribir -emos
Entrar -éis	Comer -éis	Escribir -éis
Entrar -án	Comer -án	Escribir -án

Futurs simples irréguliers

Hacer → haré
Decir → diré
Saber → sabré
Poder → podré
Poner → pondré
Tener → tendré
Venir → vendré
Salir → saldré
Querer → querré
Haber → habré
Caber → cabré

Remarques sur le futur simple

En espagnol, le futur simple est parfois remplacé par le *présent* ou par une *périphrase* (par exemple : « ir a + infinitif).

> *Empezamos mañana.*
> *Vamos a empezar mañana.*

Le futur s'emploie pour exprimer l'*hypothèse*, la *supposition*, la *probabilité*, l'*approximation* :

> *¿Qué hora será?* Quelle heure *peut-il bien* être ?
> *Serán las dos.* Il *doit* être deux heures.
> *¿Cuántos años tendrá?* Quel âge *peut-il bien* avoir ?
> *Tendrá unos 20 años.* Il *doit* avoir une vingtaine d'années.

Exercices

Mettre au futur simple les verbes en italique :

1. *Hago* las compras todos los días. 2. *Vamos* al restaurante dos veces a la semana. 3. ¿Cuándo *sale* el tren? 4. *Duermes* y *sueñas*. 5. *Hay* que ordenar la casa. 6. Nunca *dice* la verdad. 7. ¿Ud. *viene* con nosotros de vacaciones? 8. ¿Qué hora *es*? *Son* las tres y veinte. 9. Si vas a esquiar, *subes* en el telesilla. 10. *Rellenas* el impreso en la agencia.

Una corrida

¿Sabrías decirme cómo es una corrida de toros?, me preguntó François. Tendría que pensarlo un poco — le contesté — y después podría explicártelo. Claro, mis hermanos lo harían mejor y te darían toda clase de detalles. Te contarían una corrida con pelos y señales. Yo, a pesar de ser española, no daría un paso por ir a una plaza de toros. En fin, puesto que me lo pides, intentaré explicarte cómo se desarrolla la fiesta.

La corrida empieza puntualmente. La música es un elemento importante que crea ambiente. El paseíllo de las cuadrillas — matadores, picadores y banderilleros — inicia la corrida.

El torero va vestido con el traje de luces, bordado en oro y plata. Las suertes — fases de la corrida — son tres : la de picar, la de poner banderillas y la de matar.

Cada corrida se compone de seis toros y son los matadores — los jefes de la cuadrilla — los que tienen que matar.

Terminaría diciéndote que, de los toros, lo único que me gusta es el ambiente, la alegría, el color y la música.

Une corrida

Saurais-tu me dire comment se déroule une corrida (de taureaux) ? m'a demandé François. Je devrais y réfléchir un peu — lui ai-je répondu — et ensuite je pourrais te l'expliquer. Evidemment, mes frères le feraient mieux (que moi) et ils te donneraient toutes sortes de détails. Ils te raconteraient une corrida en long et en large. Moi, bien que je sois Espagnole, je ne ferais pas un pas pour aller dans une arène. Enfin, puisque tu me le demandes, je vais essayer de t'expliquer le déroulement de la fête.

La corrida commence à l'heure. La musique est un élément important qui crée l'ambiance. Le défilé des « cuadrillas » — matadors, picadors et banderilleros — ouvre la corrida.

Le toréro porte l'habit de lumière brodé en or et en argent. Il y a trois « suertes » — phases de la corrida — : la première consiste à piquer (celle de piquer), la deuxième à poser les banderilles (celle des banderilles) et la troisième à tuer (celle de tuer).

Chaque corrida comprend six taureaux et ce sont les matadors — les chefs de la « cuadrilla » — qui doivent tuer.

Je te dirais pour terminer (je terminerais en te disant) que les seules choses qui me plaisent dans la corrida ce sont l'ambiance, la joie, la couleur et la musique.

La banda da los toques de clarín y toca los pasodobles

El paseíllo

Un lance de capa

La suerte de varas : el picador pica el toro

Los banderilleros clavan las banderillas

El torero brinda el toro

La faena de muleta

Le ha cogido el toro ▶

El descabello

Lo sacan en hombros ; da la vuelta al ruedo ; se lleva las dos orejas y el rabo

Las mulillas arrastran al toro muerto

Grammaire

Formation du conditionnel présent

INFINITIF + imparfait de l'indicatif du verbe HABER (v. leç. 46)

entrar -ía	comer -ía	escribir -ía
entrar -ías	comer -ías	escribir -ías
entrar -ía	comer -ía	escribir -ía
entrar -íamos	comer -íamos	escribir -íamos
entrar -íais	comer -íais	escribir -íais
entrar -ían	comer -ían	escribir -ían

Quelques conditionnels irréguliers

hacer → haría	tener → tendría
decir → diría	venir → vendría
saber → sabría	salir → saldría
poder → podría	querer → querría
poner → pondría	haber → habría
	caber → cabría

Emplois du conditionnel présent

Le conditionnel est, en réalité, le futur du passé :

> *Isabel **dice** que me lo **explicará***
> *Isabel **dijo** que me lo **explicaría***

De même que le futur simple, le conditionnel peut exprimer l'hypothèse, la supposition, la probabilité, l'approximation dans le passé :

> *¿Qué hora **sería**?* Quelle heure *pouvait-il bien* être ?
> ***Serían** las dos*. Il *devait* être deux heures
> *¿Cuántos años **tendría**?* Quel âge *pouvait-il bien* avoir ?
> ***Tendría** unos 20 años*. Il *devait* avoir une vingtaine d'années.

Traduction de « celui (ceux, celle(s), ce) qui / que » et « celui (ceux, celle(s)) de »

Ces expressions se rendent en espagnol par : « el / la / los / las / lo que » et « el / la / los / las de »

Attention ! La particule « el » ne porte pas d'accent

> *El que vi la semana pasada era más caro que el que acabo de comprar.* Celui que j'ai vu la semaine dernière était plus cher que celui que je viens d'acheter.

> *Lo que quiero es irme de vacaciones.* Ce que je veux c'est partir en vacances.

> *No es mi coche, es el de mi padre.* Ce n'est pas ma voiture, c'est celle de mon père.

Traduction de « c'est ... qui »

« C'est ... qui » encadrant un *nom* ou un *pronom* se traduit par :

> SER + nom ou pronom + el, la ... que (ou quien(es))

Attention !

— Le verbe « ser » s'accorde en nombre et en personne avec le nom ou le pronom.

— Il en va de même pour le 2ème verbe qui peut toutefois se mettre également à la 3ème personne (accord avec « el, la ... que »).

— Si le 2ème verbe est au passé simple, « ser » se mettra aussi au passé simple.

> *Fui yo la que (quien) te lo conté (contó).* C'est moi qui te l'ai raconté.

> *Son los matadores los que (quienes) lo matan.* Ce sont les matadors qui le tuent.

Exercices

Mettre au conditionnel présent

1. ¿Qué (hacer) (tú) sin mí? **2.** (Salir) (tú) de paseo todos los días. **3.** Yo (decirlo) de otra manera. **4.** Ud. (pasar) la aspiradora el sábado. **5.** ¿(Comprar) Uds. pasteles? **6.** ¿(Poder) (vosotros) venir conmigo al cine? **7.** ¿(Sacar) las entradas tu hermano? **8.** ¿(Saber) lo que hacía? **9.** ¿Cuántos años (tener) (ellos) en aquel momento? **10.** Nosotros, en vuestro lugar, no (ir).

Un acontecimiento importante

Elvira — Quiero que compres un regalo para Alicia. ¿Sabes que ha dado a luz? Tenemos que darle la enhorabuena.

Amalia — Sí, sí. Pero ¿por qué quieres que compre yo el regalo? Si quieres que mire tiendas de niños, luego puedo explicarte lo que he visto. ¿de acuerdo? Yo sola no lo compro ; tiene que ser a gusto de las dos.

Elvira — Bien. En realidad fue ayer cuando nacieron los gemelos, de modo que no corre tanta prisa. ¿Cuándo te parece que la visitemos?

Amalia — No creo que debamos ir tan pronto, aunque el parto ha sido bueno, entre otras cosas, porque tenía un excelente ginecólogo. Si quieres que hoy le escribamos y le mandemos unas flores, dentro de unos días iríamos a hacerle una visita.

Elvira — Muy bien. Entonces pedimos en la florería que le envíen un bonito ramo a la maternidad y, otro día, compramos un regalo, ¿te parece así?

Un événement important

Elvire — Je veux que tu achètes un cadeau pour Alice. Tu sais qu'elle a accouché ? Nous devons la féliciter.

Amalia — Oui, oui. Mais pourquoi veux-tu que ce soit moi qui achète le cadeau ? Si tu veux que j'aille voir (je regarde) les magasins pour enfants, après, je peux t'expliquer ce que j'ai vu, d'accord ? Je ne l'achète pas toute seule ; il doit nous plaire à toutes les deux.

Elvire — Bien. En fait, les jumeaux sont nés hier (c'est hier que les jumeaux sont nés), il n'y a donc rien d'urgent. Quand penses-tu que nous pourrions aller la voir (lui rendre visite) ?

Amalia — Je ne crois pas que nous devions y aller si tôt, bien que l'accouchement se soit bien passé, notamment parce qu'elle avait un excellent gynécologue. Si tu veux que nous lui écrivions aujourd'hui et que nous lui envoyions des fleurs ; dans quelques jours nous irions lui rendre visite.

Elvire — Parfait. Alors nous allons chez le fleuriste et nous lui demandons (nous demandons chez le fleuriste) de lui envoyer un joli bouquet à la maternité ; un autre jour, nous lui achèterons (achetons) un cadeau ; d'accord ?

Vocabulaire

el hospital : l'hôpital
la clínica : la clinique
la enfermera : l'infirmière
el recién nacido : le nouveau-né
los mellizos : les jumeaux
acunar : bercer

dar el pecho : donner le sein
dar el biberón : donner le biberon
llorar : pleurer
gritar : crier
el grito : le cri
sonreír : sourire

la sonrisa : le sourire	**los pañales** : les langes
la cuna : le berceau	**la papilla** : la bouillie
el chupete : la sucette	**la casa cuna** : la crèche

Formation du subjonctif présent (I) des verbes réguliers

entrar	**comer**	**escribir**
entr-e	com-a	escrib-a
entr-es	com-as	escrib-as
entr-e	com-a	escrib-a
entr-emos	com-amos	escrib-amos
entr-éis	com-áis	escrib-áis
entr-en	com-an	escrib-an

Remarque : Lorsque le présent de l'indicatif est en -A, le présent du subjonctif est en -E et vice-versa.

Emplois du subjonctif (I)

— **L'impératif de politesse et d'exhortation** emprunte ses formes au subjonctif présent (voir leçons 39 et 43).

  cante chantez (sing.) *coman* mangez (pl.) *escribamos* écrivons

— **L'impératif négatif** s'exprime par le subjonctif présent à toutes les personnes.

  no cantes, no cante, no cantemos, no cantéis, no canten

Rappel : les pronoms personnels se placent *après* l'impératif affirmatif mais *avant* l'impératif négatif

  Cómpralas. Achète-les.

  No las compres. Ne les achète pas

— **Les verbes qui expriment une volonté** (ordre, interdiction, conseil, souhait, etc.) sont, en espagnol, toujours suivis du subjonctif.

  Quiero que me compres un regalo. *Pedimos que le envíen flores. Le ruego que me ayude*.

— Il en va de même le plus souvent de verbes comme « creer, pensar, recordar, ... », « ver, notar, observar, oír ... », « decir, hablar, explicar, ... » lorsqu'ils sont employés à la forme négative. Employés à la forme affirmative, ils sont en effet suivis de l'indicatif.

  Creo que debemos ir. mais *No creo que debamos ir. Veo que estás enferma.* mais *No veo que estés enferma*.

Traduction de « c'est ... que » encadrant un complément circonstanciel

Lorsque « c'est ... que » encadre un complément circonstanciel (lieu, temps, manière, etc.), l'espagnol remplace toujours le « que » par l'adverbe correspondant à la notion énoncée : « donde », « cuando », « como », etc. :

  Es aquí donde. C'est ici que.

  Fue ayer cuando. Ce fut hier que.

  Es así como. C'est ainsi que.

La verbena de la Paloma

Paz — ¿Quieres que piense un buen plan para esta tarde?

Rita — Cuando estabas sentada antes en el sillón, tu cara me decía que estabas tramando algo. ¡Anda! dime qué has pensado.

Paz — Ir a ver una zarzuela*. ¿Quieres que pida por teléfono que nos reserven dos entradas?

Rita — Pero, no tengo ni idea. ¿Qué están poniendo ahora?

Paz — « La verbena de la Paloma ». ¿No te acuerdas de las coplas de Don Hilarión?

Rita — Sí, claro. Las recuerdo perfectamente : « *Una morena y una rubia, hijas del pueblo de Madrid...* »

Paz — No creo que nos durmamos aunque estemos muy cansadas.

Rita — Eso no. ¡Las zarzuelas son tan alegres y tan castizas! « *Es que las dos / se deshacen por verme contento / esperando que llegue el momento / en que yo decida cuál de las dos / me gusta más.* »

Paz — Entonces, ¡a la zarzuela!

La fête de la Paloma

Paz — Tu veux que je réfléchisse à un bon plan pour ce soir ?

Rita — Quand tu étais assise tout à l'heure (avant) dans le fauteuil, ton visage me disait que tu étais en train de tramer quelque chose. Allez, dis-moi à quoi tu as pensé.

Paz — A aller voir une zarzuela. Tu veux que je demande par téléphone qu'on nous réserve deux places ?

Rita — Mais je n'en ai pas la moindre idée. Qu'est-ce qu'on donne pour le moment.

Paz — « La fête de la Paloma** ». Tu ne te souviens pas des couplets de Don Hilarion ?

Rita — Si, bien sûr. Je m'en souviens parfaitement : « *Une brune et une blonde, filles du peuple de Madrid ...* »

Paz — Je ne crois pas que nous nous endormirons même si nous sommes fort fatiguées.

Rita — Ça, non. Les zarzuelas sont tellement joyeuses et tellement typiques ! « *C'est que toutes deux / se mettent en quatre pour me voir content / espérant qu'arrive le moment / où je déciderai laquelle des deux / je préfère (me plaît le plus).* »

Paz — Donc, à la zarzuela !

* *La zarzuela* est une œuvre théâtrale où alternent parties chantées et récitatifs. Elle a un caractère « costumbrista » c'est-à-dire qu'elle reflète « las costumbres » (les mœurs) du peuple espagnol de la fin du XIXème siècle.

** *La Paloma* = La Virgen de la Paloma (La Vierge de la Paloma) L'action de « La verbena de la Paloma » se situe dans un quartier populaire madrilène de la fin du siècle dernier, la veille de la fête de la Vierge (soir du 14 août). Le compositeur de cette zarzuela est Tomás Bretón.

Vocabulaire

la temporada : la saison
el fracaso : l'échec
el éxito : le succès
la popularidad : la popularité
la fama : la renommée
la comedia : la comédie
la tragedia : la tragédie
el drama : le drame
la sátira : la satire

el libreto : le livret
el argumento : le sujet
la intriga : l'intrigue
el desenlace : le dénouement
el acto : l'acte
las situaciones : les situations
los caracteres : les caractères
los tipos : les types
la melodía : la mélodie

Formation du subjonctif (II) : les verbes à irrégularités systématiques

La *diphtongaison* et le *changement de timbre* se produisent conformément aux règles générales (voir leçon 30).

Les *terminaisons* sont celles données pour les verbes réguliers (voir leçon 68).

Modèle I

PENSAR	ENTENDER	
piens-e	entiend-a	
piens-es	entiend-as	De même pour CONTAR
piens-e	entiend-a	et MOVER : cuent-e,
pens-emos	entend-amos	cuent-es, ... cont-emos,
pens-éis	entend-áis	etc. ; muev-a, muev-as,
piens-en	entiend-an	... mov-amos, etc.

Modèle II   Modèle III

PEDIR	SENTIR	DORMIR
pid-a	sient-a	duerm-a
pid-as	sient-as	duerm-as
pid-a	sient-a	duerm-a
pid-amos	sint-amos	durm-amos
pid-áis	sint-áis	durm-áis
pid-an	sient-an	duerm-an

Emplois du subjonctif (II)

La conjonction de concession « *aunque* » peut être suivie de l'*indicatif* et du *subjonctif*.

Avec l'*indicatif*, l'obstacle exprimé est réel ; avec le *subjonctif*, il est seulement probable, envisagé comme possible.

> *Aunque **estamos** cansados, iremos a la zarzuela.* Quoique / bien que nous soyions fatigués, ...
>
> *Aunque **estemos** cansados, iremos a la zarzuela.* Même si nous sommes fatigués, ...

espagnol	français
aunque + *indicatif*	quoique, bien que + *subjonctif*
aunque + *subjonctif*	même si + *indicatif*

Pasatiempo :
La Rueda de la Fortuna

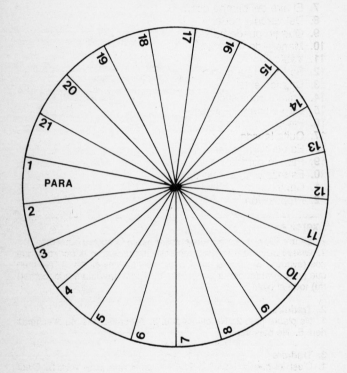

En changeant chaque fois une seule lettre, passer d'un
numéro à l'autre pour former un nouveau mot qui réponde à la
définition donnée (ex. *nata — nota — bota*).

Passe-temps : la Roue de la Fortune

1. Para
2. Da dinero
3. Alfonso ... un sello en el sobre.
4. Fruta
5. Conjunción
6. No tiene trabajo ; está en el ...
7. El aire del campo es ...
8. Del verbo « poder »
9. Que no puede hablar
10. Manera de hacer algo
11. Vehículo
12. Se ha ... una pierna.
13. Un momento
14. Animal doméstico
15. Otro animal doméstico
16. Pie de un animal
17. Quita la vida
18. Es útil para viajar
19. Para la corrida
20. Es más grande que un piso
21. Contrario de « barata »
22. Preposición

Exercices

1. Mettre les verbes entre parenthèses à la forme correcte
1. Quiero que me (escribir) (tú) todos los días. **2.** Os pedimos que nos (ayudar). **3.** Quiere que Ud. (tomar) otra medicina. **4.** No creo que (vosotros) (deber) ir tan pronto. **5.** Tu madre quiere que (comer) (tú) todo el plato.

2. Traduire
1. Ne pleure pas. **2.** Ne crions pas. **3.** N'écrivez pas. **4.** N'achetez rien. **5.** Ne bois rien.

3. Traduire
1. C'est ici que je travaille. **2.** C'est ainsi que je le vois. **3.** C'est demain qu'il part. **4.** C'est là qu'il habite. **5.** C'est aujourd'hui qu'il arrive.

4. Mettre les verbes entre parenthèses à la forme correcte (indicatif ou subjonctif)
1. ¡No (moverse) (tú)! **2.** Aunque (dormir) (él) muchas horas, está siempre cansado. **3.** No creo que Ud. (entender) lo que digo. **4.** Aunque no (poder) (él), lo hará. **5.** Quiero que me lo (contar) (tú) todo. **6.** Pídele que te (devolver) el disco. **7.** No veo que (llover) tanto como dice la radio. **8.** Aunque (seguir) mis consejos, no aprueba. **9.** No pienso que (costar) caro. **10.** ¡(Sentarse) Uds.!

Una visita a Salamanca

Salamanca, 26 de febrero de 1986.

Querida Caroline :

Te escribo para que te animes a matricularte en los Cursos de Verano de esta Universidad. Como sé que te quedaste muy contenta de tu visita a esta ciudad, quizás quieras repetir. Ya sé ; en caso afirmativo tengo que buscarte una habitación que dé a la Catedral. Conozco tus gustos. ¡Ah! puede ser otra desde la que se vea el Tormes*, ¿vale? Siento que no podamos hacerte un hueco en casa, pero, en esa época vendrán mis hermanos y no cabemos todos.

Como quiero que vayas conociendo los alrededores de Salamanca, organizaremos excursiones. Yo seré tu chófer y tu guía porque de coche puedo disponer libremente.

Todo aquí es precioso, como ya sabes : las catedrales, la Casa de las Conchas, la Universidad, la Plaza Mayor, ...

Bueno, no quiero ponerte los dientes largos, pero sí que te animes y que te vengas cuanto antes.

Muchos recuerdos a tus padres y hermanos. Para ti un abrazo con mucho cariño de

Diana

Salamanque, le 26 février 1986.

Chère Caroline,

Je t'écris pour que tu te décides à t'inscrire aux Cours d'Eté de cette Université. Comme je sais que tu as été enchantée de ton séjour dans cette ville, peut-être voudras-tu revenir (recommencer). Oui, je sais ; dans l'affirmative, je devrai te chercher une chambre qui donne sur la Cathédrale. Je connais tes goûts. Ah ! Elle peut aussi avoir vue sur le Tormès (ça peut être une autre d'où l'on voie le Tormès). D'accord ! Je regrette que nous ne puissions te faire une petite place à la maison, mais mes frères viendront à ce moment-là et il n'y aura pas de place pour tout le monde.

Comme je veux que tu connaisses les environs de Salamanque, nous organiserons des excursions. Je serai ton chauffeur et ton guide car je peux disposer librement de la voiture.

Ici, comme tu le sais, tout est magnifique : les cathédrales, la Casa de las Conchas (la Maison aux Coquilles), l'Université, la Plaza Mayor, ...

Bien, je ne veux pas te mettre l'eau à la bouche mais seulement te décider à venir le plus tôt possible.

Meilleurs souvenirs (beaucoup de souvenirs) à tes parents et à tes frères et sœurs. Je t'embrasse bien affectueusement.

Diane

* Tormes : rivière de Salamanque.

Vocabulaire

el examen : l'examen
la prueba : le test
la convocatoria : la session
aprobar : réussir
suspender : échouer
el diploma : le diplôme
la calificación : la mention, la cote
la nota : la note

el suspenso : l'échec, l'ajournement
aprobado : satisfaction, assez bien
notable : distinction, bien
sobresaliente : grande distinction, très bien
matrícula de honor : la plus grande distinction

Formation du subjonctif présent (III) : les verbes irréguliers indépendants

La plupart de ces verbes forment le subjonctif présent sur le radical de la *première personne du singulier du présent de l'indicatif.* Les terminaisons sont celles données pour les verbes réguliers : -a, -as, -a, ... pour les verbes en -ER et -IR et -e, -es, -e, ... pour les verbes en -AR (voir leçon 68).

CAER →caigo →caig-a, caig-as, caig-a, caig-amos, caig-áis, caig-an

hacer →	hago →	haga
poner →	pongo →	ponga
tener →	tengo →	tenga
decir →	digo →	diga
venir →	vengo →	venga
salir →	salgo →	salga
oír →	oigo →	oiga
caber →	quepo →	quepa
conocer →	conozco →	conozca
conducir →	conduzco →	conduzca
concluir →	concluyo →	concluya

Quelques autres verbes ont un subjonctif présent tout à fait irrégulier :

dar	dé, des, dé, demos, deis, den
estar	esté, estés, esté, estemos, estéis, estén
haber	haya, hayas, haya, hayamos, hayáis, hayan
ir	vaya, vayas, vaya, vayamos, vayáis, vayan
saber	sepa, sepas, sepa, sepamos, sepáis, sepan
ser	sea, seas, sea, seamos, seáis, sean

Emplois du subjonctif (III)

— On emploie toujours le subjonctif après les **conjonctions de but** (*para que, a fin de que,* ...).

> *Te escribo para que te **animes**.*

— De même **les adverbes** « *quizá(s), acaso, tal vez* (peut-être) », « *posiblemente* », « *probablemente* » seront généralement suivis du subjonctif. Par contre, « *a lo mejor* (peut-être) » sera toujours suivi de l'indicatif.

> *Quizá(s) lo **sepa** él.* mais *A lo mejor lo sabe él.* Peut-être, lui, le sait-il

— Les **verbes qui expriment un sentiment** (regret, peur, doute, ...) seront toujours suivis du subjonctif.

> *Me gusta que me **acompañe**.* J'aime qu'il m'accompagne.
> *(Me) temo que no lo **sepa**.* Je crains qu'il ne le sache pas.

Los títeres

*Perico** — ¿En qué trabaja tu padre?

Gonzalo — Mi padre se dedica a hacer títeres**.

Perico — No me lo creo. Tu padre está demasiado gordo para hacer esas cosas.

Gonzalo — Pero, ¿es posible que no sepas que también se llaman títeres a las marionetas?

Perico — ¡Ah! ¿sí? Es necesario que me expliques eso. Para mí títeres equivale a dar saltos, hacer piruetas ...

Gonzalo — Entonces, es importante que te enteres de lo que hace mi padre, que es un verdadero artista. El teatro de muñecos es una de las primeras manifestaciones artísticas del hombre y está enraizado en la tradición popular.

Perico — ¡Chico, cuánto sabes! Puedes dar una conferencia sobre el tema.

Gonzalo — ¡Claro! Es que la gente muchas veces no lo valora. Yo, cuanto más cerca estoy de mi padre, más aprecio su trabajo. Pero la gente no suele darse cuenta de lo que significa.

Perico — Bueno, bueno. Entonces espero tus lecciones para salir de mi ignorancia. ¿Puedo contar contigo?

Les marionnettes

Pierrot — Quelle est la profession de ton père (dans quoi travaille ton père) ?

Gonzalo — Mon père se consacre à faire des « títeres » (cabrioles).

Pierrot — Je n'arrive pas y croire. Ton père est trop gros pour faire ce genre de choses.

Gonzalo — Mais, est-il possible que tu ne saches pas qu'on appelle aussi ainsi les marionnettes.

Pierrot — Ah ! oui ? Il faut que tu m'expliques ça. Pour moi, « títeres » équivaut à sauter, faire des pirouettes...

Gonzalo — Alors, il est important que tu sois au courant (apprennes) de ce que fait mon père, qui est un véritable artiste. Le théâtre de marionnettes est une des premières manifestations artistiques de l'homme et il s'enracine dans la tradition populaire.

Pierrot — Mon vieux, tu en sais des choses ! Tu peux donner une conférence sur le sujet.

Gonzalo — Bien sûr ! Le fait est que les gens ne l'apprécient pas. Moi, plus je suis proche de mon père, plus j'apprécie son travail. Mais les gens ne se rendent généralement pas compte de ce que ça signifie.

Pierrot — Bon, bon. J'attends donc tes leçons pour sortir de mon ignorance. Je peux compter sur toi ?

* *Perico* : nom familier de Pedro

** Jeu de mots car « hacer títeres » peut signifier, en langage courant, « faire des cabrioles ».

Vocabulaire

las varillas : les baguettes
las cuerdas : les cordes
los hilos : les fils
las siluetas : les silhouettes
el guiñol : le guignol
El Polichinela : le Polichinelle
el personaje : le personnage
el papel : le papier
el cartón : le carton
la cera : la cire

el marfil : l'ivoire
el barro cocido : la terre cuite
la porcelana : la porcelaine
la imaginación : l'imagination
el encanto : le charme
las facciones : les traits
los gestos : les grimaces, les mimiques
los ademanes : les expressions ; les gestes

Emplois du subjonctif (IV)

De nombreuses **expressions impersonnelles** sont suivies du subjonctif :

Es fácil / difícil que — Es útil / inútil que — Es posible / imposible que — Es probable que — Es importante que — Es lógico que — Es necesario que — Es mejor que — Más vale que (il vaut mieux que) — etc.

> *Es necesario que **duermas** más.*
> *Es mejor que **se calle**.*

D'autres expressions impersonnelles seront suivies de l'indicatif :

Es evidente que — Es seguro que — Es cierto que — Es verdad que — Está claro que — Es que — Parece que — etc.

> *Es evidente que lo **sabe**.*
> *Parece que **está** enfermo.*

Précédées de la négation, TOUTES se construiront avec le subjonctif :

> *No es necesario que **duermas** tanto.*
> *No es evidente que lo **sepa**.*

Traduction des expressions françaises : « plus / moins ... plus / moins »

cuanto más ... más : plus ... plus
cuanto menos ... menos : moins ... moins
cuanto más ... menos : plus ... moins
cuanto menos ... más : moins ... plus

> *Cuanto más come, más engorda.* Plus il mange, plus il grossit.
> *Cuanto más trabaja, **más** dinero tiene.* Plus il travaille, plus il a d'argent.
> *Cuanto más trabaja, **más** cansado está.* Plus il travaille, plus il est fatigué.

Remarque

Le verbe « soler » suivi de l'infinitif exprime l'habitude.

> *Suelo comer en casa a mediodía.* J'ai l'habitude de manger / je mange généralement à la maison à midi.

Una carta de París

París, 8 de marzo de 1986.

Querida Diana :

Te agradezco muchísimo la carta del 26 de febrero. Eres un encanto. Desde luego si me tocara la lotería iría no sólo a Salamanca sino que recorrería toda España sin dejarme un rinconcito sin ver. Ya sabes que ahí me encuentro como el pez en el agua. Si recibiera pronto los programas de los Cursos de Verano podría comparar fechas y contenidos. Si me decidiera por Salamanca, con vosotros estaría en la gloria ; no lo dudo un instante. Sin embargo, tal vez, me convenga renunciar e ir a otra Universidad.

De todos modos, mil gracias por tu interés y tu disponibilidad. Si tomo una decisión en estos días, tendrás mi carta rápidamente. No te pongas triste porque haré todo lo posible por verte este verano. Si no escribo es que todavía lo estoy pensando.

Muchas cosas a los tuyos. Besos.

Caroline

Paris, le 8 mars 1986.

Chère Diane,

Je te remercie infiniment pour ta lettre du 26 février. C'est très gentil de ta part (tu es un charme). Il est certain que si je gagnais à la loterie, j'irais non seulement à Salamanque mais je parcourrais toute l'Espagne sans en oublier (laisser) un seul petit coin. Tu sais bien que je m'y sens comme un (le) poisson dans l'eau. Si je recevais rapidement les programmes des Cours d'Eté, je pourrais comparer les dates et les conditions (contenus). Si je me décidais pour Salamanque, avec vous je serais aux anges ; je n'en doute pas un instant. Cependant, peut-être vaut-il mieux que j'y renonce et que j'aille à une autre Université.

De toute façon, je te remercie mille fois pour l'intérêt que tu me portes et pour ta disponibilité. Si je prends une décision un de ces jours, tu recevras ma lettre rapidement. Ne sois pas triste car je ferai tout mon possible pour te voir cet été. Si je n'écris pas, c'est que je ne suis pas encore décidée (je réfléchis encore).

Bonjour chez toi. Je t'embrasse.

Caroline

Vocabulaire

la lotería : la loterie
la rifa : la tombola
la tómbola : la tombola
las quinielas : le toto (concours de pronostics de football)

el (premio) gordo : le gros lot
el billete : le billet
el décimo : le dixième
el casino : le casino

Formation de l'imparfait du subjonctif

Il se forme, sans exception, sur la 3ème personne du pluriel du passé simple :

tener → tuve, ... tuvieron

1ère forme		2ème forme	
tuvie-ra	tuvié-ramos	tuvie-se	tuvié-semos
tuvie-ras	tuvie-rais	tuvie-ses	tuvie-seis
tuvie-ra	tuvie-ran	tuvie-se	tuvie-sen

Remarque : en général, les deux formes peuvent être employées indistinctement. Toutefois, étant donné que la première forme (-ra) est la seule à pouvoir être employée *dans tous les cas*, nous conseillons de n'employer que celle-ci.

Expression de la condition (I)

— Pour exprimer **une condition réelle du présent**, l'espagnol emploie l'*indicatif présent*. Le verbe de la proposition principale sera au présent, au futur ou à l'impératif.

*Si no **escribo, es** que todavía lo estoy pensando.*
*Si **tomo** una decisión en estos días, **tendrás** mi carta rápidamente.*
*Si te **decides, dímelo.***

— Pour exprimer **une condition irréelle du présent**, l'espagnol emploie l'*imparfait du subjonctif*. Le verbe de la proposition principale sera normalement au conditionnel présent.

*Si **recibiera** pronto los programas, **podría** compararlos.*

Exercices

Transformer les phrases suivantes en conditionnelles selon le modèle :

Tengo tiempo. Escribo cartas.
Si tengo tiempo, escribo cartas.
Si tuviera tiempo, escribiría cartas.

1. Recibo los programas. Voy a los Cursos de Verano. **2.** Me toca la lotería. Hago un viaje a Salamanca. **3.** Tengo dinero. Me compro un coche. **4.** Lee el periódico. Se entera de las noticias. **5.** Me necesitas. Te ayudo. **6.** Compramos un tocadiscos. Estamos contentos. **7.** Construimos una casa. Vamos en el verano. **8.** Tenéis tiempo. Tomáis el aire puro. **9.** Tengo muchos amigos. Les telefoneo una vez a la semana. **10.** Os gusta el deporte. Vais a la piscina.

De pesca

Regina — ¡Hola, Eduardo! Si hubieras venido un cuarto de hora antes, hubieras podido ir a pescar con mis primos.

Eduardo — ¡Qué pena! Si vuestro teléfono hubiera estado bien, habríais podido avisarme.

Regina — Por supuesto. Pero desde ayer no funciona y, aunque nos han dicho que hoy lo arreglaban, tadavía no han venido. Ya ves, aunque te aseguren que vienen, no hay que hacer mucho caso.

Eduardo — ¿Y adónde han ido?

Regina — No sé. Han cogido la barca, se han llevado las cañas y hasta redes, como auténticos pescadores.

Eduardo — Bueno, pues entonces, después, diles que me vayan a buscar a casa, y, si pescan algo — sardinas o lo que sea — que me inviten ¿eh?

Regina — No te preocupes, de eso me encargo yo.

Eduardo — Muy bien. Y yo, si queréis, puedo hasta freírlo.

Regina — Así me gustan los hombres : buenos amos de casa. Oye, y no te olvides del vinillo ¿eh?

A la pêche

Régine — Salut, Edouard ! Si tu étais arrivé un quart d'heure plus tôt, tu aurais pu aller pêcher avec mes cousins.

Edouard — Que c'est dommage ! Si votre téléphone n'avait pas été en panne, vous auriez pu me prévenir.

Régine — Bien sûr. Mais il ne fonctionne plus depuis hier, et bien qu'on nous ait dit qu'on allait le réparer aujourd'hui, on n'est pas encore venu. Tu vois, même si on te promet de passer, on ne peut pas en tenir compte.

Edouard — Et où sont-ils allés ?

Régine — Je ne sais pas. Ils ont pris la barque et ils ont emmené les cannes et même les filets, comme de vrais pêcheurs.

Edouard — Bon, eh bien, après, dis-leur qu'ils viennent me chercher chez moi et, s'ils prennent quelque chose — des sardines ou n'importe quoi — qu'ils m'invitent. D'accord ?

Régine — Ne t'en fais pas. Je m'en charge.

Edouard — Très bien. Et moi, si vous voulez, je peux même le préparer (frire).

Régine — C'est comme ça que les hommes me plaisent : bons maîtres de maison. Et n'oublie pas un bon petit vin, hein ?

Vocabulaire

el pez : le poisson (vivant)
el pescado : le poisson (pêché)
la pescadilla : le merlan
la merluza : la merluche, le colin
el lenguado : la sole

la raya : la raie
el bonito : le thon (frais)
el atún : le thon (en conserve)
los mariscos : les fruits de mer
los calamares : les calamars

los mejillones : les moules	sière, le paquebot
las ostras : les huîtres	**el bote salvavidas / de salvamen-**
las almejas : les clovisses	**to :** le canot de sauvetage
las gambas : les crevettes bouquets	**remar :** ramer
el barco : le bateau	**las olas :** les vagues
el velero : le voilier	**la marea :** la marée
el trasatlántico : le bateau de croi-	

Quelques expressions	**costar un ojo de la cara :** coûter les
partir la diferencia : couper la poire	yeux de la tête
en deux	**tirar la casa por la ventana :** jeter
ahogarse en un vaso de agua : se	l'argent par les fenêtres
noyer dans un verre d'eau	**más vale tarde que nunca :** mieux
tomar el pelo a alguien : faire mar-	vaut tard que jamais
cher quelqu'un	**de la noche a la mañana :** du jour au
en un abrir y cerrar de ojos : en un	lendemain
clin d'œil	**consultar algo con la almohada** (=
está más claro que el agua : c'est	oreiller) : la nuit porte conseil
clair comme de l'eau de roche	

Formation du plus-que-parfait du subjonctif

Imparfait du subjonctif du verbe HABER + Participe passé

Hubiera	(hubiese)	cantado
Hubieras	(hubieses)	comido
Hubiera	(hubiese)	escrito
Hubiéramos	(hubiésemos)	dicho
Hubierais	(hubieseis)	vuelto
Hubieran	(hubiesen)	salido

Expression de la condition (II)

Pour exprimer **une condition irréelle du passé**, l'espagnol emploie le *plus-que-parfait du subjonctif*. Le verbe de la proposition principale sera lui aussi au plus-que-parfait du subjonctif ou au conditionnel passé, ou au conditionnel présent.

> *Si **hubieras venido** un cuarto de hora antes, **hubieras podido** ir a pescar.*
> *Si vuestro teléfono **hubiera estado** bien, **habríais podido** avisarme.*
> *Si lo **hubiera sabido,** ahora **estaría** pescando.*

Exercices

Transformer les phrases suivantes en conditionnelles selon le modèle :

> *Tengo tiempo. Escucho música.*
> *Si hubiera tenido tiempo, hubiera / habría escuchado música.*

1. Tengo calor. Me tomo un zumo de limón. **2.** Te gusta leer. Te compro una biblioteca. **3.** Me gusta el fútbol. Voy al partido. **4.** Vamos al restaurante. Comemos paella. **5.** Podemos elegir. Vamos a Andalucía. **6.** Sacan entradas. Están en el teatro. **7.** El semáforo está verde. Cruzamos la calle. **8.** Hace mucho calor. Mete la comida en la nevera. **9.** Trabajáis más. Termináis antes. **10.** Nieva mucho. Va a esquiar.

La condición

Réelle	Présent ⎫ Passé ⎭	**Proposition conditionnelle** SI + Indicatif présent	
Irréelle	Présent	SI + Subjonctif imparfait	
	Passé	SI + Subjonctif plus-que-parfait	

Attention !

« Como si » (comme si) exige toujours l'imparfait ou le plus-que-parfait du subjonctif :

*Hablas como si **fueras** español*
*Me miraba como si nunca me **hubiera visto**.*

Avec l'imparfait de l'indicatif *si* signifie « quand, au cas où, chaque fois que ».

*Cuando era joven, si **tenía** dinero, iba al cine*

Exercices

1. Mettre les verbes entre parenthèses au temps qui convient

1. Si (ir) (yo) al Rastro, regateaba. **2.** Se viste como si (ser) la Reina de España. **3.** Si (yo) (poder) dar una señal, compraría varios electrodomésticos. **4.** Si (yo) (despertarse) pronto, hubiera llegado a las nueve. **5.** Si (tener) (tú) una gamuza, habrías limpiado el polvo. **6.** Si Juan (tener) la llave, que abra la puerta. **7.** Si (tú) (salir) de noche, no hagas ruido. **8.** Si (haber) residuos radiactivos, no viviría allí. **9.** Si me (ayudar) (tú), ahora no estaría sin dinero. **10.** Si (hacer) (vosotros) pasatiempos, os divertiréis. **11.** Si María (tocar) la guitarra, sus amigos cantarían. **12.** Si (diluviar), nos hubiéramos quedado en casa. **13.** Si (gustarte) la música, iríamos a la discoteca. **14.** Si (hacer) frío, me habría comprado un abrigo. **15.** Si no (dormir) (tú), toma esta medicina. **16.** Si (ver) esta película, te enterarás de muchas cosas. **17.** Esquía como si (ser) monitor. **18.** Si (ir) a la

Proposition principale	
Indicatif présent	*Si **hace** bueno, **voy** a pescar*
futur	*Si **hace** bueno, **iré** a pescar*
passé composé	*Si **hace** bueno, **vete** a pescar*
Impératif	*Si **ha hecho** bueno,* * **ha ido** a pescar*
Conditionnel présent	*Si **hiciera** bueno, **iría** a pescar*
Subjonctif plus-que-parfait	*Si **hubiera hecho** bueno,* * **hubiera ido** a pescar*
Conditionnel passé	*Si **hubiera hecho** bueno,* * **habría ido** a pescar*
Conditionnel présent	*Si **hubiera hecho** bueno,* * **estaría** pescando*

playa, tomaría el sol. **19.** Si (ser) Navidad, comíamos turrón. **20.** Si me hubieras dicho la verdad, ahora no (estar) en la comisaría.

2. Mettre les verbes entre parenthèses au subjonctif présent
1. Espero que me (dar) (tú) una idea. **2.** Aunque (saber) la verdad, no la dirá. **3.** Quieren que (venir) (vosotros) cuanto antes. **4.** Le ruego que (salir) inmediatamente. **5.** Te pido que me (decir) todo. **6.** ¡No me (traer) Ud. la cuenta ahora! **7.** Siento que no (poder) (ellos) venir esta tarde. **8.** No creo que me (oír) (ellos). **9.** Siento que no (caber) (nosotros) todos. **10.** Quiero que le (conocer) (tú).

3. Même exercice
1. ¡(Tener) Ud. la amabilidad de contestarme! **2.** Espero que no (ser) tarde. **3.** Tal vez no (poder) hacerlo (él). **4.** Te lo digo para que lo (saber). **5.** ¡Cuidado, no lo (poner) (vosotros) ahí! **6.** Quizá no (estar) (él) de acuerdo. **7.** Espero que no (haber) demasiada gente. **8.** Lo llevo al teatro para que (conocer) la zarzuela. **9.** No creo que (ir) (vosotros) a verla todos los días. **10.** ¡(Ponerlo) Ud. para que no (caerse)!

4. Mettre les verbes entre parenthèses à l'indicatif ou au subjonctif
1. Es evidente que (él) (saber) muchas cosas. **2.** Parece que (ir) a llover. **3.** Es importante que (estar) (nosotros) allí a la hora en punto. **4.** No es evidente que (tener) (ellos) dinero. **5.** Está claro que no (querer) (vosotros) ir. **6.** No es que no (querer) (yo) hacerlo, es que no (poder). **7.** Más vale que (ir) (tú) en tren. **8.** Es probable que (enterarse) (él) por la radio. **9.** Es posible que no (acordarse) (ellas). **10.** Es imposible que (hacerlo) (nosotros) solos.

Escuelas de flamenco

Eloísa — ¿Cuándo vendrás a casa?

Carmen — Cuando terminen las clases de flamenco.

Eloísa — Pero ¿estudias ahora flamenco?

Carmen — Bueno, voy a una escuela a aprender a bailar. Cuando se acabe el curso tendré más tiempo libre y, entonces, podremos salir alguna tarde juntas.

Eloísa — Pero bueno, ¿puedes explicarme eso del flamenco?

Carmen — ¿No te has enterado de que están proliferando en las grandes ciudades españolas, este tipo de escuelas? Mira, ahí donde hay tanta luz y un espejo grande, es una de las salas en la que bailamos.

Eloísa — Entonces, ¿cómo es la escuela?

Carmen — Son aulas bastante grandes con espejos por todas partes y suelo con entarimados de madera para zapatear*.

Eloísa — ¿Cuándo darás un espectáculo?

Carmen — Cuando haya aprendido todos los pasos y movimientos. Es muy duro. Puedes preguntárselo a los múltiples alumnos. Porque no sé si sabrás que hay de todas las nacionalidades, sobre todo japoneses.

Eloísa — ¿Cómo?

Carmen — Como lo oyes ¿Quieres ver cómo tocan las castañuelas y mueven brazos y piernas?

* *zapatear* : frapper des pieds sur le parquet.

Vocabulaire

el bailarín : le danseur
la bailarina : la danseuse
el baile regional : la danse folklorique
la danza clásica : la danse classique
el ballet : le ballet

el folklore : le folklore
la sardana : la sardane (Catalogne)
la jota : la jota (Aragon)
el pasodoble : le pasodoble
la seguidilla : la séguedille (Séville)
el corro : la ronde

Exercices

Mettre les verbes entre parenthèses à la forme adéquate

1. Cuando (tener) (nosotros) una avería, llamaremos al mecánico. **2.** ¿Cuándo (estar) (vosotros) en casa? **3.** Cuando (ir) (yo) a España, siempre paso por Madrid. **4.** Cuando (poner) (tú) el disco, habrás visto que estaba rayado. **5.** Cuando (ir) (nosotros) al bar, comeremos aceitunas rellenas. **6.** Cuando (llegar) Uds. al aeropuerto, pasarán primero por el control de pasaportes. **7.** Cuando (estar) (nosotros) en invierno, haremos deporte. **8.** Cuando (ir) (tú) de compras, pagas con cheque. **9.** Cuando Ud. (llegar) a casa, mi perro le sale al camino. **10.** Cuando (romperse) la pierna, estuve ocho días en el hospital.

Ecoles de flamenco

Eloïse — Quand viendras-tu à la maison ?

Carmen — Quand les cours de flamenco se termineront.

Eloïse — Mais tu étudies le flamenco maintenant ?

Carmen — Disons que je vais dans une école pour apprendre à danser. Quand le cours sera terminé (se terminera) j'aurai plus de temps libre et alors nous pourrons sortir ensemble un après-midi.

Eloïse — Mais enfin, tu peux m'expliquer ce que tu fais en flamenco ?

Carmen — Tu n'as pas entendu dire que dans les grandes villes espagnoles ce genre d'écoles prolifèrent ? Regarde, là où il y a tant de lumière et un grand miroir : c'est une des salles où nous dansons.

Eloïse — Alors, comment est l'école ?

Carmen — Ce sont d'assez grandes salles avec des miroirs de tous les côtés et à terre, du parquet pour « zapatear ».

Eloïse — Quand donneras-tu un spectacle ?

Carmen — Quand j'aurai appris tous les pas et tous les mouvements. C'est très dur. Tu peux le demander aux nombreux élèves. Car je ne sais pas si tu sais qu'il y en a de toutes les nationalités, surtout des Japonais.

Eloïse — Comment ?

Carmen — Comme je te le dis (comme tu l'entends). Tu veux voir comment ils jouent des castagnettes et remuent bras et jambes ?

Formation du passé composé du subjonctif

Présent du subjonctif du verbe HABER	+	Participe passé
haya hayamos		cantado hecho
hayas hayáis		comido puesto
haya hayan		salido dicho

Expression du futur

— Dans une **proposition indépendante**, le futur français se rend par le *futur* espagnol.

> *¿Cuándo **vendrás** a casa?*

— Dans une **proposition subordonnée** commençant par une conjonction de *temps*, l'idée de futur, exprimée en français par le futur de l'indicatif, se traduit en espagnol par le *présent du subjonctif*.

> *Cuando **terminen** las clases, iré a tu casa.*

Dans les mêmes conditions, le futur antérieur français se traduit en espagnol par le *passé composé du subjonctif*

> *Cuando **haya aprendido** todos los movimientos, daré un espectáculo.*

Cuestión de gustos

Ignacio — ¿Te gustaría que fuéramos al cine esta tarde?

Alfonso — Siento que no comprendas que no me guste demasiado el cine. Prefiero quedarme a leer y, por la noche, contemplar el cielo estrellado.

Ignacio — ¿No decías que te molestaba la gente romántica?

Alfonso — ¿Y qué tiene que ver esto con el romanticismo? Te propongo que hagas la prueba de leer algo que te obligue a profundizar más en algún punto que te interese, verás qué bien lo pasas.

Ignacio — Yo te digo que hagas esa reflexión frente a la pantalla. Verás tú también cómo la imagen ayuda.

Alfonso — Es posible que sea así. Mejor dicho, es seguro que la imagen ayuda pero prefiero un buen libro.

Ignacio — ¿Te dijo alguien que te quedaras en casa?

Alfonso — No, es cuestión de gustos. Quiero contemplar, esta noche, la luna y las estrellas ; estoy muy interesado ahora por la astronomía, ¿será un reflejo de tanto oír hablar de los astronautas?

Question de goûts

Ignace — Tu aimerais que nous allions au cinéma cet après-midi ?

Alphonse — Je regrette que tu ne comprennes pas que je n'aime pas beaucoup (trop) le cinéma. Je préfère lire (rester à lire) et, le soir, contempler le ciel étoilé.

Ignace — Ne disais-tu pas que les gens romantiques t'ennuyaient ?

Alphonse — Et qu'est-ce que cela a à voir avec le romantisme ? Je te propose de faire le test de lire quelque chose qui t'oblige à approfondir un point qui t'intéresse ; tu verras comme tu passeras un bon moment.

Ignace — Moi je te dis de faire cette réflexion devant l'écran. Tu verras comme l'image aide.

Alphonse — Il est possible qu'il en soit ainsi. Plus exactement, il est certain que l'image aide mais je préfère un bon livre.

Ignace — Quelqu'un t'a demandé de rester à la maison ?

Alphonse — Non, c'est une question de goûts. Je veux contempler, ce soir, la lune et les étoiles ; je suis maintenant intéressé par l'astronomie ; serait-ce une réaction à force d'entendre parler des astronautes ?

Vocabulaire

el astro : l'astre
el firmamento : le firmament
la constelación : la constellation
el planeta : la planète

el cometa : la comète
el cohete : la fusée
el satélite : le satellite
el trueno : le tonnerre

el relámpago : l'éclair	**el sur** : le sud
el rayo : la foudre	**el este** : l'est
tronar : tonner	**el oeste** : l'ouest
deslumbrar : éclairer	**el alba** : l'aube
soplar : souffler	**la salida del sol** : le lever du soleil
cubrirse : se couvrir	**la puesta de sol** : le coucher de
mojar : mouiller	soleil
la tormenta : la tempête	**salir** : se lever (soleil)
el arco iris : l'arc-en-ciel	**ponerse** : se coucher (soleil)
los puntos cardinales : les points	**el amanecer** : le lever du jour
cardinaux	**el atardecer** : la tombée du jour
el norte : le nord	**el anochecer** : la tombée de la nuit

Concordance des temps au subjonctif

Verbe principal à l'**indicatif**	Verbe subordonné au **subjonctif**	
présent	**présent**	**passé composé**
Es imposible	*que no lo sepa*	*que no haya entendido*
futur		
Se quejará	*de que no le ayudes*	*de que no le hayas avisado*
passé composé		
Se ha quejado	*de que no estés*	*de que no hayas estado*
impératif		
Dile	*que venga*	
imparfait	**imparfait**	**plus-que-parfait**
Sentía	*que hiciera tanto frío*	*que no lo hubieran elegido*
passé simple		
Se quejó	*de que tuviera que trabajar*	*de que no le hubiéramos invitado*
conditionnel		
Más valdría	*que se fuera enseguida*	*que se hubiera ido antes*

Exercices

Traduire

1. J'aurais voulu qu'il eût travaillé un peu plus. **2.** Même si je l'avais su, je n'y serais pas allée. **3.** Il étudie pour que ses parents soient contents. **4.** Il n'était pas logique qu'il soit là à ce moment-là. **5.** Je voudrais que tu manges les abricots que je viens d'acheter. **6.** Je lui ai demandé qu'elle repasse ma jupe. **7.** Ça l'ennuyait que tu mettes la musique aussi fort. **8.** Il vaut mieux qu'il s'en aille. **9.** Je t'ai apporté la revue pour que tu la lises. **10.** Tu regrettes que je ne sois pas venue ?

Una comarca de Castilla

Después de terminar el Curso de Verano en la Magdalena*, decidí, con unos amigos holandeses, bajar hasta Andalucía — casi nada — pasando, claro está, por Castilla para saborear ese contraste de paisajes.

Por un precio módico — pues éramos cuatro en un coche — hicimos un recorrido por España. A mí, al final, el viaje no me sale tan barato porque me gusta llevar regalos para todos.

Acostumbrada al paisaje de mar y montaña del Norte, con sus verdes prados, el choque más fuerte (para mí) lo tuve al llegar al Páramo de Masa, un auténtico desierto. Imponente. Cuando ya estaba acostumbrada a ese paisaje sin horizonte, árido y seco de las tierras castellanas, descubrí un rincón de singular belleza que habla a todos los sentidos : Covarrubias (Burgos). No dejéis de visitar esta comaca de ilustre pasado histórico. Entrad en la colegiata, visitad el museo para contemplar, entre otras obras de arte, el tríptico flamenco del siglo XV.

Une région de Castille

A la fin du Cours d'Eté à la Magdalena, j'ai décidé, avec quelques amis hollandais, de descendre jusqu'en Andalousie — une bagatelle (presque rien) — en passant, bien sûr, par la Castille pour savourer ce contraste de paysages.

Pour un prix modique — car nous étions quatre dans une seule voiture — nous avons parcouru l'Espagne. Finalement, comme j'adore rapporter des cadeaux pour tout le monde, le voyage ne m'est pas revenu si bon marché.

Habituée au paysage de mer et de montagne du Nord, avec ses vertes prairies, le choc le plus fort (pour moi) je l'ai ressenti en arrivant au Paramo de Masa, un véritable désert. Imposant. Une fois habituée à ce paysage sans horizon, aride et sec, des terres castillanes, j'ai découvert un coin d'une singulière beauté qui parle à tous les sens : Covarrubias (Burgos). Ne manquez pas de visiter cette région au passé historique illustre. Entrez dans la collégiale, visitez le musée pour contempler, entre autres œuvres d'art, le tryptique flamand du XVème siècle.

* *Palacio de la Magdalena* situé dans la Péninsule du même nom (Santander) et où se donnent des cours d'été, des conférences, etc.

Vocabulaire

la impresión : l'impression
la sensación : la sensation
la vista : la vue
  la oscuridad : l'obscurité
  la sombra : l'ombre
  la claridad : la clarté

el oído : l'ouïe
el silencio : le silence
silencioso : silencieux
el ruido : le bruit
ruidoso : bruyant

el olfato : l'odorat	**ácido** : acide
el olor : l'odeur	**amargo** : amer
el perfume : le parfum	**el tacto** : le toucher
oler (huelo) : sentir (je sens)	**tocar** : toucher
el gusto : le goût	**suave** : doux
el sabor : la saveur	**blando** : mou
dulce : doux, sucré	**áspero** : rugueux, âpre

Emplois de POR et PARA (pour)

POR

Lieu

Pasa por Madrid / Castilla (par, à travers)

Está por Burgos (aux environs de, du côté de)

Temps

Está cerrado por un mes (pendant)

Volveré por Navidad (vers)

Moyen

Lo mandó por avión

Se enteró por la radio (par)

Cause, motivation, en faveur de, ...

Cerrado por vacaciones (à cause de)

Engorda por comer mucho

Luchar por la patria (pour)

Agent

Fue felicitado por sus amigos (par)

Echange, prix, au nom / lieu de,...

Lo compró por cien pesetas

Firmó por su padre

Distribution, multiplication, pourcentage

500 ptas. por persona

2 por 2 son 4

el 20 por ciento

« Chercher »

Voy por el pan

« Comme »

Tomar por esposo

Estar por

La carta está por escribir (être encore à)

Expressions, régime verbal

por favor, por ejemplo, por lo menos (au moins), *por la mañana, ...*

interesarse por, enfadarse por, ...

PARA

Lieu (destination)

Salimos para Madrid (pour)

Temps (délai)

Lo dejaron para el miércoles

Finalité, but

Coge el tren para ir al colegio

El libro es para ti

Opinion

Para mí está bien

« Envers »

Es bueno para (con) los pobres

Comparaison, rapport

Está alto para su edad

Estar para

Está para salir (sur le point de)

No estoy para bromas (Je ne suis pas d'humeur à plaisanter)

Expressions

No es para tanto (cela ne vaut pas la peine), *no es para menos* (cela vaut bien),...

Y ahora ¿qué?

La pregunta se impone : y ahora ¿qué? Ahora, después de haber estudiado el método, hay que perfeccionar el idioma. ¿Cómo? No os paréis nunca ; no dejéis de leer — si no todos los días, de vez en cuando — algo en español. Siempre encontraréis a alguien con quien poder hablar. No digáis : aquí, en Francia, no hay nadie para poner en práctica nuestros conocimientos. Abrid los ojos y los oídos. Aquí también hay muchos españoles y latinoamericanos con quienes poder entablar una conversación interesante. Además no faltan franceses con un profundo conocimiento de la lengua y un buen acento ; se trata de descubrirlos. Pero, sobre todo, id, en primer lugar, a España. Id sin prejuicios, hablad con las gentes, intentad comprenderlos y, si os es posible, integraos en una familia : dialogad (como tanto se dice ahora).
Tampoco estará mal que participéis en un Curso para extranjeros pero, por favor, sobre todo, intentad vivir en España con los españoles y como los españoles. Suerte y ¡Buen viaje!

Et maintenant ?

La question s'impose : et maintenant ? Maintenant, après avoir étudié la méthode, il faut perfectionner la langue. Comment ? Ne vous arrêtez jamais ; lisez sans cesse (ne cessez jamais de lire) — si pas tous les jours, de temps en temps — quelque chose en espagnol. Vous trouverez toujours quelqu'un avec qui (pouvoir) parler. Ne dites pas : ici, en France, il n'y a personne pour mettre nos connaissances en pratique. Ouvrez vos yeux et vos oreilles. Ici aussi il y a beaucoup d'Espagnols et de Latino-Américains avec qui vous pouvez entamer une conversation intéressante. De plus, les Français qui connaissent à fond la langue et qui ont un bon accent ne manquent pas ; il suffit (il s'agit) de les découvrir. Mais surtout, allez, d'abord en Espagne. Partez sans préjugés, parlez aux gens, essayez de les comprendre et, si cela vous est possible, intégrez-vous à une famille : dialoguez (comme on dit si souvent maintenant).
Il ne serait (sera) pas non plus négligeable que vous participiez à un Cours pour étrangers mais, de grâce, surtout, essayez de vivre en Espagne avec les Espagnols et comme les Espagnols. Bonne chance et bon voyage !

Vocabulaire

La despedida : les adieux
¡Adiós! : Au revoir
Hasta luego : A tout à l'heure
Hasta la vista : Au revoir

Hasta mañana : A demain
Buenas tardes : Bonsoir
Buenas noches : Bonsoir

¡Que os vaya bien! : Que ça aille bien !
¡Que tengáis un buen viaje! : Bon voyage¡
¡Que tengáis une estancia agradable en España! : Bon séjour en Espagne !
¡Que paséis unos buenos días! : Bon séjour !

¡Que os divirtáis! : Amusez-vous bien !
¡Que aprovechéis el tiempo! : Profitez-en !
¡Que os haga bueno! : Qu'il fasse beau !
¡Buen fin de semana! : Bon week-end !

La double construction des mots négatifs

Les mots négatifs *nunca, nadie, nada, ninguno, tampoco, ni* et *jamás* se construisent sans négation quand ils précèdent le verbe, et avec la négation *no* quand ils le suivent.

> *Nadie lo sabe*
> *Nunca he ido a Portugal*
> *Tampoco está mal*

> **No** *lo sabe nadie*
> **No** *he ido nunca a Portugal*
> **No** *está mal tampoco*

Exercices

1. Compléter avec POR ou PARA

1. Esquiamos ... las pistas más fáciles ... estar más seguros. **2.** Cuando bajaba ... la escalera vi un ladrón. **3.** Ayer me llamó Luis ... teléfono. **4.** ... ser gemelos, no se parecen. **5.** Vete ... el periódico. **6.** Tenemos malas localidades ... haberlas sacado tarde. **7.** Lo compré ... un precio módico. **8.** Estas flores son bonitas ... el salón. **9.** Nos quemamos ... acercarnos al fuego. **10.** Estamos enterados ... la radio. **11.** Estaba ... arrancar cuando llegó Felipe. **12.** ... la noche, paseamos ... el jardín. **13.** ... el cumpleaños de mi hijo le compré un disco. **14.** ¡... poco se rompe una pierna! **15.** ... nosotros, Jorge merece un premio.

2. Traduire

1. Ils n'ont jamais parcouru l'Espagne. **2.** Je lui ai envoyé quelques fleurs. **3.** Mes amis ne sont pas venus non plus. **4.** Personne ne sait conduire. **5.** Aucun de nous n'était là. **6.** Nous n'avons rien mangé. **7.** Il n'a jamais rien dit. **8.** Aucun menuisier ne vous fera ce meuble. **9.** Je ne le vois ni le jour ni la nuit. **10.** Moi non plus je ne le connais pas.

Test

---

1. Vocabulaire

1. ¡Qué carne ... buena!
2. Un habitante de Perú es un ...
3. A Carmen le gusta ... las castañuelas.
4. La ... sigue a la niñez.
5. En el suelo tenemos una bonita ...
6. El silencio es de ...
7. Están acostumbrados a ... jaleo.
8. Hay que darse prisa. La ... de teatro empieza a las siete.
9. ¡Qué tiempo! Está lloviendo a ...
10. Estoy ... brillo a los zapatos.
11. La ... del domingo es el sábado.
12. La velocidad está ... a 40.
13. Está ... adelantar.
14. ¿Le gusta el corte con ... o con ...?
15. Los alumnos ... lo que les ... el profesor.
16. El guardia nos puso una ... por estar mal aparcados.
17. Los ... son de Uruguay.
18. Los bomberos acaban de ... el fuego.
19. La mala instalación eléctrica provocó un ...
20. Tenemos ya ... para el cine.
21. Esta calle no tiene salida. Es un ...
22. La ecología es la ciencia del ...
23. Los decretos se publican en el ...
24. Hay que ... las flores para que no se sequen.
25. Las flores más representativas de Holanda son los ...
26. El ABC se vende en todos los ... de Madrid.
27. El ... arregla los grifos del cuarto de baño.
28. El ... coloca el papel en las paredes.
29. El personaje principal de la corrida es el ...
30. Los dos ... han nacido el mismo día.
31. Los padres desean que los hijos ... los exámenes.
32. Hacen muchos ... con los ojos.
33. Si (decidirte) ..., dímelo.
34. Esto ... un ojo de la cara.
35. Los ... en el agua. El ... en el plato.
36. El baile típico de Cataluña es ...
37. El baile típico de Aragón es ...
38. Los árboles se mueven. ... un viento bastante fuerte.
39. El pastel tiene mucho azúcar. Está muy ...
40. ¡Que os ... (ir) bien!

2. Grammaire

1. En nuestro pueblo no hay ... carnicero.
2. Yo ... acuerdo ... Carmen.
3. ... digo a mis hermanas : vámonos a la calle.
4. Los albañiles ... la casa.
5. No, ... no voy a clase. Hemos terminado el curso.
6. Cuando ... al Rastro, compraba muchas cosas.
7. No estudio italiano ... español.
8. — ¿Qué estás...? — Un disco moderno.
9. Una mesa pequeña es una ...
10. ... el favor, hijo mío, de traerme el periódico.
11. ¿Ya ... (tú) decidido?
12. Ayer ... (nosotros) de compras.
13. La semana pasada, Juan ... una vuelta por España.
14. No ... (vosotros) tiempo ayer. Por eso venís hoy.
15. Juan ... ayer una película.
16. El verano pasado ... (nosotros) en práctica el español.
17. El incendio de ayer ... en mi casa.
18. José tiene más ... 70 años.
19. Es que no tiene más ... 15 años. Isabel es una niña.
20. Ayer éramos 50 en la sala. No ... más gente.
21. Esta mañana ... (dar) (yo) una vuelta por el pueblo.
22. Cuando llegamos al aeropuerto, el avión ya ... (salir).
23. La ceremonia de ayer ... en el palacio real.
24. ¿Qué ... haciendo ayer por la tarde (vosotros)?
25. Este chico ... muy vivo. Aprende rápidamente.
26. Se le había olvidado todo. No se ... de nada.
27. Mañana (nosotros) (comer) ... en un restaurante.
28. — ¿Qué hora ...? — Serán las dos.
29. — ¿Qué hora ... ayer cuando llegó Juan? — Serían las dos.
30. Es aquí ... te espero.
31. Te escribo para que ... (animarse).
32. Quiero que le (tú) (dar) ... una limosna.
33. Es necesario que ... (tú) todas las noches 8 horas.
34. Si (recibir) (yo) pronto los programas, podría compararlos.
35. Si ... (venir) (tú) antes, hubieras podido ir con ellos.
36. François habla como si ... español.
37. Cuando era joven, si (tener) ... dinero iba a la zarzuela.
38. Es imposible que no lo ... (saber). Se lo dije ayer.
39. Sentía que ... tanto frío.
40. La carta está ... escribir. No he tenido tiempo.

Solution des exercices

Première leçon

1) 1. Soy Pedro. Soy de Bruselas. Soy belga. Soy médico. **2.** Soy Antonio. Soy de Londres. Soy inglés. Soy empleado. **3.** Soy Javier. Soy de Lisboa. Soy portugués. Soy ingeniero. **4.** Soy Juan. Soy de Roma. Soy italiano. Soy programador. **5.** Soy Francisco. Soy de París. Soy francés. Soy arquitecto.
2) 1. eres - soy. **2.** es - es. **3.** es **4.** eres **5.** es.
3) 1. ¿Qué eres? **2.** ¿Quién eres? **3.** ¿Qué eres? **4.** ¿Quién eres? **5.** ¿Quién eres ?

Deuxième leçon

1) 1. Somos belgas. **2.** Sois italianos. **3.** ¿Quiénes sois? **4.** Es francés. **5.** Son de Zaragoza. **6.** Ud. es portugués. **7.** ¿De dónde son Uds.? **8.** ¿Quién eres? **9.** Son de París. **10.** ¿De dónde es (ella)?
2) 1. italianos. **2.** griegos. **3.** bolígrafos. **4.** escuelas. **5.** alumnos. **6.** secretarias. **7.** grupos. **8.** cuadernos. **9.** estudiantes. **10.** clases.

Troisième leçon

1) 1. Somos médicos. **2.** Sois rusos. **3.** Son belgas. **4.** ¿Son Uds. americanos? **5.** Las fotos. **6.** Los madrileños. **7.** Los novios. **8.** Las carteras. **9.** Los bolígrafos. **10.** Los maestros.
2) a) 1. la. **2.** del. **3.** al -del. **4.** del.
b) 5. estamos. **6.** estás. **7.** estoy. **8.** está. **9.** está. **10.** están.

Quatrième leçon

1) 1. eres/estás. **2.** estoy. **3.** es. **4.** estás. **5.** estás. **6.** soy. **7.** está. **8.** es. **9.** eres. **10.** estamos.
2) 1. contenta. **2.** enferma. **3.** italiana. **4.** americana. **5.** griega.

Cinquième leçon

1) jueves — julio — miércoles — enero — octubre — noviembre — domingo — junio/julio — primavera — verano — diciembre — martes — viernes — lunes — invierno — otoño — mayo. **EL COCIDO MADRILEÑO**
2) 1. en, de — a, en, de — por — a, en. **2.** en, de — a, en, de — por — a, en, de — por — a, en. **3.** en, de — a, en, de — por — a, en, de — por — a, en, de — a.

Sixième leçon

1) 1. a — en. **2.** de. **3.** de. **4.** adónde. **5.** a. **6.** a — en. **7.** a — a
2) 1. abuelo. **2.** nieta. **3.** hijo. **4.** madre. **5.** hermanos. **6.** sobrino. **7.** tía. **8.** primo. **9.** primo. **10.** suegra. **11.** suegro. **12.** nuera. **13.** yerno.

Septième leçon
1) 1. dieciocho fotos. **2.** veintiuna aceitunas. **3.** siete libros. **4.** treinta niños. **5.** veinticinco alumnos. **6.** catorce cafés. **7.** dos cervezas. **8.** un vino blanco. **9.** once hojas. **10.** una lección.
2) 1. tomáis. **2.** pagas. **3.** tomamos. **4.** invita. **5.** entran.

Huitième leçon
1) los señores, cafés, ustedes, platos, los padres, las excursiones, las pelotas, bolsas, bolígrafos, los profesores, los papeles, los panes, melones, los postres, los directores.
2) 1. Como lo mismo. **2.** Bebes vino tinto. **3.** ¿Cree Ud.? / ¿Creen Uds.? / ¿Creéis (vosotros)? **4.** Los señores de Alonso comen en el restaurante. **5.** ¿Qué bebemos?

Neuvième leçon
1) portuguesa, francesa, señora, niña, nieta, española, inglesa, alemana, sobrina, nuera.
2) 1. Escribo una carta a una amiga portuguesa. **2.** ¿Sales esta tarde? **3.** Salimos mañana. **4.** Escribe ahora. **5.** ¿Sale Ud.? / ¿Salen Uds.? / ¿Salís (vosotros)? **6.** ¿Qué hace Ud., señor? **7.** ¿Qué hace el arquitecto? **8.** Escribo a un amigo belga. **9.** Hago una foto del mar. **10.** ¿A quién/quiénes escribes?

Dixième leçon
1) Es la una. Son las dos. Son las doce en punto. Son las cuatro y media. Son las cuatro y cuarto. Son las cinco. Son las ocho menos cinco. Son las ocho menos diez. Son las cinco menos veinticinco. Son las nueve y veinte. Son las siete menos cuarto. Es la una y veinte.
2) a) escribe. **2.** trabajamos. **3.** abren. **4.** crees. **5.** vivo. **6.** tomáis.
b) 1. habla. **2.** salimos. **3.** entran. **4.** tomas. **5.** bebo. **6.** recibís.
c) 1. come. **2.** bebemos. **3.** hacen. **4.** escribes. **5.** escribo. **6.** bebéis.

Douzième leçon
1) veinte, ciento un, mil, ochenta y una, cien, cuatrocientos veinte, veinticinco, trescientas cuarenta mil, veintiún, sesenta y cinco.
2) 1. ¿Tienes tres libros? — No, tengo dos. **2.** ¿Tiene Ud. / Tienen Uds. habitaciones? — Tengo/Tenemos tres : una sencilla, una doble y otra para un chico. **3.** ¿Tienes alumnos? — Sí, tengo. Hay dos en el hotel.
3) 1. No, no voy a tomar. **2.** No, no vivimos en Bélgica. **3.** No, no hay. **4.** No, no trabajamos los domingos. **5.** No, no comemos en casa. **6.** No, no está. **7.** No, no tomamos. **8.** No, no soy español. **9.** No, no tengo la llave. **10.** No, no estoy contento.
4) 1. Tenéis que trabajar. Hay que trabajar. **2.** Tienen que estudiar. Hay que estudiar. **3.** Tienes que salir. Hay que salir. **4.** Tengo que escribir. Hay que escribir. **5.** Tiene que pagar. Hay que pagar.

Treizième leçon
1) 1. está bajando. **2.** está subiendo. **3.** está paseando. **4.** está saliendo. **5.** están esperando. **6.** está limpiando. **7.** está escribiendo. **8.** estáis bebiendo. **9.** estamos comiendo. **10.** están haciendo.
2) — ¿Ves algo? — No, no veo nada. — ¿Y tú? — Sí, yo veo algo. — ¿Qué ves? — Veo el coche de Pepe.

Quatorzième leçon
1) 1. Tengo muchos amigos. **2.** Como mucho. **3.** Ud. es muy inteligente. **4.** Hay muchos coches en el garaje. **5.** Trabajamos mucho. **6.** No tiene mucho dinero. **7.** No está muy contenta. **8.** La cerveza es muy buena. **9.** Bebes mucha leche. **10.** Tenemos mucho trabajo.
2) 1. solamente. **2.** alegremente. **3.** sencillamente. **4.** totalmente. **5.** libremente.

Quinzième leçon
I. 1) veinticuatro más dieciséis — doscientos catorce más trescientos quince — cuatrocientos doce más trescientos sesenta — ochocientos trece más ciento uno.
2) sesenta y cinco menos cincuenta y uno — ciento cuarenta y cuatro menos ciento once — seiscientos ochenta y siete menos ciento nueve — mil cuatrocientos sesenta menos mil doscientos quince.
3) once por once — seiscientos noventa por diez — seiscientos doce por catorce — setenta y cinco por mil.
4) seiscientos cincuenta entre veinticinco — cuatrocientos diez entre ciento treinta — ochenta y uno entre nueve — trescientos ochenta y un mil ochocientos noventa y seis entre seis.
II. 1. dan. **2.** nada. **3.** al. **4.** libres. **5.** solo. **6.** ordenando. **7.** ochenta. **8.** alegre. **9.** en. **10.** natación. **11.** no. **12.** once.

Seixième leçon
1) 1. Esta mañana, vamos a visitar el museo. **2.** Aquí tiene(s) las entradas. **3.** Voy a comprar esta reproducción. **4.** Esto es un cuadro de Goya. **5.** Estos catálogos son muy caros. **6.** Aquí está la salida. **7.** Este pasillo es muy estrecho. **8.** Esta flecha indica el primer piso. **9.** Aquí está el horario de visitas. **10.** Este guía habla muy bien francés.
2) 1. este. **2.** esto. **3.** esto. **4.** estas. **5.** estos. **6.** esta. **7.** estos. **8.** esta. **9.** ésta. **10.** ésta.

Dix-septième leçon
1) 1. empieza. **2.** cierran. **3.** meriendo. **4.** sabes. **5.** cierra. **6.** empiezas. **7.** empiezo. **8.** friega. **9.** merendamos. **10.** pensáis.
2) 1. piensas — esta/esa. **2.** sabéis — este/ese. **3.** este/ese — empieza. **4.** pensamos — este/ese. **5.** es — esto/eso. **6.** abren — esta/esa. **7.** friega — esta. **8.** cierra — este/ese. **9.** piensan — estos/esos. **10.** comienzan — estos/esos.

Dix-huitième leçon

1) 1. No entiendo la lección. **2.** Pierde dinero. **3.** ¿Quieres un bombón? **4.** Hago tartas todos los sábados. **5.** ¿Quiere Ud. comer una galleta de chocolate? **6.** No queremos mermelada. **7.** ¿Entiende/entienden/entendéis la letra? **8.** ¿Cómo haces estos/esos/aquellos pasteles? **9.** Aquellos caramelos no son caros/son baratos.

2) 1. aquel. **2.** aquél. **3.** aquella. **4.** aquello. **5.** este/ese/aquel. **6.** este/ese/aquel. **7.** esta/esa/aquella. **8.** estas/esas/aquellas. **9.** aquellas.

Dix-neuvième leçon

1) 1. sentís — sentimos. **2.** prefieres — prefiero. **3.** miente — miente. **4.** divierte — prefiero. **5.** sienten. **6.** prefiere. **7.** divierten. **8.** presiento. **9.** prefiere. **10.** sugieres — sugiero.

2) 1. las — del. **2.** las. **3.** el/un. **4.** el/un. **5.** la/una.

Vingtième leçon

1) 1. 1. es. **2.** Universidad. **3.** está. **4.** julio. **5.** por. **6.** abuelos. **7.** tinto. **8.** el desayuno, la comida, la merienda y la cena. **9.** hace. **10.** en punto. **11.** al. **12.** de. **13.** jugadores. **14.** coge. **15.** restar. **16.** sacar. **17.** letra. **18.** pastelería. **19.** por/a la. **20.** café.

2) 1. qué. **2.** cuál. **3.** qué. **4.** qué. **5.** cuáles. **6.** qué. **7.** qué. **8.** cuáles. **9.** cuál. **10.** qué.

3) 1. el médico. **2.** la cartera. **3.** la foto. **4.** el sol. **5.** el mapa. **6.** la pelota. **7.** la cerveza. **8.** las vinagreras. **9.** la carta. **10.** el reloj. **11.** la llave. **12.** el queso. **13.** la aspiradora. **14.** el semáforo. **15.** el caracol. **16.** el cuadro. **17.** el tocadiscos. **18.** los bombones. **19.** la piscina. **20.** la vela.

Vingt et unième leçon

1) 1. cuestan. **2.** encuentro. **3.** sueña. **4.** pruebas. **5.** juegan. **6.** cuenta. **7.** encontráis. **8.** cuesta. **9.** sueño. **10.** encontramos.

2) 1. Sí, son mis discos. **2.** Sí, soy su amigo. **3.** Sí, tenemos sus entradas. **4.** Sí, es tu/su pastel. **5.** Sí, son tus/sus libros. **6.** Sí, es mi/su tocadiscos. **7.** Sí, son mis/sus altavoces. **8.** Sí, son sus revistas. **9.** Sí, mi disco está rayado. **10.** Sí, es mi prima.

Vingt-deuxième leçon

1) 1. su. **2.** su. **3.** sus. **4.** su. **5.** su. **6.** sus. **7.** sus. **8.** sus. **9.** sus. **10.** sus.

2) 1. mueve. **2.** llueve. **3.** envuelve. **4.** podemos. **5.** pueden. **6.** vuelve. **7.** mueves. **8.** suelo. **9.** muevo. **10.** devuelve.

Vingt-troisième leçon

1. Acabamos de llegar/volver del cine. **2.** Acabo de salir de casa. **3.** ¿Vas a ir al garaje? **4.** Acaba de grabar el último disco de Mocedades. **5.** ¿Va/Van a comprar un coche? **6.** El coche que acabamos de comprar está estropeado. **7.** Ud. acaba/Uds. acaban/

acabáis de cambiar una rueda. **8.** Acabo de llenar el depósito.
9. Vamos a aparcar el coche frente al/enfrente del museo. **10.** Acaba de acelerar.

Vingt-cinquième leçon

1) 1. Esta gabardina es mía, ésa es tuya y aquélla de allí es suya.
2. ¿De quién es el paraguas? ¿Es tuyo? No, es mío. **3.** Es mi sombrero, no es el tuyo. **4.** ¿Dónde está su hermana? ¿Allí? No, no es la suya, es la mía. **5.** ¿De quién son los guantes? Son nuestros. Son los nuestros. **6.** No es mi casa. Es la suya/Es la vuestra. La mía está al lado del parque. **7.** Este abrigo es mío. El tuyo está en el perchero. **8.** ¿De quién son estas manoplas? No son mías ; son de mi hijo. **9.** ¿Son suyos/vuestros estos libros? No, no son nuestros ; son de Pedro. **10.** ¿De quién es este coche? Es suyo.
2) la tuya/la suya — la mía — la tuya/la suya — la mía.
GABARDINA
3) tu/su — mi — la tuya/la suya — la mía — mi — nuestros/mis — nuestra/mi — tu/su — nuestra — la tuya/la suya — la mía — nuestros/mis — nuestra — mi — nuestros.
4) 1. tuyo/suyo — mío. **2.** tuyos/suyos — míos — tuyos/suyos. **3.** sus. **4.** el suyo. **5.** tu/su — la tuya/la suya — la mía.
Pasatiempo 1. grande. **2.** almacén. **3.** banco. **4.** aguja. **5.** radio. **6.** diciembre. **7.** impermeable. **8.** nada. **9.** alta.

Vingt-sixième leçon

1) 1. sigues — sigo. **2.** elegís — elegimos. **3.** viste — viste. **4.** elijo — eliges. **5.** mide — mido. **6.** seguís — seguimos. **7.** eligen — elegimos. **8.** siguen — seguimos. **9.** consigues — consigo. **10.** eliges — elijo.
2) 1. tan... como. **2.** más... que. **3.** menos... que. **4.** más... que. **5.** menos... que. **6.** tan... como. **7.** menos... que. **8.** más... que. **9.** tan... como. **10.** tan... como.

Vingt-septième leçon

1) 1. Carmen es más inteligente que Pilar/menos inteligente que Pilar/tan inteligente como Pilar. **2.** Pedro tiene más libros que Juan/menos libros que Juan/tantos libros como Juan. **3.** Isabel trabaja más que María/menos que María/tanto como María. **4.** Mis hijos son más pequeños que los tuyos/tan pequeños como los tuyos. **5.** El camarero es más amable que el director/menos amable que el director/tan amable como el director. **6.** La lección es más interesante que los ejercicios/menos interesante que los ejercicios/tan interesante como los ejercicios. **7.** Sara lee más que Matilde/menos que Matilde/tanto como Matilde. **8.** Hernando sueña más que Tomás/menos que Tomás/tanto como Tomás. **9.** Juana come más caramelos que Fernando/menos caramelos que Fernando/tantos caramelos como Fernando. **10.** Tú tienes más hijos que yo/menos

hijos que yo/tantos hijos como yo.
2) 1. conozco. **2.** merece. **3.** obedece. **4.** pertenecen. **5.** florecen. **6.** conoces. **7.** aparece. **8.** merezco. **9.** conocemos. **10.** agradezco.

Vingt-neuvième leçon
1) 1. desde hace. **2.** desde hace. **3.** desde. **4.** desde. **5.** desde hace. **6.** desde. **7.** desde. **8.** desde hace. **9.** desde hace. **10.** desde.
2) 1. Esta chica es muy guapa. **2.** Los libros cuestan muy caros. **3.** La primera lección es muy fácil. **4.** Esta canción es muy bonita. **5.** Es muy sencillo. **6.** Viven muy lejos de aquí. **7.** La calle es muy larga, pero muy estrecha. **8.** Este modelo de nevera es muy pesado, pero la marca es muy buena. **9.** Este trabajo es muy difícil, pero muy interesante. **10.** Tus bombones son muy buenos.
3) 1. Enero es el mes más frío del año. **2.** La lavadora es el electrodoméstico más útil. **3.** Vivo en el barrio más verde de la ciudad. **4.** Esta habitación es la más pequeña del hotel. **5.** El caballo es uno de los animales más inteligentes. **6.** El verano es la estación más alegre y más agradable del año. **7.** Es el chico más alegre de la familia. **8.** Este inmueble es el más alto y el más moderno de la ciudad. **9.** Es el señor más rico del país. **10.** Estás el más moreno del grupo.

Trentième leçon
1. bebemos. **2.** habláis. **3.** vives. **4.** son. **5.** estás. **6.** comienzan. **7.** cuento. **8.** piensa. **9.** mueve. **10.** cierra. **11.** pido. **12.** preferimos. **13.** muere. **14.** miente. **15.** juega. **16.** vas. **17.** hacen. **18.** salís. **19.** puede. **20.** tiene. **21.** da. **22.** ves. **23.** coge. **24.** sé. **25.** pongo. **26.** empieza. **7.** entiende. **28.** quieres. **29.** encuentro. **30.** dormís.

Trente-deuxième leçon
1) 1. Te traigo mi guitarra. **2.** No obedece a sus padres. **3.** Os/le/les devuelvo el (vuestro/su) lápiz. **4.** Le cuentan sus vacaciones. **5.** El dueño del inmueble nos alquila un piso. **6.** ¿Me recomiendas este/ese hotel? **7.** Les compro discos y caramelos. **8.** El profesor/la profesora nos explica las lecciones más difíciles. **9.** ¿Me devuelves el dinero mañana? **10.** Me dejan su coche.
2) 1. Compra/comprad. **2.** Vuelve/volved. **3.** Cierra/cerrad. **4.** Pide/pedid. **5.** Sigue/seguid. **6.** Enciende/encended. **7.** Escoge/escoged. **8.** Da/dad. **9.** Mide/medid. **10.** Calienta/calentad.

Trente-troisième leçon
1) 1. Me gustan estos/esos ejercicios. **2.** Me duelen los ojos. **3.** Me apetece ir a la piscina. **4.** Me dan miedo los perros. **5.** Me toca jugar. **6.** Me cuesta (trabajo) entender. **7.** No me da miedo trabajar. **8.** No

me gusta el sol. **9.** Me gusta el avión. **10.** No me gusta el tren.
2) 1. ¿Te gustan los estudios? **2.** Nos da miedo viajar en avión.
3. No le apetece salir. **4.** ¿No os gusta la escuela/ir al colegio?
5. Le/les/os toca pagar. **6.** A Juan le da miedo el agua. **7.** A mí me
gustan los viajes. **8.** A él no le gusta el avión. **9.** A nosotros nos
cuesta (trabajo) arrancar. **10.** A Ud./Uds./vosotros, les/os gusta la
lengua española.

Trente-quatrième leçon
1. Pedro me lo deja. **2.** Te lo compro. **3.** Se la cuento. **4.** Os lo llevo.
5. ¿Me las dejas? **6.** ¿Nos lo das? **7.** Se lo doy. **8.** ¿Me la das?
9. ¿Me lo traes? **10.** Se los doy.

Trente-cinquième leçon
Juego de la oca 3. sueño, sueñas, sueña, soñamos, soñáis,
sueñan. **7.** quitar un disco. **9.** caras. **13.** suelo, sueles, suele,
solemos, soléis, suelen. **16.** talón. **20.** el volante, el faro, el cristal, el
intermitente, el cinturón de seguridad, par exemple. **23.** duermo,
duermes, duerme, dormimos, dormís, duermen. **26.** el secador, la
lavadora, la nevera, la aspiradora, el lavaplatos, par exemple. **30.** el
paraguas, la gabardina, el impermeable, par exemple. **34.** el chalé, el
piso, el inmueble, par exemple. **34.** la tienda, el almacén, la
pastelería, par exemple. **38.** desde hace. **41.** blanco, negro, rojo,
rosa, violeta, par exemple. **43.** Enrique es tan inteligente como
Fernando. **46.** vengo, vienes, viene, venimos, venís, vienen.
48. blanquísimo. **53.** el perro, el gato, el pájaro, el caballo, el pollo,
par exemple. **54.** elijo, eliges, elige, elegimos, elegís, eligen.
57. remite. **59.** el autobús, el tranvía, el taxi, el avión, el tren, par
exemple.
Exercices : 1) 1. Sí, los conozco. **2.** Sí, lo queremos. **3.** Sí, las
vigilo. **4.** Sí, la compro. **5.** Sí, lo tengo. **6.** Sí, lo cogemos. **7.** Sí, la
sé. **8.** Sí, lo abro. **9.** Sí, la espero. **10.** Sí, la veo.
2) 1. Sí, te quiero — No, no te quiero. **2.** Sí, os/los/les/las
acompañamos — No, no os/los/les/las acompañamos. **3.** Sí, lo/le
invito — No, no lo/le invito. **4.** Sí, me conoce — No, no me conoce.
5. Sí, los/les encuentro — No, no los/les encuentro. **6.** Sí, nos está
esperando — No, no nos está esperando. **7.** Sí, lo/le recuerdo — No,
no lo/le recuerdo. **8.** Sí, te estoy escuchando — No, no te estoy
escuchando. **9.** Sí, los compro — No, no los compro. **10.** Sí, lo sé —
No, no lo sé.

Trente-sixième leçon
1) 1. Sí, lo/le conozco. **2.** Sí, me interesa. **3.** Sí, os dejamos. **4.** Sí,
me apetece. **5.** Sí, te quiero.
1. Sí, estoy hablándote/te estoy hablando a ti. **2.** Sí, estoy
esperándola/la estoy esperando. **3.** Sí, estoy lavándolos/-les/los/les

estoy lavando. **4.** Sí, está planchándola/la está planchando. **5.** Sí, estoy afinándola/la estoy afinando.
1. Sí, quiero cerrarla/la quiero cerrar. **2.** Sí, quiero verlo/-le/lo/le quiero ver. **3.** Sí, queremos conocerla/la queremos conocer. **4.** Sí, queremos sacarlas/las queremos sacar. **5.** Sí, quiero escucharlo/lo quiero escuchar.
2) 1. Sí, escógelo. **2.** Sí, cógela. **3.** Sí, despertadlo/-le. **4.** Sí, consúltalo. **5.** Sí, friégalos.

Trente-septième leçon
1. Me lavo todos los días. **2.** (Tú) no te peinas. **3.** Se afeita por la mañana. **4.** Se suele duchar/se ducha a menudo. **5.** Nos vamos mañana/salimos mañana. **6.** Os acostáis/se acuesta(n) tarde. **7.** Os bañáis/se baña(n) el domingo. **8.** Se echan la siesta todas las tardes. **9.** Visten bien. **10.** Nos levantamos a las siete menos cuarto.

Trente-neuvième leçon
1) 1. Beba. **2.** Sigan. **3.** Escriban. **4.** Firme. **5.** Naden. **6.** Barra. **7.** Cojan. **8.** Pida. **9.** Aprendan. **10.** Duerma.
2) 1. Léalo. **2.** Mírenla. **3.** Cómprenlas. **4.** Tómela. **5.** Pídalo. **6.** Cómanlos. **7.** Echenla. **8.** Envuélvalo. **9.** Llénelo. **10.** Lávenla.

Quarantième leçon
1) 1. de. **2.** de. **3.** está. **4.** en. **5.** vamos. **6.** a. **7.** veintiún. **8.** melones. **9.** a. **10.** salgo. **11.** nueve menos cuarto. **12.** ciento un. **13.** que. **14.** escribiendo. **15.** está. **16.** mil cuatrocientas veintiuna. **17.** este. **18.** ese. **19.** aquel — el más interesante. **20.** preferimos. **21.** juega. **22.** llueve. **23.** a. **24.** conozco. **25.** tus. **26.** fidelísimo. **27.** vienes. **28.** dice. **29.** — **30.** pido. **31.** entiendes. **32.** me. **33.** le. **34.** dámelo. **35.** tómala. **36.** tómelo. **37.** estoy esperándolo/-le/lo/le estoy esperando. **38.** tómalo/tómelo. **39.** por. **40.** hago.
2) 1. Bruselas. **2.** catedrático. **3.** delante de. **4.** jueves. **5.** yerno. **6.** sobrina. **7.** tapas. **8.** la merienda. **9.** hace. **10.** correo. **11.** es. **12.** al. **13.** Precio de Venta al Público. **14.** al. **15.** sumar. **16.** y (más). **17.** primavera, verano, otoño e invierno. **18.** fregamos. **19.** barato. **20.** aula. **21.** altavoces. **22.** mueve. **23.** doy. **24.** guantes — manoplas. **25.** por supuesto. **26.** desde. **27.** tocas. **28.** propietarios/dueños — inquilinos. **29.** duda. **30.** lejos de. **31.** el chaleco — la chaqueta — los pantalones. **32.** último. **33.** aterrizan. **34.** desde — hasta. **35.** Nochebuena. **36.** dedos. **37.** cura. **38.** bolsa. **39.** consulta. **40.** cepillo y pasta dentífrica.

Quarante et unième leçon
1) 1. El primer día. **2.** Ningún hombre, ninguna mujer. **3.** El tercer alumno. **4.** Una gran casa, un gran coche. **5.** Un mal momento. **6.** Cien manzanas. **7.** Un buen estudiante. **8.** Un buen mercado. **9.** El primer número. **10.** Un día.
2) 1. carne. **2.** fruta. **3.** embutidos, quesos, mantequilla. **4.** pesca-

do. **5.** pan. **6.** relojes. **7.** libros. **8.** café, té. **9.** pasteles. **10.** papel, cuadernos.

Quarante-deuxième leçon

1) 1. Se vive bien aquí/Uno vive bien aquí. **2.** Nos divertimos mucho. **3.** Se come bien. **4.** Se dice que miente/Dicen que miente. **5.** Se acuerdan de nosotros. **6.** Se venden pisos. **7.** Se sabe/ sabemos/uno sabe que estás contento. **8.** En Sevilla, se baila mucho. **9.** Se alquila una casa. **10.** Se entiende español.

2) Argentina : Buenos Aires — Paraguay : Asunción — Uruguay : Montevideo — Chile : Santiago — Bolivia : La Paz — Perú : Lima — Ecuador : Quito — Venezuela : Caracas — Colombia : Bogotá — Cuba : La Habana — Puerto Rico : San Juan — República Dominicana : Santo Domingo — Panamá : Panamá — Costa Rica : San José — Nicaragua : Managua — Honduras : Tegucigalpa — Salvador : San Salvador — Guatemala : Guatelama — Méjico : Méjico.

Quarante-troisième leçon

1) 1. Afeitaos. **2.** Escribámonos. **3.** Peinaos. **4.** Aprendan. **5.** Vestíos. **6.** Marchémonos. **7.** Arreglaos. **8.** Vámonos. **9.** Comprémonos. **10.** Cuénteme.

2) 1. Me gusta la juventud. **2.** Estos/esos jóvenes van a casarse/se van a casar. **3.** (A ella) le gusta darnos órdenes. **4.** Hoy es el bautizo de mi hermano. **5.** Duchaos. **6.** ¿Es usted musulmán? **7.** Dentro de poco tiempo se casa mi hermana la mayor/es la boda de mi hermana la mayor. **8.** A mi hermano (el) pequeño no le gusta obedecer. **9.** Escribidnos/escríbanos/escríbannos a París. **10.** Cantemos esta canción.

Quarante-quatrième leçon

1. construyen. **2.** huyo. **3.** influye. **4.** contribuimos. **5.** sustituye. **6.** destruyen. **7.** disminuye. **8.** nos distribuimos. **9.** concluyes. **10.** huimos.

Quarante-cinquième leçon

Las parejas : altavoz, piso, dueño, vaca, rayado, amarillo, almacén, talón, paraguas, guantes, abrigo, gorro, marrón, cambio, alquiler, pájaro, azafata, cuchara, sello, rejilla.

Quarante-sixième leçon

1) 1. podía. **2.** tenías. **3.** queríamos. **4.** llovía. **5.** hablaba. **6.** ibais. **7.** decías. **8.** había. **9.** eras. **10.** apetecían.

2) Jeroglíficos : En la *terraza* — *Plátanos*.

Quarante-septième leçon

1. Voy a comer no sólo un bocadillo sino también un pastel. **2.** La película no era larga pero era interesante. **3.** No había sol pero no hacía frío. **4.** No alquilaba el piso sino que era el propietario/dueño. **5.** No estaba enfermo pero no se encontraba (estaba) muy bien.

6. No necesito sellos sino sobres. **7.** No era músico pero le gustaba la ópera. **8.** No es guapa pero es simpática. **9.** No compraban caro sino barato. **10.** Quiero ir pero no puedo.

Quarante-huitième leçon
1) **1.** pequeñito. **2.** hijitos. **3.** casita. **4.** cucharita. **5.** papelito.
2) **1.** Ya no íbamos a este/ese almacén. **2.** Eramos veintisiete. **3.** Mientras veía la televisión, mi madre dormía. **4.** Antes trabajaba mucho. **5.** ¿Dónde vivía Julia cuando era niña?

Quarante-neuvième leçon
1) **1.** Come. **2.** Ten **3.** Llama. **4.** Escribe. **5.** Contesta. **6.** Sal. **7.** Hazlo. **8.** Ven. **9.** Dime. **10.** Ve.
2) **1.** comido. **2.** tenido. **3.** sido. **4.** estado. **5.** levantado. **6.** llegado. **7.** ido. **8.** vivido. **9.** venido. **10.** leído.

Cinquantième leçon
1) **1.** hacían — estudiabas. **2.** era — salían. **3.** iba — visitaba. **4.** éramos — jugábamos. **5.** hacíais — explicaba — escribíamos.
2) **1.** Sigue/seguid. **2.** Coge/coged. **3.** Deja/dejad. **4.** Pasea/pasead. **5.** Pasa/pasad. **6.** Ve/id. **7.** Ten/tened. **8.** Pon/poned. **9.** Sal/salid. **10.** Ven/venid.

Cinquante et unième leçon
1. encargué. **2.** decidieron. **3.** escribió. **4.** cogí. **5.** escogió. **6.** metiste. **7.** encontró. **8.** arrancó. **9.** aparcasteis. **10.** vivimos.

Cinquante-deuxième leçon
1. Fui a la peluquería ayer a las cinco. **2.** Me dieron mechas. **3.** Ayer me levanté a las seis, me duché, desayuné y a las siete estaba en la estación. **4.** ¿Vinisteis/vinieron Uds. el lunes pasado? **5.** ¿Qué te dijo el médico? **6.** Me dijo que no debía hacer nada. **7.** ¿Le diste las gracias? **8.** Le dijimos la semana pasada que el avión era más caro que el tren. **9.** La medicina que tomó anoche le quitó el sueño. **10.** ¿A qué hora salió Ud. de la oficina el martes pasado?

Cinquante-troisième leçon
1. aprendí. **2.** tuvimos. **3.** condujo. **4.** dijiste — llegó. **5.** estuvisteis. **6.** tuvieron. **7.** anduvieron. **8.** se fue. **9.** se resbaló — se rompió. **10.** estuvo.

Cinquante-quatrième leçon
1. ocurrió. **2.** dije. **3.** nos pusieron. **4.** fuiste. **5.** vinimos. **6.** pudisteis. **7.** viste. **8.** dieron. **9.** fui. **10.** pude.

Cinquante-cinquième leçon
1. Uruguay, Brasil, Suiza, Méjico, Bolivia, Francia, Rusia, Israel, Argentina, Bélgica, Estados Unidos, Alemania, Hungría, Canadá,

Grecia, Colombia, Perú, China, India, Venezuela, España, Italia, Portugal, Chile, Inglaterra, Paraguay, Holanda, Escocia, Suecia, Egipto, Irlanda, Cuba, Japón, Marruecos, Austria, Panamá, Polonia, Australia, China, Puerto Rico.
2. 1. Tacón. **2.** Novela. **3.** Atlas. **4.** Subir. **5.** Roban. **6.** Nuez. **7.** Zapatos. **8.** Semana. **9.** Anteayer. **10.** Rosa. **11.** Acero. **12.** Opera. **13.** Antes. **14.** Ser. **15.** Repetir. **16.** Ruso.

Cinquante-sixième leçon
1. Ayer vi a los bomberos apagar/que apagaban un fuego. **2.** Vimos el humo que salía por las ventanas. **3.** Las paredes ardían como papel. **4.** Tuvimos que llamar a la policía. **5.** Mi primo telefoneó a la comisaría. **6.** Ayer cogí el tren de las seis. **7.** El accidente se produjo/ocurrió en la autopista. **8.** Quise telefonearte pero no pude. **9.** El policía me ayudó a rellenar el impreso de declaración de accidente. **10.** Tuvimos que cancelar los billetes.

Cinquante-septième leçon
1. hubo. **2.** cupieron. **3.** hicisteis. **4.** hizo. **5.** hubo. **6.** cupo. **7.** hicisteis. **8.** hubo. **9.** se hizo. **10.** hice.

Cinquante-huitième leçon
1. leyó. **2.** creí. **3.** se cayeron. **4.** oyó. **5.** huisteis. **6.** construyó. **7.** leísteis. **8.** oímos. **9.** creyó. **10.** destruyeron.

Soixantième leçon
1) 1. durmió. **2.** sentí. **3.** pidió. **4.** repitió. **5.** seguimos. **6.** preferisteis. **7.** mintieron. **8.** dormimos. **9.** durmieron. **10.** sirvieron.
2) 1. Te pido un favor. **2.** Me pide dinero. **3.** Nos preguntamos dónde se encuentra el museo. **4.** ¿Puedo pedirle/le puedo pedir una información? **5.** Nos preguntaron si estábamos contentos.
3) 1. salimos — fuimos. **2.** gustó — volví. **3.** estuvo — hicieron. **4.** pudieron — vieron. **5.** se quedó — quiso.
4) 1. dijo. **2.** dimos. **3.** tuve. **4.** vino. **5.** se sintieron. **6.** dormisteis. **7.** llegué. **8.** aterrizó. **9.** leyeron. **10.** trajo. **11.** puso. **12.** pidieron. **13.** supieron. **14.** me reí. **15.** condujo.

Soixante et unième leçon
1) 1. hemos perdido. **2.** has escrito. **3.** han dicho. **4.** han abierto. **5.** he trabajado. **6.** habéis mentido. **7.** ha vuelto. **8.** hemos visto. **9.** has hecho. **10.** ha vendido.
2) 1. Hace media hora que ha salido/se ha marchado. **2.** Este año todavía no ha llovido. **3.** He perdido un gran amigo. **4.** Hoy hemos dado un paseo largo/un largo paseo. **5.** Felipe ha sido siempre un programador excepcional.

Soixante-deuxième leçon
1. habían salido. **2.** habían terminado. **3.** había arreglado. **4.** ha-

bías escrito. **5.** habían hecho. **6.** habían puesto. **7.** había sacado.
8. había visto. **9.** habían roto. **10.** había salido.

Soixante-troisième leçon
1) **1.** es. **2.** es. **3.** es. **4.** es. **5.** soy. **6.** es — son. **7.** es. **8.** es.
9. es. **10.** es.
2) **1.** son. **2.** es. **3.** es — es. **4.** es — son. **5.** es. **6.** es. **7.** es.
8. es. **9.** es. **10.** es — es — es.

Soixante-quatrième leçon
1) **1.** está. **2.** está. **3.** estás. **4.** está. **5.** está. **6.** está. **7.** está.
8. está. **9.** está. **10.** está.
2) **1.** es. **2.** está. **3.** es/está. **4.** es — está. **5.** es — es. **6.** está.
7. estás. **8.** está. **9.** somos/estamos. **10.** están.

Soixante-cinquième leçon
1) éramos — teníamos — tienen — hablábamos — jugábamos —
recuerdo — encantaba — sabéis — jugábamos — teníamos —
enterrábamos — es — hacíamos — colocábamos — poníamos —
recubríamos — aplastábamos — robó — tuvimos — había desapare-
cido — estuvimos — supimos — era/fue/había sido — descubrió/
había descubierto.
2) era — iba — pasaba — se conocían — habían estudiado —
habían vivido — compraba — pasaban/pasaron — llovió/había llovido
— se presentó — estaba — se acercó — pudo — he vendido — he
decidido — cuento.

Soixante-sixième leçon
1. haré. **2.** iremos. **3.** saldrá. **4.** dormirás — soñarás. **5.** habrá.
6. dirá. **7.** vendrá. **8.** será — serán. **9.** subirás. **10.** rellenarás.

Soixante-septième leçon
1. harías. **2.** saldrías. **3.** lo diría. **4.** pasaría. **5.** comprarían. **6.** po-
dríais. **7.** sacaría. **8.** sabría. **9.** tendrían. **10.** iríamos.

Soixante-dixième leçon
1) **1.** escribas. **2.** ayudéis. **3.** tome. **4.** debáis. **5.** comas.
2) **1.** no llores. **2.** no gritemos. **3.** no escribáis/no escriba/no
escriban. **4.** no compréis/no compre/no compren nada. **5.** no bebas
nada.
3) **1.** Es aquí donde trabajo. **2.** Es así como (yo) lo veo. **3.** Es
mañana cuando sale. **4.** Es allí donde vive. **5.** Es hoy cuando llega.
4) **1.** muevas. **2.** duerme. **3.** entienda. **4.** pueda. **5.** cuentes.
6. devuelva. **7.** llueva. **8.** sigue. **9.** cueste. **10.** siéntense.
La roue de la Fortune : **1.** para. **2.** paga. **3.** pega. **4.** pera. **5.** pero.
6. paro. **7.** puro. **8.** pudo. **9.** mudo. **10.** modo. **11.** moto. **12.** roto.
13. rato. **14.** gato. **15.** pato. **16.** pata. **17.** mata. **18.** mapa. **19.** ca-
pa. **20.** casa. **21.** cara. **22.** para.

Soixante-treizième leçon
1. Si recibo los programas, voy a los cursos de verano/Si recibiera

los programas, iría a los cursos de verano. **2.** Si me toca la lotería, hago un viaje a Salamanca/Si me tocara la lotería, haría un viaje a Salamanca. **3.** Si tengo dinero, me compro un coche/Si tuviera dinero, me compraría un coche. **4.** Si lee el periódico, se entera de las noticias/Si leyera el periódico, se enteraría de las noticias. **5.** Si me necesitas, te ayudo/Si me necesitaras, te ayudaría. **6.** Si compramos un tocadiscos, estamos contentos/Si compráramos un tocadiscos, estaríamos contentos. **7.** Si construimos una casa, vamos en el verano/Si construyéramos una casa, iríamos en el verano. **8.** Si tenéis tiempo, tomáis el aire puro/Si tuvierais tiempo, tomaríais el aire puro. **9.** Si tengo muchos amigos, les telefoneo una vez a la semana/Si tuviera muchos amigos, les telefonearía una vez a la semana. **10.** Si os gusta el deporte, vais a la piscina/Si os gustara el deporte, iríais a la piscina.

Soixante-quatorzième leçon
1. Si hubiera tenido calor, me hubiera/habría tomado un zumo de limón. **2.** Si te hubiera gustado leer, te hubiera/habría comprado una biblioteca. **3.** Si me hubiera gustado el fútbol, hubiera/habría ido al partido. **4.** Si hubiéramos ido al restaurante, hubiéramos/habríamos comido paella. **5.** Si hubiéramos podido elegir, hubiéramos/habríamos ido a Andalucía. **6.** Si hubieran sacado entradas, hubieran/habrían estado en el teatro. **7.** Si el semáforo hubiera estado verde, hubiéramos/habríamos cruzado la calle. **8.** Si hubiera hecho mucho calor, hubiera/habría metido la comida en la nevera. **9.** Si hubierais trabajado más, hubierais/habríais terminado antes. **10.** Si hubiera nevado mucho, hubiera/habría ido a esquiar.

Soixante-quinzième leçon
1) 1. iba. **2.** fuera. **3.** pudiera. **4.** me hubiera despertado. **5.** hubieras tenido. **6.** tiene. **7.** sales. **8.** hubiera. **9.** hubieras ayudado. **10.** hacéis. **11.** tocara. **12.** hubiera diluviado. **13.** te gustara. **14.** hubiera hecho. **15.** duermes. **16.** ves. **17.** fuera. **18.** fuera. **19.** era. **20.** estaría.
2) 1. des. **2.** sepa. **3.** vengáis. **4.** salga. **5.** digas. **6.** traiga. **7.** puedan. **8.** oigan. **9.** quepamos. **10.** conozcas.
3) 1. tenga. **2.** sea. **3.** pueda. **4.** sepas. **5.** pongáis. **6.** esté. **7.** haya. **8.** conozca. **9.** vayáis. **10.** póngalo — se caiga.
4). 1. sabe. **2.** va. **3.** estemos. **4.** tengan. **5.** queréis. **6.** quiera — puedo. **7.** vayas. **8.** se entere. **9.** se acuerden. **10.** hagamos.

Soixante-seizième leçon
1. tengamos. **2.** estaréis. **3.** voy. **4.** has puesto. **5.** vayamos. **6.** lleguen. **7.** estemos. **8.** vas. **9.** llega. **10.** me rompí.

Soixante-dix-septième leçon
1. Me hubiera gustado que hubiera trabajado un poco más. **2.** Aunque lo hubiera sabido, no hubiera ido. **3.** Estudia para que sus padres estén contentos. **4.** No era lógico que estuviera allí en aquel

momento. **5.** Me gustaría/quisiera/querría que comieras los albarico-
ques que acabo de comprar. **6.** Le he pedido que me planche la
falda/Le pedí que me planchara la falda. **7.** Le molestaba que
pusieras la música tan fuerte/tan alta. **8.** Más vale que se vaya. **9.** Te
he traído la revista para que la leas/Te traje la revista para que la
leyeras. **10.** ¿Sientes que no haya venido?

Soixante-dix-neuvième leçon
1) **1.** por — para. **2.** por. **3.** por. **4.** para. **5.** por. **6.** por. **7.** por.
8. para. **9.** por. **10.** por. **11.** para. **12.** por — por. **13.** para/por.
14. por. **15.** para.
2) **1.** No recorrieron/han recorrido nunca España. **2.** Le mandé/le he
mandado algunas flores. **3.** Tampoco vinieron/han venido mis
amigos. **4.** Nadie sabe conducir. **5.** Ninguno de nosotros estaba allí.
6. No hemos comido/comimos nada. **7.** Nunca ha dicho nada.
8. Ningún carpintero le hará este mueble. **9.** No lo/le veo ni de día ni
de noche. **10.** Yo tampoco lo/le conozco.

Quatre-vingtième leçon
1) **1.** tan/más. **2.** peruano. **3.** tocar. **4.** adolescencia. **5.** alfombra.
6. oro. **7.** armar. **8.** función. **9.** cántaros. **10.** sacando. **11.** víspera.
12. limitada. **13.** prohibido. **14.** tijeras — navaja. **15.** aprenden —
enseña. **16.** multa. **17.** uruguayos. **18.** apagar. **19.** corto circuito.
20. entradas/localidades. **21.** callejón sin salida. **22.** medio am-
biente. **23.** B.O.E. **24.** regar. **25.** tulipanes. **26.** quioscos. **27.** fonta-
nero. **28.** empapelador. **29.** torero. **30.** gemelos/mellizos.
31. aprueben. **32.** gestos. **33.** te decides. **34.** cuesta. **35.** peces —
pescado. **36.** la sardana. **37.** la jota. **38.** sopla. **39.** dulce. **40.** vaya.
2) **1.** ningún. **2.** me — de. **3.** les. **4.** construyen. **5.** ya. **6.** iba.
7. sino. **8.** poniendo/oyendo/escuchando. **9.** mesita. **10.** haz.
11. estás. **12.** fuimos/salimos. **13.** dio. **14.** tuvisteis. **15.** vio.
16. pusimos. **17.** fue. **18.** de. **19.** que. **20.** cupo/hubo/fue/vino/
cabía/había. **21.** he dado. **22.** había salido. **23.** fue. **24.** estuvisteis.
25. es. **26.** acordaba. **27.** comeremos/comemos/vamos a comer.
28. era/será. **29.** es/sería. **30.** donde. **31.** te animes. **32.** des.
33. duermas. **34.** recibiera. **35.** hubieras venido. **36.** fuera. **37.** te-
nía. **38.** sepa. **39.** hiciera/hacía. **40.** por.

Index grammatical

Les chiffres renvoient aux numéros des leçons.

Lexique français-espagnol

à : a ; ~ **côté de** : al lado de ; ~ **côté de** : junto a ; ~ **demain** : hasta mañana ; ~ **domicile** : a domicilio ; ~ **l'aise** : a gusto ; ~ **l'aube** : al amanecer ; ~ **l'instant** : al rato ; ~ **l'intérieur de** : dentro de ; ~ **l'occasion de** : con motivo de ; ~ **la machine** : a máquina, ¿eh?, ¿vale? ~ **la main** : a mano ; ~ **la recherche de** : a la búsqueda de ;~ **la tombée du jour** : al atardecer ; ~ **la tombée de la nuit** : al anochecer ; ~ **midi** : a mediodía ; ~ **minuit** : a medianoche ; ~ **nouveau** : de nuevo ; ~ **partir de** : a partir de ; ~ **quatre pattes** : a gatas ; ~ **tout à l'heure** : hasta luego
abord, d' ~ : primero
abréviation : abreviatura (la)
abricot : albaricoque (el)
absolu : absoluto
accélérer : acelerar
accent : acento (el)
accepter : aceptar
accès : acceso (el)
accident : accidente (el)
accompagner : acompañar
accord : acuerdo (el) ; **d'** ~ : de acuerdo, ¿eh?, ¿vale?
accorder : afinar
accouchement : parto (el)
accoucher : dar a luz
accueillant : acogedor
acheter : comprar ; ~ **des billets** : sacar entradas
acide : ácido
acier : acero (el)
acompte : señal (la)
acte : acto (el)
acteur : actor (el)
action : acción (la)
activité : actividad (la)
actrice : actriz (la)
addition : cuenta (la)
additionner : sumar
adhérer : adherir
adhésion : adhesión (la)
adieu : despedida (la)
adolescence : adolescencia (la)
adresse : dirección (la), señas (las)
adulte : adulto
aérien : aéreo
aéroport : aeropuerto (el)

affaire : asunto (el), negocio (el)
affection : cariño (el)
affirmatif : afirmativo
âge : edad (la)
âgé : mayor, viejo
agence : agencia (la)
agenda : agenda (la)
agir, s' ~ **de** : tratarse de
agneau : cordero (el)
agréable : agradable
agresser : atracar
agression : atraco (el)
ah ! : ¡ah!
ah, oui ! : ¡ah! sí
aide : ayuda (la)
aider : ayudar, prestar ayuda
aigu : agudo
aiguille : aguja (la)
aile : ala (el)
aimable : amable
aimer : gustar, querer
aîné : mayor
ainsi : así
air : aire (el)
ajouter : añadir
alcool : alcohol (el)
alentours : alrededores (los)
alléger : aliviar
allemand : alemán
aller : ir ; ~ **directement à** : irse derecho a ; **s'en** ~ : marcharse
allez : anda
allô : dígame
allocation de chômage : subsidio de paro (el)
allons : anda
allumer : encender
allumette : cerilla (la)
allure : aspecto (el)
allusion : alusión (la)
alors : entonces
aluminium : aluminio (el)
amabilité : amabilidad (la)
amande : almendra (la)
ambassade : embajada (la)
ambiance : ambiente (el)
ambulance : ambulancia (la)
amende : multa (la)
amer : amargo
américain : americano, estadounidense
ami : amigo (el)
amitiés : recuerdos (los)
amplificateur : amplificador (el)

amuse-gueule : tapas (las)
amuser : divertir ; **s'~** : divertirse
analyse : análisis (el)
ananas : piña (la)
ancien : antiguo
andalou : andaluz
âne : asno (el), burro (el)
angine : angina (la)
anglais : inglés
animal : animal (el)
animer : animar ; **s'~** : animarse
année : año ; **~ scolaire** : curso (el)
anniversaire : cumpleaños (el)
annonce : anuncio (el)
annoncer : anunciar
annuler : cancelar
antérieur : anterior
antiquaire : anticuario (el)
août : agosto
aparthôtel : aparthotel (el)
apéritif : aperitivo (el)
aplatir : aplastar
apparaître : aparecer
appareil : aparato ; **~photos** :
aparato de fotos (el)
apparence : aspecto (el)
appartement : piso (el)
appartenir : pertenecer
appeler : llamar
applaudir : aplaudir
appliquer : aplicar
apporter : traer
apprécier : apreciar
apprendre : aprender ; enseñar ;
enterarse
approcher : acercar ; **s'~ de** :
acercarse a
approfondir : profundizar
âpre : áspero
après : después, después de, luego ;
d'~ : según
après-demain : pasado mañana
après-midi : tarde (la)
aquatique : acuático
arbre : árbol (el)
arc-en-ciel : arco iris (el)
architecte : arquitecto (el)
arène : ruedo (el)
arènes : plaza de toros (la)
argent : dinero (el) ; plata (la)
argentin : argentino
argile : barro (el)
aride : árido
arme : arma (el)
armoire : armario (el)
arranger : arreglar ; **s'~** : arreglarse

arrêt : parada (la)
arrêté : decreto (el) ; parado
arrêter : detener, parar ; **s'~** :
detenerse, pararse
arrivée : llegada (la)
arriver : llegar ; ocurrir ; **~ à** :
conseguir
arroser : regar
art : arte (el)
artiste : artista (el)
ascenseur : ascensor (el)
aspect : aspecto (el)
aspirateur : aspiradora (la)
aspirine : aspirina (la)
asseoir : sentar ; **s'~** : sentarse
assez : bastante ; **~ bien** : aprobado
assiette : plato (el)
assurance : seguro (el)
assurer : asegurar
astre : astro (el)
astronaute : astronauta (el)
astronomie : astronomía (la)
atlas : atlas (el)
atmosphère : atmósfera (la)
atomique : atómico
attendre : eperar
attention : atención (la) ; ¡cuidado!,
¡ojo!
atterrir : aterrizar
attraper une maladie : coger una
enfermedad
au : al ; **~ contraire** : al contrario ; **~
goût de** : a gusto de ; **~ revoir** :
adiós, hasta la vista
au-dessus de : encima de
aube : alba (el), madrugada (la)
auberge : albergue (el)
aubergine : berenjena (la)
aujourd'hui : hoy
aumône : limosna (la)
ausculter : auscultar
aussi : también
Australie : Australia
australien : australiano
auteur : autor (el)
authentique : auténtico
autobus : autobús (el)
autocar : autocar (el)
automatique : automático
automne : otoño (el)
autonomie : autonomía (la)
autoroute : autopista (la)
autour de : alrededor de
autre : otro
Autriche : Austria
autrichien : austríaco

avalanche : alud (el)
avancer : estar adelantado
avant de : antes de
avant-dernier : penúltimo
avant-hier : anteayer
avec : con ; ~**force détails :** con pelos y señales
aventure : aventura (la)
avenue : avenida (la)
avertir : avisar
aveugle : ciego
avion : avión (el)
avocat : abogado (el)
avoir : haber, tener ; **en ~ assez :** estar harto ; ~ **besoin :** necesitar ; ~ **en trop :** sobrar ; ~ **envie de :** apetecer ; ~ **l'habitude :** soler ; ~ **mal :** doler ; ~ **peur de :** dar miedo ; ~ **un rendez-vous :** tener hora ; ~ **x ans :** cumplir x años
avril : abril
ail : ajo (el)
bagage : equipaje (el)
baguette : batuta (la), varilla (la)
baignoire : bañera (la), baño (el)
bâiller : bostezar
bain-crème : baño de crema (el)
baiser : beso (el), abrazo (el)
balayer : barrer
balle : pelota (la)
ballet : ballet (el)
banane : plátano (el)
bananier : plátano (el)
banc : banco (el)
bancaire : bancario
bande : cinta (la)
banderille : banderilla (la)
banderillero : banderillero (el)
banlieue : afueras (las)
banque : banco (el)
banquet : banquete (el)
bar : bar (el), cafetería (la)
baraque de foire : caseta (la)
barque : barca (la)
barrière : barrera (la)
bas : medias (las)
basket-ball : baloncesto (el)
bateau : barco (el)
bâton : bastón (el)
bavarder : charlar
bavoir : babero (el)
beau : guapo, ideal
beau-frère : cuñado (el)
beaucoup : mucho
beauté : belleza (la)
bébé : muñeco (el)

beige : beis
belge : belga
Belgique : Bélgica
belle-fille : nuera (la)
belle-sœur : cuñada (la)
berceau : cuna (la)
bercer : acunar
berceuse : nana (la)
beurre : mantequilla (la)
biberon : biberón (el)
bibliothèque : biblioteca (la), librería (la)
bidet : bidé (el)
bidon : bidón (el)
bien : bien, notable
bien que : aunque
bientôt : pronto
bière : cerveza (la)
billet : billete (el), entrada (la)
biscuit : galleta (la), pasta (la)
bistrot : tasca (la)
blanc : blanco
bleu : azul
blond : rubio
boire : beber
bois : bosque (el) ; madera (la)
boisson : bebida (la)
boîte : caja (la) ; ~ **aux lettres :** buzón (el) ; ~ **de secours :** botiquín (el) ; ~ **postale :** apartado (el)
Bolivie : Bolivia
bolivien : boliviano
bon : bueno ; ~ **marché :** barato
bonbon : caramelo (el)
bondé : hasta los topes
bonjour : buenas tardes, buenos días
bonne nuit : buenas noches
bonnet : gorro (el)
bonsoir : buenas tardes, buenas noches
botte : bota (la)
bouche : boca (la)
boucher : carnicero (el)
boucle : hebilla (la)
boue : barro (el)
bouger : mover ; ~ **son compte :** mover la cuenta
bougie : vela (la)
bouillie : papilla (la)
boulangerie : panadería (la)
boulevard : bulevar (el)
bouquet : ramo (el)
bourse : bolsillo (el), bolsa (la)
bouteille : botella (la)

boutique : tienda (la)
bouton : capullo (el)
boutons de manchettes : gemelos (los)
bras : brazo (el)
brebis : oveja (la)
bref : breve
Brésil : Brasil
brésilien : brasileño
briser : romper
broder : bordar
bronze : bronce (el)
bronzé : moreno
brosse : cepillo (el) ; ~ **à cheveux :** cepillo de pelo ; ~ **à dents :** cepillo de dientes
bruiner : lloviznar
bruit : ruido (el)
brûler : arder, quemar ; **se ~ :** quemarse
brun : moreno, marrón
bruyant : ruidoso
bureau : despacho (el), oficina (la) ; ~ **central du téléphone :** telefónica (la)
but : rumbo (el)
cachette : escondite (el)
cachot : calabozo (el)
cadeau : regalo (el)
cadet : menor
café : café (el) ; ~ **au lait :** café con leche ; ~ **crème :** café cortado ; ~ **noir :** café solo
cafétéria : cafetería (la)
cafetière : cafetera (la)
cahier : cuaderno (el)
caisse : caja (la)
calamar : calamar (el)
calendrier : calendario (el)
caleçon : calzoncillos (los)
calmant : calmante (el)
camion : camión (el)
campagne : campo (el)
canard : pato (el)
canari : canario (el)
canne : caña (la) ; ~ **à pêche :** caña de pescar
canot de sauvetage : bote de salvamento (el), bote salvavidas (el)
caoutchouc : goma (la)
capable : capaz
cape : capa (la)
capitale : capital (la)
capsule : cápsula (la)
car : pues

caractère : carácter (el)
cardigan : chaqueta (la)
cardinal : cardinal
Carême : Cuaresma (la)
carnaval : carnaval (el)
carnet de chèques : carnet de cheques (el), talonario (el)
carotte : zanahoria (la)
carrefour : cruce (el)
carte : mapa (el) ; tarjeta (la) ; ~ **d'identité :** carnet de identidad (el) ; ~ **postale :** tarjeta postal (la), postal (la)
carton : cartón (el)
cas : caso (el)
casino : casino (el)
casser : romper
cassis : badén (el)
castagnettes : castañuelas (las)
castillan : castellano (el)
catalogue : catálogo (el)
catastrophique : catastrófico
cathédrale : catedral (la)
catholique : católico
céder : ceder
ceinture : cinturón (el) ; ~ **de sécurité :** cinturón de seguridad (el)
célèbre : famoso
célibataire : soltero
centre : centro (el)
cependant : sin embargo
cérémonie : acto (el), ceremonia (la)
cerise : cereza (la)
certain : cierto
chacun : cada uno
chahut : jaleo (el)
chaîne stéréophonique : cadena estereofónica (la)
chair : carne (la)
chaise : silla (la)
chaleur : calor (el)
chambard : jaleo (el)
chambre : cuarto (el), habitación (la)
champagne : champán (el)
chance : suerte (la)
change : cambio (el)
changer : cambiar ; ~ **de train :** transbordar
chanson : canción (la)
chant de Noël : villancico (el)
chanter : cantar ; ~ **faux :** desafinar
chanteur : cantante (el)
chapeau : sombrero (el)
chaque : cada ; ~ **fois :** cada vez
charcuterie : embutido (el)

charger : cargar ; **se ~** : en-
cargarse ; **se ~ de** : encargarse de
charges : cargas (las)
chariot : carrito (el)
chat : gato (el)
châtaigne : castaña (la)
chaud : caliente, cálido
chauffage : calefacción (la)
chauffagiste : calefactor (el)
chauffe-eau : calentador de agua
(el)
chauffer : calentar
chauffeur : chófer (el)
chaussée : calzada (la)
chausser (se) : calzar(se)
chaussettes : calcetines (los)
chaussure : calzado (el)
chaussures de sport : playeras (las)
chef : jefe (el) ; **~ d'orchestre** :
director de orquesta (el)
chemin : camino (el)
cheminée : chimenea (la)
chemise : camisa (la)
chemisette : camiseta (la)
chemisier : blusa (la)
chêne : roble (el)
chèque : cheque (el), talón (el)
cher : caro ; estimado, querido
chercher : buscar, investigar
chéri : querido
cheval : caballo (el)
cheveu blanc : cana (la)
cheveux : pelo (el)
cheville : tobillo (el)
chèvre : cabra (la)
chien : perro (el)
chiffre : cifra (la)
chlore : cloro (el)
choc : choque (el)
chocolat : chocolate (el)
choisir : escoger, elegir
chômage : desempleo (el), paro (el)
chômeur : parado (el)
chose : cosa (la)
chou : col (la), repollo (el) ; **~
rouge** : lombarda (la)
choux de Bruxelles : coles de
Bruselas (las)
chrétien : cristiano
chute : caída (la)
cidre : sidra (la)
ciel : cielo (el)
cinéma : cine (el)
cirage : betún (el), crema (la)
circonstance : circunstancia (la)
circulation : circulación (la)

circuler : circular
cire : cera (la)
ciseaux : tijeras (las)
cité universitaire : ciudad
universitaria (la)
citron : limón (el)
citronnade : limonada (la)
civil : civil
clair : claro
clairon : clarín (el)
clarté : claridad (la)
classe : clase (la)
classique : clásico
clef : llave (la)
client : cliente (el / la)
clignoteur : intermitente (el)
climat : clima (el)
clinique : clínica (la)
clovisse : almeja (la)
club : club (el)
cochon : cerdo (el)
coeur : corazón (el)
coffre : maletero (el)
coffre-fort : caja fuerte (la)
cognac : coñac (el)
coiffure : peinado (el)
coin : rincón (el)
colin : merluza (la)
collaborer : colaborar
collège : colegio (el)
collégiale : colegiata (la)
coller : pegar
collier : collar (el)
colonne : columna (la)
combien : cuánto
combinaison : combinación (la)
combustible : combustible (el)
comète : cometa (el)
commander : mandar
comme : como ; **~ ci comme ça** :
regular
comédie : comedia (la)
commencer : comenzar, empezar
comment : cómo
commentaire : comentario (el)
commenter : comentar
commettre un délit : delinquir
commerce : comercio (el)
commercial : comercial
commissaire : comisario (el)
commissariat : comisaría (la)
commission européenne : comisión
europea (la)
Communautés européennes :
Comunidades europeas (las)
communauté : comunidad (la)

communiquer : comunicar
compagnie d'assurances :
  compañía de seguros (la)
comparer : comparar
compartiment : departamento (el)
compatriote : paisano
complexe : complejo
composer : componer
compréhension : comprensión (la)
comprendre : comprender, entender
comprimé : comprimido (el)
compte bancaire : cuenta bancaria
  (la)
compter : contar ; ~ **sur** : contar con
compteur : contador (el)
comptoir : mostrador (el)
conclure : concluir
concombre : pepino (el)
conditionner : acondicionar
conducteur : conductor (el)
conduire : conducir
conférence : conferencia (la)
conférencier : conferenciante (el)
confiance : confianza (la)
confiture : dulce (el), mermelada (la)
confondre : confundir
confortable : cómodo
confusion : lío (el)
congélateur : congelador (el)
conjonction : conjunción (la)
conjugaison : conjugación (la)
connaissance : conocimiento (el)
connaisseur : entendido (el)
connaître : conocer
consacrer : dedicar
conscience : conciencia (la)
conseil des ministres : Consejo de
  ministros (el)
conseillable : aconsejable
conseiller : aconsejar
consister en : consistir en
consoler : consolar
constellation : constelación (la)
constitution : constitución (la)
construire : construir
consultation : consulta (la)
conte : cuento (el)
contempler : contemplar
content : contento
contenu : contenido (el)
continental : continental
continuer : seguir
contraire : contrario
contraste : contraste (el)
contre-indication : contraindicación
  (la)

contrée : comarca (la)
contribuer : contribuir
contrôle : control (el)
contrôler : controlar
contrôleur : revisor (el)
convaincre : convencer
convenance : conveniencia (la)
convenir : convenir
conversation : conversación (la)
coquille : concha (la)
corde : cuerda (la)
corps : cuerpo (el)
correspondance : enlace (el)
corrida : corrida (la)
corriger : corregir
Cortès : Cortes (las), Congreso (el)
costume d'homme : traje de
  caballero (el)
cote : calificación (la), nota (la)
coton : algodón (el)
cou : cuello (el)
coucher : acostar ; **se** ~ : acostarse,
  echarse ; **se** ~ (soleil) : ponerse ;
  se ~ **à plat ventre** : echarse boca
  abajo ; **se** ~ **sur le dos** : echarse
  boca arriba, echarse de espaldas ;
  se ~ **tard** : trasnochar
coucher de soleil : puesta de sol (la)
couchettes : literas (las)
coude : codo (el)
coudre : coser
couleur : color (el)
coulisses : bastidores (los)
couloir : pasillo (el)
coup de clairon : toque de clarín (el)
coupable : culpable
coupe : corte (el)
couper : cortar
couple : matrimonio (el)
couplet : copla (la)
cour : corte (la), patio (el) ; ~ **de**
  Justice : Tribunal de Justicia (el) ;
  ~ **des Comptes européenne** :
  Tribunal europeo de Cuentas (el)
courant : corriente (la)
courgette : calabacín (el)
courir : correr
couronne : corona (la)
courrier : correo (el)
courroie : correa (la)
cours : clase (la)
courses : compras (las)
court-circuit : corto circuito (el)
cousin : primo (el)
coussin : cojín (el)
coûte que coûte : de todas, todas

couteau : cuchillo (el)
coûter : costar ; ~ **les yeux de la tête** : costar un ojo de la cara
couvert : cubierto
couverture : manta (la)
couvre-lit : colcha (la)
couvreur : tejador (el)
couvrir : cubrir
craie : tiza (la)
craindre : temer
cravate : corbata (la)
crayon : lápiz (el)
crèche : belén (el), nacimiento (el) ; casa cuna (la)
créer : crear
crème : crema (la) ; ~ **fraîche** : nata (la)
crémerie : mantequería (la)
creuser : cavar
crevaison : pinchazo (el)
crever : pinchar
crevette : gamba (la)
cri : grito (el)
crier : gritar, pregonar
crise : crisis (la)
croire : creer
cuadrilla : cuadrilla (la)
cube : cubo (el)
cuiller : cuchara (la)
cuir : cuero (el)
cuisine : cocina (la)
cuisse : muslo (el)
cuit : cocido
cuivre : cobre (el)
culotte : bragas (las)
cumul : pluriempleo (el)
curieux : curioso
cycle de cours : curso (el)
cyprès : ciprés (el)
daim : ante (el)
danger : peligro (el)
dans : dentro de
danse : danza (la) ; ~ **folklorique** : baile regional (el)
danser : bailar
danseur : bailarín (el)
danseuse : bailarina (la)
date : fecha (la)
de : de ; ~ **bout en bout** : de punta a punta ; ~ **dos** : de espaldas ; ~ **jour** : de día ; ~ **nuit** : de noche ; ~ **plus** : además ; ~ **sauvetage** : salvavidas ; ~ **sorte que** : de modo que ; ~ **temps en temps** : de vez en cuando ; ~ **toute façon** : de todos modos ; ~ **... à** :

desde... hasta, de ... a
debout : de pie
décaper : acuchillar
décembre : diciembre
décent : prudente
déchets : desechos (los)
décider : decidir ; **se** ~ **à** : animarse a
décision : decisión (la)
déclaration : declaración (la)
décoller : despegar
décolleté : escotado
décor : decoración (la)
décorateur : decorador (el)
décoration : condecoración (la)
découvrir : descubrir
décrire : describir
déduire : deducir
défait : desencajado
défendre : defender
défilé des toreros : paseíllo (el)
définitif : definitivo
déjà : ya
déjeuner : comida (la)
demain : mañana
demander : pedir, preguntar, rogar
demarrer : arrancar
demi : medio
dénouement : desenlace (el)
dent : diente (el)
dentifrice : pasta dentífrica (la)
départ : salida (la)
dépasser : adelantar
dépendre : depender
déposer plainte : poner una denuncia
dépôt d'ordures : basurero (el)
depuis : desde, desde hace ; **...jusqu'à** : desde ... hasta
député : diputado (el)
déranger : molestar
dernier : pasado, último
déroulement : desarrollo (el)
dérouler, se ~ : desarrollarse
derrière : detrás
dès : à partir de
désagréable : desagradable
descendre : bajar
désert : desierto (el), páramo (el)
désinfectant : desinfectante (el)
désirer : desear
désormais : en adelante
dessert : postre (el)
destinataire : destinatario (el)
détail : detalle (el)
détruire : destruir

dette : deuda (la)
deux jours après : a los dos días
devant : delante de
devenir fou : volverse loco
devis : presupuesto (el)
devoir : deber
dialoguer : dialogar
différence : diferencia (la)
différent : diferente, distinto
difficile : difícil
diffusion : difusión (la)
digne : digno
dignité : dignidad (la)
diminuer : disminuir
dîner : cenar
dîner : cena (la)
diplôme : diploma (el)
dire : decir
directeur : director (el)
diriger : dirigir
discothèque : discoteca (la)
discours : discurso (el)
disparaître : desaparecer
disponibilité : disponibilidad (la)
disposé : dispuesto
disposer : disponer
disque : disco (el)
distillé : destilado
distingué : distinguido
distribuer : distribuir
distinction : notable ; **la plus grande** ~ : matrícula de honor
divan : sofá (el)
diviser : dividir
divorcé : divorciado
divorcer : divorciarse
dixième : décimo (el)
docteur : doctor (el)
document : documento (el)
doigt : dedo (el)
domestique : doméstico
domicile : domicilio (el)
donc : así que
donner : dar ; ~ **le biberon** : dar el biberón ; ~ **le sein** : dar el pecho ; ~ **sur** : dar a ; ~ **un acompte** : dar una señal ; ~ **un spectacle** : dar un espectáculo ; ~ **une pièce de théâtre** : poner una obra de teatro
dormir : dormir
dos : espalda (la)
double : doble
douche : ducha (la)
douleur : dolor (el)
doute : duda (la)
doux : suave

drame : drama (el)
drap de bain : toalla de baño (la)
drap de lit : sábana (la)
droit : derecho
du jour au lendemain : de la noche a la mañana
dur : duro
dynastie : dinastía (la)
eau : agua (el)
ébéniste : ebanista (el)
échantillon : muestra (la)
écharpe : bufanda (la)
échec : fracaso (el), suspenso (el)
échelle : escalera (la)
échoppe : puesto (el)
échouer : suspender
éclair : relámpago (el)
éclairer : deslumbrar
école : colegio (el), escuela (la)
économique : económico
écossais : escocés
écouter : escuchar
écran : pantalla (la)
écrire : escribir
effectuer un contrôle : llevar un control
effervescent : efervescente
égal : igual
église : iglesia (la)
égyptien : egipcio
eh ! : ¡eh!
eh bien : pues
électricien : electricista (el)
électrique : eléctrico
électroménager : electrodoméstico (el)
élégance : gracia (la), elegancia (la)
élégant : elegante
élément : elemento (el)
élève : alumno (el)
élevé : educado
éloge : elogio (el)
émailler : esmaltar
embarquement : embarque (el)
embouteillage : embotellamiento (el)
embrasser : abrazar
embrouillement : lío (el)
émission : emisión (la)
emmener : llevar
employé : empleado (el)
employer : emplear
emporter : llevar
empressement : prisa (la)
en : en ; ~ **descendant la rue** : calle abajo ; ~ **dessous de** : debajo

de ; ~ **face de** : enfrente de, frente a ; ~ **fin d'après-midi** : al atardecer ; ~ **haut** : arriba ; ~ **long et en large** : con pelos y señales ; ~ **montant la rue** : calle arriba ; ~ **panne** : estropeado ; ~ **premier lieu** : en primer lugar ; ~ **première page** : en primera plana ; ~ **un clin d'oeil** : en un abrir y cerrar de ojos

encastrer : empotrar
enchanté : encantado
encore : todavía
endetté : endeudado
endroit : sitio (el)
énergie : energía (la)
enfance : niñez (la)
enfant : niño (el)
enfin : bueno, en fin
enfoncer : clavar
enlever : quitar
ennui : aburrimiento (el)
ennuyer : molestar ; **s'**~ : aburrirse
énorme : enorme
enraciner : enraizar
enregistrer : facturar ; grabar
enregistreur : cassette (el)
enrhumé : acatarrado
enseigne : letrero (el)
enseigner : enseñar
ensemble : conjunto (el)
ensemble : juntos
ensuite : luego
entamer : entablar, iniciar
entendre : oír
enterrer : enterrar
enthousiasmer : entusiasmar
entier : entero
entorse : esguince (el)
entre : entre
entre-temps : mientras tanto
entrée : entrada (la), localidad (la) ; ~ **d'un immeuble** : portal (el)
entreprendre : emprender
entreprise : empresa (la)
entrer : caber, entrar
enveloppe : sobre (el)
envelopper : envolver
envie : gana (la)
environnement : medio ambiente (el)
environs : alrededores (los)
envoyer : enviar, mandar
éolien : eólico
épargner : ahorrar
éparpiller : esparcir

épaule : hombro (el)
éponge : esponja (la)
époque : época (la)
épouse : esposa (la)
époux : esposo (el)
équipage : tripulación (la)
équipe : equipo (el)
équivaloir : equivaler
escalier : escalera (la)
escargot : caracol (el)
espadrille : alpargata (la)
Espagne : España
espagnol : español
espérer : esperar
essayer : intentar; probar; probarse
essence : gasolina (la)
essoreuse : escurridora (la)
estime : estimado
estimer : valorar
estoc : estoque (el)
estomac : estómago (el)
établir : establecer
étage : planta (la), piso (el)
étagère : estante (el)
étain : estaño (el)
étal : puesto (el)
étalage : escaparate (el)
été : verano (el)
éteindre : apagar, extinguir
éternuer : estornudar
éther : éter (el)
étiquette : etiqueta (la)
étoilé : estrellado
étoile : estrella (la)
étranger : extranjero
être : estar, ser ; ~ **au courant** : estar enterado ; ~ **aux anges** : estar en la gloria ; ~ **en trop** : sobrar ; ~ **malade** : estar mal, estar malo ; ~ **urgent** : correr prisa
étroit : estrecho
étudiant : estudiante (el)
étudier : estudiar
européen : europeo
évacuation : evacuación (la)
éveiller : despertar
événement : acontecimiento (el)
évidemment : ¡claro!, desde luego, por supuesto
évident : evidente
exactement : exactamente
examen : examen (el) ; ~ **médical** : reconocimiento (el)
examiner : reconocer
excellent : excelente
exceptionnel : excepcional

excursion : excursión (la)
exemplaire : ejemplar (el)
exemple : ejemplo (el)
exercice : ejercicio (el)
exister : existir
expéditeur : remitente (el)
expérience : experiencia (la)
expérimenter : sentir
expliquer : explicar
expression : ademán (el)
exprimer : expresar ; **s'~** : expresarse
expulser : expulsar
extincteur : extintor (el)
face : cara (la)
fâcher, se ~ : : enfadarse
facile : fácil
facture : factura (la)
facturer : facturar
faillite : quiebra (la)
faim : hambre (el)
faire : hacer ; ~ **allusion à** : aludir a ; ~ **briller** : sacar brillo ; ~ **demi-tour** : dar la vuelta ; ~ **du tapage** : armar jaleo ; ~ **habillé** : vestir ; ~ **la queue** : hacer cola ; ~ **la sieste** : echarse la siesta ; ~ **le plein** : llenar el depósito ; ~ **le tour de** : dar la vuelta a ; ~ **marche arrière** : dar marcha atrás ; ~ **mauvaise figure** : poner mala cara ; ~ **peur** : acobardar ; ~ **plaisir** : dar gusto ; ~ **un pas** : dar un paso ; ~ **un tour** : dar una vuelta ; ~ **une déclaration** : prestar declaración ; ~ **une mise en plis** : marcar ; ~ **une promenade** : dar un paseo
famille : familia (la)
fanfare : banda (la)
farceur : bromista (el)
farci : relleno
fatigué : cansado
fatigue : cansancio (el)
fatiguer : cansar ; **se ~** : : cansarse
faubourg : suburbio (el)
faune : fauna (la)
faute : falta (la)
fauteuil : butaca (la), sillón (el) ; ~ **du parterre** : butaca de patio ; ~ **du premier balcon** : butaca de entresuelo ; ~ **du premier rang** : butaca de delantera
faux jumeaux : mellizos (los)
faveur : favor (el)
favoriser : favorecer

félicitations : ¡enhorabuena!
féliciter : dar la enhorabuena, felicitar
femme : mujer (la)
fenêtre : ventana (la)
fer : hierro (el) ; ~ **à repasser** : plancha (la)
fermé : cerrado
fermer : cerrar
fête : fiesta (la); santo (el)
fêter : celebrar
feu : disco (el); fuego (el) ; ~ **de circulation** : semáforo (el) ; ~ **ouvert** : chimenea (la) ; ~ **rouge** : disco cerrado (el) ; ~ **vert** : disco abierto (el)
feuille : hoja (la) ; ~ **de palmier** : palmera (la)
feux : luces (las)
février : febrero
fiancé : novio (el)
fidèle : fiel
fidélité : fidelidad (la)
fièvre : fiebre (la)
fil : hilo (el)
file : cola (la)
filet : rejilla (la), red (la)
fille : chica (la)
film : película (la)
fils : hijo (el)
finalement : al fin, al final
finir (par) : acabar (por)
firmament : firmamento (el)
fixant : fijador (el)
fixe : fijo
flamand : flamenco
flamenco : flamenco
flamme : llama (la)
flâner : callejear
flèche : flecha (la)
fleur : flor (la)
fleurir : florecer
fleuve : río (el)
flore : flora (la)
flûte : flauta (la)
foie : hígado (el)
foire : feria (la)
fois : vez (la)
folklore : folklore (el)
folklorique : regional
fonctionner : funcionar
fond : fondo (el)
fontaine : fuente (la)
football : fútbol (el)
forcé : forzado
forêt : selva (la)

forme : forma (la)
formidable : estupendo, formidable
formulaire : impreso (el)
fort : fuerte, alto (musique)
fortune : fortuna (la)
fou : loco
foudre : rayo (el)
foulard : pañuelo (el)
foule : multitud (la)
four : horno (el)
fourchette : tenedor (el)
fourré : relleno
fracture : fractura (la)
fragile : frágil
frais : fresco
fraise : fresa (la)
franc : franco (el)
français : francés
France : Francia
frein : freno (el)
freiner : frenar
frère : hermano (el)
friandises : dulces (los)
frigo : nevera (la)
frire : freír
frisé : rizado
frisson : escalofrío (el)
friteuse : freidora (la)
froid : frío
froid : frío (el)
fromage : queso (el)
front : frente (el/la)
frotter : frotar
fruitier : frutal (el)
fruits : fruta (la) ; ~ **de mer** : mariscos (los)
fuir : huir
fumée : humo (el)
fumer : abonar ; fumar
fumeur : fumador (el)
fusée : cohete (el)
futur : futuro
gabardine : gabardina (la)
gagner à la loterie : tocar la lotería
gai : alegre
gaine : faja (la)
gamin : chiquillo (el)
gant de toilette : manopla (la)
gants : guantes (los)
garage : garaje (el)
garagiste : mecánico (el)
garantie : fianza (la)
garantir : garantizar
garçon : chico (el)
garde : guardia (el / la)
garder : guardar

gare : estación (la)
garer : aparcar
garçon de courses : botones (el)
gâteau : pastel (el)
gauche : izquierdo
gaz : gas (el)
gaze : gasa (la)
geler : helar
gendre : yerno (el)
gêne : molestia (la)
genou : rodilla (la)
gens : gente (la)
géranium : geranio (el)
gérant : gerente (el)
germe : germen (el)
geste : ademán (el)
gilet : chaqueta (la) ; ~ **sans manches** : chaleco (el)
glace : hielo (el)
glisser : deslizarse, resbalar
gloire : gloria (la)
gorge : garganta (la)
goût : gusto (el), sabor (el)
goûter : merienda (el)
goûter : merendar ; probar
goutte : gota (la)
gouttière : canalón (el)
gouvernement : gobierno (el)
grâce : gracia (la)
grand : alto, grande ; ~ **magasin** : almacén (el) ; ~ **-mère** : abuela (la) ; ~ **-père** : abuelo (el) ; ~ **-place** : plaza mayor (la)
grande distinction : sobresaliente
grands-parents : abuelos (los)
gratis : gratis
grave : grave
grec : griego
grêler : granizar
grève : huelga (la)
grille-pain : tostador (el)
grimaces : gestos (los)
grippe : gripe (la)
gris : gris
gros : gordo ; ~ **lot** : premio gordo (el)
grossir : engordar
groupe : grupo (el)
guérir : curar
guichet : taquilla (la)
guide : guía (el/la)
guignol : guiñol (el)
guitare : guitarra (la)
gynécologue : ginecólogo (el)
habiller : vestir ; **s'~** : vestirse
habit de lumière : traje de luces (el)

habitation : vivienda (la)
habitude : costumbre (la) ; **d'**~ **:** de costumbre
habituer : acostumbrar
hameau : aldea (la)
hand-ball : balonmano (el)
haricots : judías (las)
harpe : arpa (el)
haut : alto
haut les mains ! : ¡manos arriba!
haut-parleur : altavoz (el)
hebdomadaire : semanario (el)
hein oui ? : ¿a que sí?
héritier : heredero (el)
hésiter : dudar
heure : hora (la) ; ~ **de pointe :** hora punta
heureusement : menos mal
heureux : feliz
hier : ayer ; ~ **soir :** anoche
histoire : cuento (el), historia (la)
historique : histórico
hiver : invierno (el)
hochet : sonajero (el)
hollandais : holandés
homme : hombre (el)
hongrois : húngaro
honte : vergüenza (la)
hôpital : hospital (el)
horaire : horario (el)
horchata : horchata (la)
horizon : horizonte (el)
horloge : reloj (el)
horlogerie : relojería (la)
hors prix : por las nubes
hôtel : hotel (el) ; ~ **de ville :** ayuntamiento (el)
hôtesse d'accueil : recepcionista (la)
hôtesse de l'air : azafata (la)
huile : aceite (el)
huilier : vinagreras (las)
huître : ostra (la)
humain : humano
humide : húmedo
ici : aquí ; **d'**~ **:** dentro de
idée : idea (la)
idiot : tonto
ignorance : ignorancia (la)
il faut : hay que
il y a : hay, hace
illustre : ilustre
image : cromo (el), imagen (la)
imagination : imaginación (la)
immédiatement : en seguida, inmediatamente

immeuble : inmueble (el)
impasse : callejón sin salida (el)
imperméabiliser : impermeabilizar
imperméable : impermeable (el)
important : importante
importer : importar
imposant : imponente
imposer (s'~**) :** imponer(se)
impossible : imposible
impôt : impuesto (el)
impression : impresión (la)
imprimer : imprimir
incendie : fuego (el), incendio (el)
inconnu : desconocido
inconvénient : inconveniente (el)
indéfini : indefinido
indicateur : guía (la)
indien : indio
indiquer : indicar
individu : individuo (el)
industriel : industrial
infirmier : enfermero (el)
infirmière : enfermera (la)
influer sur : influir en
information : información (la)
informé : enterado
informer (s'~**) :** informar(se)
ingénieur : ingeniero (el)
inimaginable : inimaginable
innovation : innovación (la)
inscrire : matricular
insignifiant : insignificante
insouciant : despreocupado
installation : instalación (la)
installer : instalar
instant : instante (el)
instituteur : maestro (el)
instrument : instrumento (el)
intégrer (s'~**) :** integrar(se)
intelligent : inteligente
interdiction : prohibición (la)
interdire : prohibir
intéressant : interesante
intéressé : interesado
intéresser : interesar
intérêt : interés (el)
intérieur : interior
interroger : preguntar
intervenir : intervenir
intégration : integración (la)
intrigue : intriga (la)
inutile : inútil
invitation : invitación (la)
invité : invitado
inviter : invitar
iris : lirio (el)

irlandais : irlandés
irrégulier : irregular
israélien : israelí
italien : italiano
ivoire : marfil (el)
jamais : nunca
jambe : pierna (la)
janvier : enero
japonais : japonés
jardin : jardín (el)
jasmin : jazmín (el)
jaune : amarillo
jeter : tirar ; ~ **l'argent par les fenêtres** : tirar la casa por la ventana
jeu : juego (el)
jeudi : jueves
jeune : joven
jeunesse : juventud (la)
joie : alegría (la)
joli : bonito
jota : jota (la)
jouer : jugar ; ~ **d'un instrument** : tocar ; ~ **faux** : desafinar
joueur : jugador (el)
jouir : gozar
jour : día (el) ; ~ **des morts** : día de difuntos (el)
journal : diario (el), periódico (el)
journée : jornada (la)
joyeuses Pâques : felices Pascuas
joyeux Noël : feliz Navidad, felices Pascuas
juge : juez (el)
jugement : juicio (el)
juger : juzgar
juif : judío
juillet : julio
juin : junio
jumeaux : gemelos (los)
jupe : falda (la)
jurer : jurar
jus : zumo (el)
jusqu'à : hasta
juste : en punto
justice : justicia (la)
kermesse : verbena (la)
kilomètre : kilómetro (el)
kiosque : quiosco (el)
klaxon : claxon (el)
là : ahí
là-bas : allí
lacet : cordón (el)
lâcher : soltar
laid : feo
laisser : dejar

lait : leche (la)
laitue : lechuga (la)
lamentation : lamento (el)
lampe : lámpara (la)
lange : pañal (el)
langes : mantillas (las)
langue : idioma (el) ; lengua (la)
lapin : conejo (el)
laque : laca (la)
large : ancho
las : harto
latino-américain : latinoamericano
lavabo : lavabo (el)
lave-vaisselle : lavaplatos (le)
laver ; **se** ~ : lavarse ; ~ **la vaisselle** : fregar
lendemain, le ~ : al día siguiente
légumes : verduras (las)
lent : lento
lentement : despacio
lequel : cuál
lettre : carta (la) ; ~ **de change** : letra de cambio (la)
lever : ~ **du jour** : amanecer ; ~ **du soleil** : salida del sol
lever : subir ; ~ **le rideau** : subir el telón
lever, se ~ : levantarse ; **se** ~ **(le jour)** : amanecer ; **se** ~ **(soleil)** : salir ; **se** ~ **tôt** : madrugar
lèvre : labio (el)
leçon : lección (la)
libraire : librero (el)
librairie : librería (la)
libre : libre
lieu : lugar (el)
limonade : gaseosa (la)
linguistique : lingüística (la)
lire : leer
lis : azucena (la)
lisse : liso
lit : cama (la)
litre : litro (el)
livre : libro (el) ; ~ **scolaire** : libro de texto (el)
livret : libreto (el)
local : local
locataire : inquilino (el)
locomotive : máquina (la)
loge : palco (el)
logique : lógico
loi : ley (la)
loin : lejos ; ~ **de** : lejos de
long : largo
loterie : lotería (la), rifa (la)

lotion : loción (la)
louer : alquilar ; elogiar
lourd : pesado
loyer : alquiler (el)
lumière : luz (la)
lundi : lunes
lune : luna (la)
lutter : luchar
lycée : instituto (el)
machine : máquina (la) ; ~ **à écrire** :
   máquina de escribir (la) ; ~ **à**
   laver : lavadora (la)
madame : doña, señora
mademoiselle : señorita
madrilène : madrileño
magasin : tienda (la) ; ~ **de**
   chaussures : zapatería (la) ; ~ **de**
   fleurs : florería (la) ; ~ **de fruits** :
   frutería (la)
magnétophone : magnetófono (el)
magnétoscope : vídeo (el)
magnifique : precioso
mai : mayo
maillot de bain : traje de baño (el)
main : mano (la)
maintenant : ahora
mais : pero, sino
maison : casa (la) ; ~ **de**
   campagne : casa de campo (la)
maître : amo (el)
majorité : mayoría de edad (la),
   mayoría (la)
mal : mal
malade : enfermo
maladie : enfermedad (la)
malgré : a pesar de
malin : listo
maman : mamá (la)
manger : comer
maniable : manejable
manie : manía (la)
manière : manera (la), modo (el)
manifestation : manifestación (la)
manquer : faltar ; **ne pas** ~ **de** : no
   dejar de
manteau : abrigo (el)
maquiller, se ~ : pintarse
marchandage : regateo (el)
marchander : regatear
marche : marcha (la) ; ~ **arrière** :
   marcha atrás
marché : mercado (el) ; ~ **aux**
   puces : Rastro (el)
marcher : andar
mardi : martes
marée : marea (la)

marguerite : margarita (la)
mari : marido (el)
marié : casado
marier, se ~ : casarse
marionnette : marioneta (la),
   muñeco (el), títeres (los)
Maroc : Marruecos
marocain : marroquí
marque : marca (la)
marqueur : rotulador (el)
marron : castaña, marrón
mars : marzo
massepain : mazapán (el)
matador : matador (el)
match : partido (el)
matelas : colchón (el)
maternité : maternidad (la)
mathématiques : matemáticas (las)
matière : materia (la)
matin : mañana (la)
mauvais : malo
maçon : albañil (el)
mécanicien : mecánico (el)
mèche : mecha (la) ; **se faire des** ~ :
   darse mechas
médecin : médico (el)
médicament : medicina (la)
méditerranéen : mediterráneo
mégot : colilla (la)
meilleur : mejor
mélodie : melodía (la)
melon : melón (el)
même : mismo ; ~ **si** : aunque
menottes : esposas (las)
mention : calificación (la)
mentir : mentir
menton : barbilla (la)
menu : menú
menuisier : carpintero (el)
mer : mar (el)
merci : gracias
mercredi : miércoles
mercurochrome : mercromina (la)
mère : madre (la)
méridional : meridional
mériter : merecer
merlan : pescadilla (la)
merluche : merluza (la)
merveilleux : maravilloso
messe : misa (la)
mesurer : medir
métal : metal (el)
méthode : método (el)
mètre : metro (el)
métro : metro (el)
mettre : meter, poner ; ~ **l'eau à la**

bouche : poner los dientes largos ; **se ~ en quatre** : deshacerse ; **se ~ en route** : ponerse en camino
meuble : mueble (el)
Mexique : Méjico
mexicain : mejicano
micro : mocrófono (el)
microordinateur : miniordenador (el)
midi : mediodía
mieux : mejor ; **~ vaut tard que jamais** : más vale tarde que nunca
mille : mil
million : millón
mimiques : gestos (los)
mince : delgado
minéral : mineral (el)
ministre : ministro (el)
minuit : medianoche
minuscule : diminuto
miroir : espejo (el)
mixeur : batidora (la)
mode : modo (el) ; moda (la)
modèle : modelo (el)
moderne : moderno
modique : módico
moins : menos
mois : mes (el)
moment : momento (el), rato (el)
mon Dieu : Dios mío
monarchie : monarquía (la)
moniteur : monitor (el)
monnaie : cambio (el)
monsieur : don, señor
montagne : montaña (la), sierra (la)
monter : subir
montre : reloj de pulsera (el)
montrer : enseñar
monument : monumento (el)
moquette : moqueta (la)
mort : muerte (la)
mot : palabra (la)
moteur : motor (el)
motif : motivo (el)
moto : moto (la)
mou : blando
mouchoir : pañuelo (el)
moufle : manopla (la)
mouiller : mojar
moule : mejillón (el)
moulin à café : molinillo (el)
mourir : morir
moût : mosto (el)
mouvement : movimiento (el)
muet : mudo
mules : pantuflas (las)

muleta : muleta (la)
multiple : múltiple
multiplier : multiplicar
mur : muro (el), pared (la)
mûr : maduro
musée : museo (el)
musical : musical
musicien : músico (el)
musique : música (la)
musulman : musulmán
mystère : misterio (el)
n'est-ce-pas : no
n'importe quel : cualquier
n'importe qui : cualquiera
nager : nadar
naissance : nacimiento (el)
naître : nacer
natation : natación (la)
nation : nación (la)
nationalité : nacionalidad (la)
nature : naturaleza (la)
naturel : natural
ne... pas : no
ne plus : ya no
nécessaire : necesario
négation : negación (la)
neige : nieve (la)
neiger : nevar
nettoyage : limpieza (la)
nettoyer : limpiar
neveu : sobrino (el)
nez : nariz (la)
ni : ni
Noël : Navidad (la)
nœud : lazo
noir : negro
noix : nuez (la)
nom : nombre (el) ; **~ et adresse de l'expéditeur** : remite (el)
nombre : numéro (el)
nombreux : numeroso
non : no
nord : norte (el)
normal : corriente, natural
noter : apuntar
nouveau : nuevo
nouveau-né : recién nacido (el)
nouvel an : Año nuevo (el)
nouvelle : noticia (la)
novembre : noviembre
noyer, se ~ : ahogarse
nuage : nube (la)
nucléaire : nuclear
nuit : noche ; **la ~** : por la noche ; **la ~ porte conseil** : consultar algo con la almohada

nuit de la Saint-Sylvestre :
  Nochevieja
nuit de Noël : Nochebuena
numéro : número (el)
numéroter : numerar
obéir : obedecer
objet : cacharro (el), objeto (el)
obligatoire : obligatorio
obliger : obligar
obscurité : oscuridad (la)
observer : observar
obtenir : conseguir
occasion, d'~ : de segunda mano
occupé : ocupado
occuper : ocupar ; **s'**~ **de** :
  ocuparse de, atender a
océanique : oceánico
octobre : octubre
odeur : olor (el)
oeil : ojo (el)
oeillet : clavel (el)
oeuvre : obra (la)
offrir : brindar, ofrecer
oh, la, la ! : ¡huy!
oie : oca (la)
oignon : cebolla (la)
oiseau : ave (el), pájaro (el)
olive : aceituna (la)
olympique : olímpico
ombre : sombra (la)
on : uno
oncle : tío (el)
ondulé : ondulado
opéra : ópera (la)
opération : operación (la)
opportun : acertado
opportunité : conveniencia (la)
optimiste : optimista
or : oro (el)
orage : tormenta (la)
orange : naranja (la)
orangeade : naranjada (la)
orchestre : orquesta (la)
ordinateur : ordenador (el)
ordonné : ordenado
ordre : orden (la/el)
ordures : basura (la)
oreille : oído (el) ; oreja (la)
oreiller : almohada (la)
organiser : organizar
ornement : adorno (el)
où : adonde, donde ; **d'**~ : de donde
où (interr.) : adónde, dónde ; **d'**~ :
  de donde
oublier : olvidarse de
ouest : oeste (el)

oui : sí
ouïe : oído (el)
outil : herramienta (la)
ouvert : abierto
ouvreur : acomodador (el)
ouvrier : obrero (el)
ouvrir : abrir, iniciar
oxygéner : oxigenar
paella : paella (la)
pain : pan (el)
paire : pareja (la), par (el)
paix : paz (la)
palais : palacio (el)
palmier : palmera (la)
panaméen : panameño
panne : avería (la)
pansements : tiritas (las)
pantalons : pantalones (los)
pantoufles : zapatillas (las)
papa : papá (el)
papeterie : papelería (la)
papier : papel (el)
paquebot : trasatlántico (el)
Pâques : Pascua (la)
paquet : paquete (el)
par : por ; ~ **avion** : aéreo ; ~
  conséquent : por tanto
parador : parador (el)
paraguayen : paraguayo
parapluie : paraguas (el)
parc : parque (el)
parce que : porque
parcourir : recorrer
parcours : recorrido (el)
pareil : igual
parents : padres (los)
paresse : pereza (la)
parfait : perfecto
parfois : a veces
parfum : perfume (el)
parlement : parlamento (el)
parler : hablar
parlophone : portero automático (el)
paroles d'une chanson : letra (la)
parquer : aparcar
parquet : entarimado (el), parquet
  (el), tarima (la)
parti : partido (el)
participer à : participar en
partie : parte (la)
partir : salir
partition : partitura (la)
pas : paso (el)
pas : no ; ~ **encore** : todavía no
pasodoble : pasodoble (el)
passage : paso (el) ; ~ **à niveau** :

paso a nivel (el) ; ~ **pour piétons :** paso de peatones (el)
passé : pasado
passe : ~ **de cape :** lance de capa (el) ; ~ **-temps :** pasatiempo (el) ;
passeport : pasaporte (el)
passer : pasar ; ~ **un film :** poner una película
pastille : pastilla (la)
patience : paciencia (la)
patient : paciente
patin : patín (el)
patinage : patinaje (el)
pâtisserie : pastelería (la)
patrie : patria (la)
patte : pata (la)
pauvre : pobre
payement : pago (el)
payer : pagar
pays : país (el)
paysage : paisaje (el)
peau de chamois : gamuza (la)
pêcher : pescar
pêcheur : pescador (el)
pédale : pedal (el)
peigne : peine (el)
peigner, se ~ : peinarse
peintre : pintor (el)
peinture : pintura (la)
pendant : durante, mientras
penser : pensar
pension : pensión (la)
pente : pendiente (la)
Pentecôte : Pentecostés
perdre : perder
père : padre (el)
perfection : perfección (la)
perfectionner : perfeccionar
permanente : permanente (la)
perroquet : loro (el)
persil : perejil (el)
personnage : personaje (el)
personne : nadie
personne : persona (la)
personnel : personal
péruvien : peruano
peseta : peseta (la)
petit : bajo, pequeño ; ~ **déjeuner :** desayuno (el) ; ~ **matin :** madrugada (el) ; ~ **pois :** guisante (el) ; ~ **-fils :** nieto (el)
petite boutique : puesto (el)
peu : poco
peuplier : álamo (el)
peur : miedo (el), susto (el)
peut-être : quizá(s), tal vez

phare : faro (el)
pharmacie : farmacia (la)
pharmacien : farmacéutico (el)
pharyngite : faringitis (la)
phase : fase (la); suerte (la)
photo : foto (la)
photographie : fotografía (la)
phrase : frase (la)
physique : físico
piano : piano (el)
picador : picador (el)
pickpocket : carterista (el)
pied : pie (el)
piège : trampa (la)
pierre : piedra (la)
piéton : peatón (el)
pile : pila (la)
pilule : píldora (la)
pin : pino (el)
pinède : pinar (el)
pintade : pintada (la)
pique : vara (la)
piquer : picar
piqûre : inyección (la)
pire : peor
pirouette : pirueta (la)
piscine : piscina (la)
piste : pista (la)
pistolet : pistola (la)
placard : armario empotrado (el)
place : localidad (la), sitio (el) ; plaza (la)
placer : colocar
plafond : techo (el)
plage : playa (la)
plaindre, se ~ : quejarse
plainte : denuncia (la)
plaire : apetecer ; **s'il vous plaît :** por favor
plaisanterie : broma (la)
plan : plan (el)
planète : planeta (el)
planter : plantar
plastique : plástico (el)
plat : liso
plat du jour : plato del día (el)
platane : plátano (el)
plate-forme : plataforma (la)
plâtrer : escayolar
plein : lleno, pleno ; ~ **à craquer :** hasta los topes
pleurer : llorar
pleuvoir : llover ; ~ **à seaux :** llover a cántaros ; ~ **à verse :** diluviar
plombier : fontanero (el)
pluie : lluvia (la)

plus : más ; ~/**moins... plus/ moins** : cuanto más/menos... más/ menos ; ~ **ou moins** : más o menos
plusieurs : varios
plutôt : más bien, mejor dicho
poche : bolsillo (el)
poignet : muñeca (la), puño (el)
point : punto (el)
pointe : punta (la)
poinçonner : picar
poire : pera (la)
poireau : puerro (el)
poisson : pescado (el), pez (el)
poissonnerie : pescadería (la)
poivre : pimienta (la)
poivron : pimiento (el)
polaire : polar
police : policía (la)
polichinelle : polichinela (el)
policier : policía (el)
polluer : contaminar
pollution : contaminación (la), polución (la)
polonais : polaco
pommade : pomada (la)
pomme : manzana (la) : ~ **de terre** : patata (la)
pompe à essence : gasolinera (la)
pompier : bombero (el)
poncer : lijar
ponctuel : puntual
populaire : popular
popularité : popularidad (la)
porc : cerdo (el)
porcelaine : porcelana (la)
porte : puerta (la)
porte-manteau : perchero (el)
portée : alcance (el)
portefeuille : cartera (la)
porter : llevar
portier : portero (el)
portoricain : puertorriqueño
portrait : retrato (el)
portugais : portugués
position : posición (la)
possible : posible
post-scriptum : posdata (la)
poste : correos (los)
poster une lettre : echar una carta
postérieur : trasero
pot de fleurs : maceta (la), tiesto (el)
pot-au-feu : cocido (el)
potager : huerto (el)
potiron : calabaza (la)
poule : gallina (la)

poulet : pollo (el)
pouls : pulso (el)
poumons : pulmones (los)
poupée : muñeco (el)
pour : por, para ; ~ **le moment** : de momento
pourboire : propina (la)
pourrir : podrir
pousser : brotar ; empujar
poussière : polvo (el)
pouvoir : poder
praline : bombón (el)
pratique : práctico
pratique : práctica (la)
pré : prado (el)
précédent : anterior
précieux : precioso
préférable : preferible
préférer : preferir
préjugé : prejuicio (el)
premier : primero
prendre : coger, tomar ; ~ **le petit déjeuner** : desayunar ; ~ **les poussières** : limpiar el polvo ; ~ **rendez-vous** : pedir hora ; ~ **un bain** : bañarse ; ~ **une douche** : ducharse
prénom : nombre (el)
préoccuper : preocupar, **se** ~ : preocuparse
préparer : arreglar, preparar ; **se** ~ : arreglarse, prepararse
préposition : preposición (la)
près de : cerca de
présent : presente
présentation : presentación (la)
présenter : presentar, **se** ~ : presentarse
président : presidente (el)
presque : casi
presse : prensa (la)
pressentir : presentir
prêt : listo
prêter serment : prestar juramento
preuve : prueba (la)
prévenir : prevenir
prévoir : prever
prince : príncipe (el)
princesse : princesa (la)
printemps : primavera (la)
prioritaire : preferente
priorité : prioridad (la)
prison : cárcel (la)
prix : precio (el) ; ~ **de vente** : precio de venta (el)
probable : probable

problème : problema (el)
prochain : próximo
proche de : cercano a
produire : producir ; **se ~** : ocurrir
professeur : profesor (el) ; **~
    d'université et de lycée** :
    catedrático (el)
profiter de : aprovechar
profond : profundo
programme : programa (el)
programmeur : programador (el)
projet : plan (el)
proliférer : proliferar
promenade : paseo (el)
promener : pasear ; **se ~** : pasearse
promettre : prometer
prononcer : pronunciar
proposer : proponer
propre : limpio
propriétaire : amo (el), dueño (el),
    propietario (el)
protestant : protestante
protocole : protocolo (el)
province : provincia (la)
provoquer : provocar
prune : ciruela (la)
psychologique : psicológico
public : público (el)
puisque : puesto que
pull : jersey (el)
pur : puro
pêche : melocotón (el)
quai : andén (el)
qualité : calidad (la)
quand : cuando
quand (interr) : cuándo
quantité : cantidad (la)
quart : cuarto (el)
quartier : barrio (el)
que : que
quel : cuál, qué ; **~ dommage** : ¡qué
    pena!
quelconque : cualquiera
quelqu'un : alguno, alguien
quelque : alguno ; **~ chose** : algo
quelques : unos, unos cuantos
question : cuestión (la), pregunta (la)
queue : cola (la), rabo (el)
qui : quién
quoi : que, qué
quoique : aunque
race : raza (la)
raconter : contar
radiateur : radiador (el)
radieux : radiante
radio : radio (la)

radioactif : radiactivo
radis : rábano (el)
raide : tieso
raie : raya (la)
raisins : uvas (las)
raison : razón (la)
ramer : remar
ranger : ordenar
rapide : rápido
rapidement : pronto
rappeler : recordar
raser : afeitar ; **se ~** : afeitarse
rasoir : navaja (la) ; **~ électrique** :
    máquina de afeitar (la)
rate : bazo (el)
rayé : rayado
rayon : sección (la)
rayonnage : estante (el)
réagir : reaccionar
réaliste : realista
réalité : realidad (la)
rébus : jeroglífico (el)
recaler : suspender
récapitulation : recapitulación (la)
réduire : reducir
réel : real
reflet : reflejo (el)
réflexion : reflexión (la)
réformer : reformar
refroidir, se ~ : resfriarse
regarder : mirar
région : comarca (la)
regretter : echar de menos, sentir
relâcher : soltar
remarquer : notar
remède : remedio (el)
remédier : remediar
remercier : agradecer
remonter : dar cuerda a
remplacer : sustituir
remplir : rellenar
renaître : renacer
rencontre : encuentro (el)
rencontrer : encontrar
rendez-vous, se donner ~ : quedar
rendre : devolver ; **~ fou** : volver
    loco ; **~ la monnaie** : dar la
    vuelta ; **se ~ compte** : darse
    cuenta
renoncer : renunciar
renseignements : razón (la)
réparer : arreglar
repasser : planchar
répéter : repetir
répondre : contestar, responder
repos : reposo (el)

reposer, se ~ : descansar
représentation : función (la)
représenter : representar
reproduction : reproducción (la)
réputation : fama (la)
réservation : reserva (la)
réserver : reservar
réservoir : depósito (el)
résidence : vivienda (la)
résidu : residuo (el)
résonner : sonar
résoudre : resolver
respecter : cumplir, guardar
respirer : respirar
restant : restante
restaurant : restaurante (el)
rester : quedarse
résultat : resultado (el)
résulter : resultar
retaper : arreglar
retarder : estar atrasado
retirer : quitar
retourner : volver
réunion : reunión (la), tertulia (la)
réussi : acertado
réussir : aprobar ; **~ à** : conseguir
réveil : despertador (el)
réveiller (se ~) : despertar(se)
revenir : volver
rêver : soñar
revue : revista (la)
rez-de-chaussée : planta baja
reçu : justificante (el)
rhum : ron (el)
rhume : catarro (el)
riche : rico
rideau : cortina (la), telón (el), visillos (los)
rien : nada
rincer : aclarar
rire : reír
rivière : río (el)
robe : vestido (el)
robinet : grifo (el)
rodage : rodaje (el)
roi : rey (el) ; **~ et reine** : reyes (los)
roman : novela (la)
romantique : romántico
romantisme : romanticismo (el)
rond-point : rotonda (la)
ronde : corro (el)
rose : rosa
rosé : clarete
roue : rueda (la)
rouge : rojo, tinto, cerrado (feu)
rouleau : ruló (el)

route : carretera (la)
roux : pelirrojo
royal : real
rubrique des spectacles : cartelera (la)
rue : calle (la)
ruelle : bocacalle (la), callejón (el)
rugueux : áspero
russe : ruso
sac : bolsa (la) ; **~ à main** : bolso de mano (el)
sage-femme : comadrona (la)
sain : sano
saint : santo
saison : estación (la), temporada (la)
salade : lío (el)
salaire : sueldo (el)
salle : aula (el), sala (la) ; **~ de bains** : cuarto de baño (el), baño (el) ; **~ de séjour** : cuarto de estar (el)
salon : salón (el) ; tresillo (el) ; **~ de coiffure** : peluquería (la)
saluer : saludar
salut : ¡hola!
samedi : sábado
sandales : sandalias (las)
sandwich : bocadillo (el)
sang : sangre (la)
sans : sin ; **~ cesse** : sin parar
santé : salud (la)
sapin : abeto (el) ; **~ de Noël** : árbol de Navidad (el)
sardane : sardana (la)
sardine : sardina (la)
satellite : satélite (el)
satire : sátira (la)
satisfaction : aprobado
saucisson au piment : chorizo (el)
saut : salto (el)
sauter : dar saltos, saltar
sauvetage : salvamento (el)
savates de plage : chanclas (las)
saveur : sabor (el)
savoir : saber
savon : jabón (el)
savourer : saborear
scénario : guión (el)
scène : escenario (el)
séance : sesión (la)
sec : seco
sèche-cheveux : secador (el)
sécher : secar
secouer : sacudir
secret : secreto (el)
secrétaire : secretario (el)

séguedille : seguidilla (la)
sein : pecho (el)
séjour : estancia (la)
sel : sal (la)
self-service : autoservicio (el)
selon : según
semaine : semana (la)
semblable : semejante
sembler : parecer
semelle : suela (la)
semer : sembrar
sénat : Congreso (el), Senado (el)
sénateur : senador (el)
sens : dirección (la)
sensation : sensación (la)
sensationnel : sensacional
sentir : oler ; sentir
séparé : separado
séparer : separar, **se ~ :** separarse
septembre : septiembre
sérieux : seriedad (la)
seringue : jeringa (la)
serment : juramento (el)
serrure : cerradura (la)
serveur : camarero (el)
service : favor (el), servicio (el)
serviette : cartera (la) ; servilleta
(la) ; **~ de toilette :** toalla (la)
session : convocatoria (la)
seul : solo
seulement : sólo
sévillan : sevillano
shampooing : champú (el)
si : si ; tan
siècle : siglo (el)
sieste : siesta (la)
signal : señal (la)
signature : firma (la)
signer : firmar
signifier : significar
silence : silencio (el)
silencieux : silencioso
silhouette : silueta (la)
simple : sencillo, simple
singulier : singular
sinistre : siniestro
situation : situación (la)
ski : esquí (el)
skier : esquiar
skieur : esquiador (el)
slip : bragas (las), calzoncillos (los)
soif : sed (la)
soigner : cuidar, curar
soir : noche (la) ; **le ~ :** por la noche
sol : suelo (el)
solaire : solar

soldes : rebajas (las)
sole : lenguado (el)
soleil : sol (el)
solution : solución (la)
solutionner : solucionar
sommeil : sueño (el)
son : sonido (el)
sonner : sonar
sorte : clase (la)
sortie : salida (la)
sortir : salir ; brotar
sot : tonto
soudain : de repente
souffler : soplar
soulier : zapato (el)
souliers vernis : zapatos de charol
(los)
soupçonner : sospechar
sourd : sordo
sourire : sonrisa (la)
souris : ratón (el)
soustraire : restar
soutien-gorge : sostén (el)
souvenir : recuerdo (el)
souvenir, se ~ de : acordarse de
souvent : muchas veces, a menudo
sparadrap : esparadrapo (el)
spécialité : especialidad (la)
spectacle : espectáculo (el)
spectaculaire : aparatoso
spectateur : espectador (el)
splendide : precioso
sport : deporte (el)
sportif : deportista (el)
stade : estadio (el)
stand : caseta (la)
stationner : estacionar
stylo à bille : bolígrafo (el)
subside : subsidio (el)
succès : éxito (el)
successif : sucesivo
succursale : sucursal (la)
sucer : chupar
sucette : chupete (el)
sucre : azúcar (el)
sud : sur (el)
suffire : bastar
suggérer : sugerir
Suisse : Suiza
suivant : siguiente
suivre : seguir
sujet : argumento (el)
supermarché : supermercado (el)
supporter : aguantar
supposer : suponer
suppositoire : supositorio (el)

sur : sobre ; ~ **le dos** : boca arriba, de espaldas ; ~ **le ventre** : boca abajo
sûr : seguro, cierto
surtout : sobre todo
surveiller : vigilar
syndicat : sindicato (el)
table : mesa (la) ; ~ **de nuit** : mesilla (la)
tableau : cuadro (el) ; encerado (el)
tailler : talar
tailleur : traje de chaqueta (el)
taire (se ~) : callar(se)
talc : polvos de talco (los), talco (el)
talon : talón (el) ; ~ **d'une chaussure** : tacón (el)
tambour : tambor (el)
tambourin : pandereta (la)
tapage : jaleo (el)
tapis : alfombra (la)
tapissier : empapelador (el), tapicero (el)
tard : tarde
tarte : tarta (la)
taureau : toro (el)
taux : índice (el)
taxi : taxi (el)
teindre : teñir
teinture : tinte (el)
télécabine : telecabina (la)
téléphone : teléfono (el)
téléphoner : llamar, telefonear
télésiège : telesilla (el)
téléski : telesquí (el)
téléspectateur : telespectador (el)
télévision : televisión (la)
tellement : tan
témoin : testigo (el)
temps : tiempo (el)
tenir chaud : dar calorcito
tennis : tenis (el)
terminer : terminar
terrain de football : campo de fútbol (el)
terrasse : terraza (la)
terre : tierra (la) ; ~ **cuite** : barro cocido (el)
terrible : terrible
test : prueba (la), test (el)
tête : cabeza (la)
téter : mamar
thé : té (el)
théâtre : teatro (el)
thème : tema (el)
thermomètre : termómetro (el)
thon : atún (el) ; ~ **frais** : bonito (el)

ticket : ticket (el)
timbre : sello (el)
tirer : sacar
tiroir : cajón (el)
titre : título (el)
toit : tejado (el)
tomate : tomate (el)
tombée : **du jour** : atardecer (el) ; ~ **de la nuit** : anochecer (el)
tomber : caer, caerse ; ~ **malade** : caer enfermo
tombola : tómbola (la)
tonner : tronar
tonnerre : trueno (el)
topique : tópico (el)
tordre : torcer
torero : torero (el)
tôt : pronto, temprano ; ~ **ou tard** : tarde o temprano ; **le plus** ~ **possible** : cuanto antes
total : total
toucher : cobrar ; tocar
toujours : siempre
tour : giro (el), vuelta (la) ; torre (la) ; **c'est mon** ~ : me toca
touriste : turista (el)
tourne-disques : tocadiscos (el)
tourner : girar ; ~ **à droite** : doblar a la derecha ; ~ **à gauche** : doblar a la izquierda
tourniquet : puerta giratoria (la)
touron : turrón (el)
Toussaint : Todos los Santos
tousser : toser
tout : todo ; ~ **de suite** : en seguida
toxique : tóxico
tradition : tradición (la)
traduire : traducir
trafic : tráfico (el)
tragédie : tragedia (la)
train : tren (el)
traîneau : trineo (el)
traîner : arrastrar
traits : facciones (las)
tramer : tramar
tramway : tranvía (el)
tranquille : tranquilo
transfert : transferencia (la)
transistor : transistor (el)
travail : trabajo (el)
travailler : trabajar
travailleur : trabajador (el)
travaux : obras (las)
traverser : atravesar
traverser : cruzar
très : muy

trésor : tesoro (el)
triste : triste
tromper : engañar ; **se tromper** : equivocarse
trompette : trompeta (la)
tronc : tronco (el)
trop : demasiado
trottoir : acera (la)
trou : hueco (el), hoyo (el)
troupe théâtrale : compañía de teatro (la)
trouver : dar con, encontrar
tryptique : tríptico (el)
tuer : matar
tulipe : tulipán (el)
tunnel : túnel (el)
T.V.A. : I.V.A.
type : tipo (el)
typique : castizo
uni : unido
unique : único
université : universidad (la)
urgence : urgencia (la)
urine : orina (la)
usine : fábrica (la)
ustensile : cacharro (el)
utile : útil
vacances : vacaciones (las)
vacciner : vacunar
vache : vaca (la)
vague : ola (la)
vaincre : vencer
valeur : valor (el)
valise : maleta (la)
vapeur : vapor (el)
variété : variedad (la)
véhicule : vehículo (el)
veille : víspera (la)
vélo : bicicleta (la)
vendeur : dependiente (el), vendedor (el)
vendre : vender
vendredi : viernes
venir : venir ; ~ **de** : acabar de
vent : viento (el)
vente : venta (la)
ventilateur : ventilador (el)
verbe : verbo (el)
verglas : hielo (el)
vérifier : comprobar, averiguar
véritable : verdadero
vérité : verdad (la)
vermouth : vermut (el)
vernir : barnizar
vernis : charol (el)
verre : cristal (el) ; vaso (el)

verser de l'argent : ingresar dinero
vert : verde, abierto (disco)
vertébral : vertebral
veste : americana (la), chaqueta (la)
vestiaire : guardarropa (el)
veston : chaqueta (la)
vêtements : prendas de vestir (las), ropa (la)
veuf : viudo
veuillez agréer : atentamente
viande : carne (la)
vide : vacío
vidéo : vídeo (el)
vie : vida (la)
vieillesse : vejez (la)
vieillir : envejecer
vieux : viejo
vif : vivo
village : pueblo (el)
ville : ciudad (la)
vin : vino (el)
vinaigre : vinagre (el)
violet : violeta, morado
violette : violeta
violon : violín (el)
virage : curva (la)
visage : cara (la)
visite : visita (la)
visiter : visitar
vitamine : vitamina (la)
vitaminé : vitamínico
vite : deprisa
vitesse : marcha (la), velocidad (la)
vitre : cristal (el)
vivant : vivo
vivre : vivir
voici : aquí tiene
voie : vía (la)
voilier : velero (el)
voir : ver
voisin : vecino
voiture : coche (el)
voix : voz (la)
vol : robo (el)
volant : volante (el)
voler : robar
voleur : ladrón (el)
volley-ball : balonvolea (el)
volume : volumen (el)
vouloir : querer
voyage : viaje (el)
voyager : viajar
vrai : castizo ; verdadero
vue : vista (la)
wagon : vagón (el)
water : váter (el)

week-end : fin de semana (el)
xérès : jerez (el)
zapatear : zapatear

zarzuela : zarzuela (la)
zone : zona (la)
zoologique : zoológico

Lexique espagnol-français

a : à ; ~ **domicilio** : à domicile ; ~
gatas : à quatre pattes ; ~ **gusto** :
à l'aise ; ~ **gusto de** : au goût de ;
~ **la búsqueda de** : à la recherche
de ; ~ **los dos días** : deux jours
après ; ~ **mano** : à la main ; ~
máquina : à la machine ; ~
medianoche : à minuit ; ~
menudo : souvent ; ~ **partir de** : à
partir de, dès ; ~ **pesar de** :
malgré ; ~ **que sí** : hein oui ; ~
veces : parfois
abeto : sapin
abierto : ouvert ; ~ **(disco)** : vert
(feu) ; ~ **(zapato)** : ouvert (soulier)
abogado : avocat
abonar : fumer
abrazar : embrasser
abrazo : baiser
abreviatura : abréviation
abrigo : manteau
abril : avril
abrir : ouvrir
absoluto : absolu
abuela : grand-mère
abuelo : grand-père
abuelos : grands-parents
aburrimiento : ennui
aburrirse : s'ennuyer
acabar de : venir de
acabar por : finir par
acatarrado : enrhumé
acceso : accès
accidente : accident
acción : action
aceite : huile
aceituna : olive
acelerar : accélérer
acento : accent
aceptar : accepter
acera : trottoir
acercar : approcher
acercarse a : s'approcher de
acero : acier
acertado : réussi ; opportun
ácido : acide
aclarar : rincer
acobardar : faire peur
acogedor : accueillant
acomodador : ouvreur
acompañar : accompagner
acondicionar : conditionner
aconsejable : conseillable

aconsejar : conseiller
acontecimiento : événement
acordarse de : se souvenir de
acostar : coucher
acostarse : se coucher
acostumbrar : habituer
actividad : activité
acto : cérémonie ; acte
actor : acteur
actriz : actrice
actuar : jouer (théâtre)
acuático : aquatique
acuchillar : décaper
acuerdo : accord
acunar : bercer
adelantar : dépasser
ademán : geste, expression
además : de plus
adherir : adhérer
adhesión : adhésion
adiós : au revoir
adolescencia : adolescence
adonde : où
adónde : où ?
adorno : ornement
adulto : adulte
aéreo : par avion, aérien
aeropuerto : aéroport
afeitar : raser
afeitarse : se raser
afinar : accorder
afirmativo : affirmatif
afueras : banlieue
agencia : agence
agenda : agenda
agosto : août
agradable : agréable
agradecer : remercier
agua : eau
aguantar : supporter
agudo : aigu
aguja : aiguille
¡ah! : ah !
¡ah! sí : ah ! oui
ahí : là
ahogarse : se noyer
ahora : maintenant
ahorrar : épargner
aire : air
ajo : ail
al : ~ **amanecer** : à l'aube ; ~
anochecer : à la tombée de la
nuit ; ~ **atardecer** : en fin d'après-

midi, à la tombée du jour ; ~
contrario : au contraire ; **~ día
siguiente** : le lendemain ; ~ **fin** :
finalement ; ~ **final** : finalement ;
~ **lado de** : à côté de ; ~ **rato** : à
l'instant, l'instant d'après
ala : aile
álamo : peuplier
alba : aube
albañil : maçon
albaricoque : abricot
albergue : auberge
alcance : portée
alcohol : alcool
aldea : hameau
alegre : gai
alegría : joie
alemán : allemand
alfombra : tapis
algo : quelque chose
algodón : coton
alguien : quelqu'un
alguno : quelqu'un, quelque
aliviar : alléger
allí : là-bas
almacén : grand magasin
almeja : clovisse
almendra : amande
almohada : oreiller
alpargata : espadrille
alquilar : louer
alquiler : loyer
alrededor de : autour de
alrededores : alentours, environs
altavoz : haut-parleur
alto : grand ; fort (musique), haut
alud : avalanche
aludir a : faire allusion à
aluminio : aluminium
alumno : élève
alusión : allusion
amabilidad : amabilité
amable : aimable
amanecer : se lever (le jour)
amanecer : lever du jour
amargo : amer
amarillo : jaune
ambiente : ambiance
ambulancia : ambulance
americana : veste
americano : américain
amigo : ami
amo : maître ; propriétaire
amplificador : amplificateur
análisis : analyse
ancho : large

anda : allons, allez
andaluz : andalou
andar : marcher
andén : quai
angina : angine
animarse a : s'animer à ; se décider
à
anoche : hier soir
anochecer : tombée de la nuit
ante : daim
anteayer : avant-hier
anterior : antérieur, précédent
antes de : avant de
anticuario : antiquaire
antiguo : ancien
anunciar : annoncer
anuncio : annonce
añadir : ajouter
año : année
año nuevo : nouvel an
apagar : éteindre
aparato : appareil ; **~ de fotos** :
appareil photos
aparatoso : spectaculaire
aparcar : parquer, garer
aparecer : apparaître
apartado : boîte postale
aparthotel : aparthôtel
aperitivo : apéritif
apetecer : avoir envie de, faire envie
aplastar : aplatir
aplaudir : applaudir
aplicar : appliquer
apreciar : apprécier
aprender : apprendre
aprobado : satisfaction ; assez bien
aprobar : réussir
aprovechar : profiter de
apuntar : noter
aquí : ici
aquí tiene : voici
árbol : arbre ; **~ de Navidad** : sapin
de Noël
arco iris : arc-en-ciel
arder : brûler
argentino : argentin
argumento : sujet
árido : aride
arma : arme
armar jaleo : faire du tapage
armario : armoire
armario empotrado : placard
arpa : harpe
arquitecto : architecte
arrancar : démarrer
arrastrar : traîner

arreglar : réparer, arranger, préparer, retaper
arreglarse : s'arranger, se préparer
arriba : en haut
arte : art
artista : artiste
ascensor : ascenseur
asegurar : assurer
así : ainsi
así que : donc
asno : âne
aspecto : aspect, allure, apparence
áspero : rugueux ; âpre
aspiradora : aspirateur
aspirina : aspirine
astro : astre
astronauta : astronaute
astronomía : astronomie
asunto : affaire
atardecer : tombée du jour
atención : attention
atender a : s'occuper de
atentamente : veuillez agréer
aterrizar : atterrir
atlas : atlas
atmósfera : atmosphère
atómico : atomique
atracar : agresser
atraco : agression
atravesar : traverser
atún : thon
aula : salle
aunque : bien que, même si, quoique
auscultar : ausculter
Australia : Australie
australiano : australien
Austria : Autriche
austriaco : autrichien
auténtico : authentique
autobús : autobus
autocar : autocar
automático : automatique
autonomía : autonomie
autopista : autoroute
autor : auteur
autoservicio : self-service
ave : oiseau
avenida : avenue
aventura : aventure
avería : panne
averiguar : vérifier
avión : avion
avisar : avertir
ayer : hier
ayuda : aide
ayudar : aider

ayuntamiento : hôtel de ville
azafata : hôtesse de l'air
azúcar : sucre
azucena : lis
azul : bleu
babero : bavoir
badén : cassis
bailar : danser
bailarín : danseur
bailarina : danseuse
baile regional : danse folklorique
bajar : descendre
bajo : petit
ballet : ballet
baloncesto : basket-ball
balonmano : hand-ball
balonvolea : volley-ball
bancario : bancaire
banco : banc ; banque
banda : fanfare
banderilla : banderille
banderillero : banderillero
banquete : banquet
bañarse : prendre un bain
bañera : baignoire
baño : salle de bains ; baignoire
baño de crema : bain-crème
bar : bar
barato : bon marché
barbilla : menton
barca : barque
barco : bateau
barnizar : vernir
barrer : balayer
barrera : barrière
barrio : quartier
barro : argile, boue
barro cocido : terre cuite
bastante : assez
bastar : suffire
bastidores : coulisses
bastón : bâton
basura : ordures
basurero : dépôt d'ordures
batidora : mixeur
batuta : baguette
bazo : rate
beber : boire
bebida : boisson
beis : beige
belén : crèche
belga : belge
Bélgica : Belgique
belleza : beauté
berenjena : aubergine
beso : baiser

betún : cirage
biberón : biberon
biblioteca : bibliothèque
bicicleta : vélo
bidé : bidet
bidón : bidon
bien : bien
billete : billet
blanco : blanc
blando : mou
blusa : chemisier
boca : bouche ; ~ **abajo** : sur le ventre ; ~ **arriba** : sur le dos
bocacalle : ruelle
bocadillo : sandwich
bolígrafo : stylo à bille
Bolivia : Bolivie
boliviano : bolivien
bolsa : sac ; bourse
bolsillo : poche ; bourse
bolso de mano : sac à main
bombero : pompier
bombón : praline
bonito : joli
bonito : thon frais
bordar : broder
bosque : bois
bostezar : bâiller
bota : botte
bote de salvamento : canot de sauvetage
bote salvavidas : canot de sauvetage
botella : bouteille
botiquín : boîte de secours
botones : garçon de courses
bragas : slip, culotte
Brasil : Brésil
brasileño : brésilien
brazo : bras
breve : bref
brindar : offrir
broma : plaisanterie
bromista : farceur
bronce : bronze
brotar : sortir, pousser
buenas noches : bonsoir, bonne nuit
buenas tardes : bonsoir, bonjour
bueno : bon
bueno : enfin
buenos días : bonjour
bufanda : écharpe
bulevar : boulevard
burro : âne
buscar : chercher
búsqueda : recherche

butaca : fauteuil ; ~ **de delantera** : fauteuil du premier rang ; ~ **de entresuelo** : fauteuil du premier balcon ; ~ **de patio** : fauteuil du parterre
buzón : boîte aux lettres
caballo : cheval
caber : entrer
cabeza : tête
cabra : chèvre
cacharro : ustensile, objet
cada : chaque ; ~ **uno** : chacun ; ~ **vez** : chaque fois
cadena estereofónica : chaîne stéréophonique
caer : tomber
caer enfermo : tomber malade
caerse : tomber
café : café ; ~ **con leche** : café au lait ; ~ **cortado** : café crème ; ~ **solo** : café noir
cafetera : cafetière
cafetería : bar, cafétéria
caída : chute
caja : caisse ; ~ **fuerte** : coffre-fort
cajón : tiroir
calabacín : courgette
calabaza : potiron
calabozo : cachot
calamar : calamar
calcetines : chaussettes
calefacción : chauffage
calefactor : chauffagiste
calendario : calendrier
calentador de agua : chauffe-eau
calentar : chauffer
calidad : qualité
cálido : chaud
caliente : chaud
calificación : mention, cote
callar(se) : (se) taire
calle : rue ; ~ **abajo** : en descendant la rue ; ~ **arriba** : en montant la rue
callejear : flâner
callejón : ruelle ; ~ **sin salida** : impasse
calmante : calmant
calor : chaleur
calzada : chaussée
calzar(se) : (se) chausser
calzoncillos : slip, caleçon
cama : lit
camarero : serveur
cambiar : changer
cambio : monnaie ; change

camino : chemin
camión : camion
camisa : chemise
camiseta : chemisette
campo : campagne ; ~ **de fútbol** : terrain de football
cana : cheveu blanc
canalón : gouttière
canario : canari
cancelar : annuler
canción : chanson
cansado : fatigué
cansancio : fatigue
cansarse : se fatiguer
cantante : chanteur
cantar : chanter
cantidad : quantité
caña : canne ; ~ **de pescar** : canne à pêche
capa : cape
capaz : capable
capital : capitale
cápsula : capsule
capullo : bouton
cara : face, visage
caracol : escargot
carácter : caractère
caramelo : bonbon
cárcel : prison
cardenal : cardinal
cargas : charges
cariño : affection
carnaval : carnaval
carne : viande, chair
carnet de cheques : carnet de chèques
carnet de identidad : carte d'identité
carnicería : boucherie
carnicero : boucher
caro : cher
carpintero : menuisier
carretera : route
carrito : chariot
carta : lettre
cartelera : rubrique des spectacles
cartera : serviette ; portefeuille
carterista : pickpocket
cartón : carton
casa : maison ; ~ **cuna** : crèche ; ~ **de campo** : maison de campagne
casado : marié
casarse : se marier
caseta : baraque de foire, stand
casi : presque
casino : casino
caso : cas

cassette : enregistreur
castaña : châtaigne, marron
castañuelas : castagnettes
castellano : castillan
castizo : vrai, typique
catálogo : catalogue
catarro : rhume
catastrófico : catastrophique
catedral : cathédrale
catedrático : professeur d'université et de lycée
católico : catholique
cavar : creuser
cebolla : oignon
ceder : céder
celebrar : fêter
cena : dîner
cenar : dîner
centro : centre
cepillo : brosse ; ~ **de dientes** : brosse à dents ; ~ **de pelo** : brosse à cheveux
cera : cire
cerca de : près de
cercano a : proche de
cerdo : porc, cochon
ceremonia : cérémonie
cereza : cerise
cerilla : allumette
cerrado : fermé; rouge (feu)
cerradura : serrure
cerrar : fermer
certificado : recommandé
cerveza : bière
chalé : maison avec jardin
chaleco : gilet sans manches
champán : champagne
champú : shampooing
chanclas : savates de plage
chaqueta : cardigan, gilet, veste, veston
charlar : bavarder
charol : vernis
cheque : chèque
chica : fille
chico : garçon
chimenea : cheminée ; feu ouvert
chiquillo : gamin
chocolate : chocolat
chófer : chauffeur
choque : choc
chorizo : saucisson au piment
chupar : sucer
chupete : sucette
ciego : aveugle
cielo : ciel

cierto : sûr, certain
cifra : chiffre
cine : cinéma
cinta : bande
cinturón : ceinture ; ~ **de seguridad** : ceinture de sécurité
ciprés : cyprès
circulación : circulation
circular : circuler
circunstancia : circonstance
ciruela : prune
ciudad : ville ; ~ **universitaria** : cité universitaire
civil : civil
clarete : rosé
clarín : clairon
claro : évidemment
claro : clair
clase : cours, classe ; sorte
clásico : classique
clavar : enfoncer
clavel : œillet
claxon : klaxon
cliente : client
clima : climat
clínica : clinique
cloro : chlore
club : club
cobrar : toucher
cobre : cuivre
coche : voiture
cocido : pot-au-feu
cocido : cuit
cocina : cuisine
codo : coude
coger : prendre ; ~ **una enfermedad** : attraper une maladie
cohete : fusée
cojín : coussin
col : chou
cola : queue, file
colaborar : collaborer
colcha : couvre-lit
colchón : matelas
colegiata : collégiale
colegio : collège, école
coles de Bruselas : choux de Bruxelles
colilla : mégot
collar : collier
colocar : placer
color : couleur
columna : colonne
comadrona : sage-femme
comarca : région, contrée
combinación : combinaison

combustible : combustible
comedia : comédie
comentar : commenter
comentario : commentaire
comenzar : commencer
comer : manger
comercial : commercial
comercio : commerce
cometa : comète
comida : déjeuner
comisaría : commissariat
comisario : commissaire
comisión europea : commission européenne
cómo : comment ?
como : comme
cómodo : confortable
compañía de teatro : troupe théâtrale
comparar : comparer
complejo : complexe
componer : composer
comprar : acheter
compras : courses
comprender : comprendre
comprensión : compréhension
comprimido : comprimé
comprobar : vérifier
comunicar : communiquer
comunidad : communauté
Comunidades europeas : Communautés européennes
con : avec ; ~ **motivo de** : à l'occasion de ; ~ **pelos y señales** : en long et en large, avec force détails
concha : coquille
conciencia : conscience
concluir : conclure
condecoración : décoration
conducir : conduire
conductor : conducteur
conejo : lapin
conferencia : conférence
conferenciante : conférencier
confianza : confiance
confundir : confondre
congelador : congélateur
Congreso : Cortès, Sénat
conjugación : conjugaison
conjunción : conjonction
conjunto : ensemble
conocer : connaître
conocimiento : connaissance
conseguir : obtenir, arriver à, réussir à

Consejo de ministros : Conseil des
   Ministres
consistir en : consister en
consolar : consoler
constelación : constellation
Constitución : constitution
construir : construire
consulta : consultation
consultar algo con la almohada : la
   nuit porte conseil
contador : compteur
contaminación : pollution
contaminar : polluer
contar : raconter ; compter ; ~ **con** :
   compter sur
contemplar : contempler
contenido : contenu
contestar : répondre
continental : continental
contraindicación : contre-indication
contrario : contraire
contraste : contraste
contribuir : contribuer
control : contrôle
controlar : contrôler
convencer : convaincre
conveniencia : opportunité,
   convenance
convenir : convenir
conversación : conversation
convocatoria : session
coñac : cognac
copla : couplet
corazón : cœur
corbata : cravate
cordero : agneau
cordón : lacet
corona : couronne
correa : courroie
corregir : corriger
correo : courrier
correos : poste
correr : courir ; ~ **prisa** : être urgent
corrida : corrida
corriente : normal, courant
corro : ronde
cortar : couper
corte : cour, coupe
Cortes : Cortès
cortina : rideau
corto circuito : court-circuit
cosa : chose
coser : coudre
costar : coûter ; ~ **un ojo de la
   cara** : coûter les yeux de la tête
costumbre : habitude

crear : créer
creer : croire
crema : crème
crisis : crise
cristal : vitre ; verre
cristiano : chrétien
cromo : image
cruce : carrefour
cruzar : traverser
cuaderno : cahier
cuadrilla : cuadrilla
cuadro : tableau
cuál : lequel ?
cuál : quel ?
cualquier : n'importe quel
cualquiera : n'importe qui, n'importe
   quel, quelconque
cuando : quand
cuándo : quand ?
cuánto : combien ?
cuanto antes : le plus tôt possible
**cuanto más / menos... más /
   menos** : plus / moins... plus /
   moins
Cuaresma : Carême
cuarto : chambre ; quart ; ~ **de
   baño** : salle de bain ; ~ **de estar** :
   salle de séjour
cubierto : couvert
cubo : cube
cubrir : couvrir
cuchara : cuiller
cuchillo : couteau
cuello : cou
cuenta : addition ; ~ **bancaria** :
   compte bancaire
cuento : conte, histoire
cuerda : corde
cuero : cuir
cuerpo : corps
cuestión : question
cuidado : attention
cuidar : soigner
culpable : coupable
cumpleaños : anniversaire
cumplir : respecter ; ~ **x años** :
   avoir x ans
cuna : berceau
cuñada : belle-soeur
cuñado : beau-frère
curar : guérir, soigner
curioso : curieux
curso : année scolaire, cycle de
   cours
curva : virage
danza : danse

dar : donner ; ~ **a** : donner sur ; ~ **a luz** : accoucher ; ~ **calorcito** : tenir chaud ; ~ **con** : trouver ; ~ **cuerda** : remonter ; ~ **el biberón** : donner le biberon ; ~ **el pecho** : donner le sein ; ~ **gusto** : faire plaisir ; ~ **la enhorabuena** : féliciter ; ~ **la vuelta** : rendre la monnaie ; faire demi-tour ; ~ **la vuelta a** : faire le tour de ; ~ **marcha atrás** : faire marche arrière, reculer ; ~ **miedo** : avoir, faire peur ; ~ **saltos** : sauter ; ~ **un espectáculo** : donner un spectacle ; ~ **un paseo** : faire une promenade ; ~ **un paso** : faire un pas ; ~ **una señal** : donner un acompte ; ~ **una vuelta** : faire un tour

darse : ~ **cuenta** : se rendre compte ; ~ **mechas** : se faire des mèches

de : de ; ~ **acuerdo** : d'accord ; ~ **costumbre** : d'habitude ; ~ **día** : de jour ; ~ **donde** : d'où ; ~ **espaldas** : de dos ;
~ **la noche a la mañana** : du jour au lendemain ;
~ **modo que** : de sorte que ; ~ **momento** : pour le moment ; ~ **noche** : de nuit ; ~ **nuevo** : à nouveau ; ~ **pie** : debout ; ~ **punta a punta** : de bout en bout ; ~ **repente** : soudain ; ~ **segunda mano** : d'occasion ; ~ **todas todas** : coûte que coûte ; ~ **todos modos** : de toute façon ; ~ **vez en cuando** : de temps en temps

debajo de : en dessous de
deber : devoir
decidir : décider
décimo : dixième
decir : dire
decisión : décision
declaración : déclaration
decoración : décor
decorador : décorateur
decreto : arrêté
dedicar : consacrer
dedo : doigt
deducir : déduire
defender : défendre
definitivo : définitif
dejar : laisser
delante de : devant
delinquir : comettre un délit
delgado : mince

demasiado : trop
dentro de : à l'intérieur de, dans ; d'ici
denuncia : plainte
departamento : compartiment
depender : dépendre
dependiente : vendeur
deporte : sport
deportista : sportif
depósito : réservoir
deprisa : vite
derecho : droit
desafinar : chanter faux, jouer faux
desagradable : désagréable
desaparecer : disparaître
desarrollarse : se dérouler
desarrollo : déroulement
desayunar : prendre le petit déjeuner
desayuno : petit déjeuner
descabello : descabello
descansar : se reposer
desconocido : inconnu
describir : décrire
descubrir : découvrir
desde hace : depuis
desde luego : évidemment
desde... hasta : depuis... jusqu'à, de... à
desear : désirer
desechos : déchets
desempleo : chômage
desencajado : défait
desenlace : dénouement
deshacerse : se mettre en quatre
desierto : désert
desinfectante : désinfectant
deslizarse : glisser
deslumbrar : éclairer
despacho : bureau
despacio : lentement
despedida : adieu
despegar : décoller
despertador : réveil
despertar : éveiller, réveiller
despertarse : se réveiller
despreocupado : insouciant
después : après ; ~ **de** : après
destilado : distillé
destinatario : destinataire
destruir : détruire
detalle : détail
detener : arrêter
detenerse : s'arrêter
detrás : derrière
deuda : dette
devolver : rendre

día : jour ; ~ **de difuntos** : jour des morts
dialogar : dialoguer
diario : journal
diciembre : décembre
diente : dent
diferencia : différence
diferente : différent
difícil : difficile
difusión : diffusion
dígame : allô
dignidad : dignité
diluviar : pleuvoir à verse
diminuto : minuscule
dinastía : dynastie
dinero : argent
Dios mío : mon Dieu
diploma : diplôme
diputado : député
dirección : adresse ; sens
director : directeur ; ~ **de orquesta** : chef d'orchestre
dirigir : diriger
disco : feu, disque ; ~ **abierto** : feu vert ; ~ **cerrado** : feu rouge
discoteca : discothèque
discurso : discours
disminuir : diminuer
disponer : disposer
disponibilidad : disponibilité
dispuesto : disposé
distinguido : distingué
distinto : différent
distribuir : distribuer
divertir : amuser
divertirse : s'amuser
dividir : diviser
divorciado : divorcé
divorciarse : divorcer
doblar a la derecha : tourner à droite ; ~ **a la izquierda** : tourner à gauche
doble : double
doctor : docteur
documento : document
doler : avoir mal
dolor : douleur
doméstico : domestique
domicilio : domicile
domingo : dimanche
don : monsieur
donde : où
dónde : où ?
doña : madame
dormir : dormir
drama : drame

ducha : douche
ducharse : prendre une douche
duda : doute
dudar : hésiter
dueño : propriétaire
dulce : confiture
dulces : friandises
durante : pendant
duro : dur
ebanista : ébéniste
echar de menos : regretter
echar una carta : poster une lettre
echarse : se coucher ; ~ **boca abajo** : se coucher à plat ventre ; ~ **boca arriba** : se coucher sur le dos ; ~ **de espaldas** : se coucher sur le dos ; ~ **la siesta** : faire la sieste
económico : économique
edad : âge
educado : élevé
efervescente : effervescent
egipcio : egyptien
¿eh ? : eh ?, d'accord ?
ejemplar : exemplaire
ejemplo : exemple
ejercicio : exercice
electricista : électricien
eléctrico : électrique
electrodoméstico : électroménager
elegante : élégant
elegir : choisir
elemento : élément
elogiar : louer
elogio : éloge
embajada : ambassade
embarque : embarquement
embotellamiento : embouteillage
embutido : charcuterie
emisión : émission
empapelador : tapissier
empezar : commencer
empleado : employé
emplear : employer
empotrar : encastrer
emprender : entreprendre
empresa : entreprise
empujar : pousser
en : en ; ~ **adelante** : désormais ; ~ **fin** : enfin ; ~ **primer lugar** : en premier lieu ; ~ **primera plana** : en première page ; ~ **punto** : juste ; ~ **seguida** : tout de suite, immédiatement ; ~ **un abrir y cerrar de ojos** : en un clin d'oeil

encantado : enchanté
encargar : charger
encargarse : se charger ; ~ **de** : se charger de
encender : allumer
encerado : tableau
encima de : au-dessus de
encontrar : trouver, rencontrer
encuentro : rencontre
endeudado : endetté
energía : énergie
enero : janvier
enfadarse : se fâcher
enfermedad : maladie
enfermera : infirmière
enfermero : infirmier
enfermo : malade
enfrente de : en face de
engañar : tromper
engordar : grossir
enhorabuena : félicitations
enlace : correspondance
enorme : énorme
enraizar : enraciner
enseñar : enseigner ; montrer ; apprendre
entablar : entamer
entarimado : parquet
entender : comprendre
entendido : connaisseur
enterado : informé
enterarse : être au courant ; apprendre
entero : entier
enterrar : enterrer
entonces : alors
entrada : entrée; billet
entrar : entrer
entre : entre
entusiasmar : enthousiasmer
envejecer : vieillir
enviar : envoyer
envolver : envelopper
eólico : éolien
época : époque
equipaje : bagage
equipo : équipe
equivaler : équivaloir
equivocarse : se tromper
escalera : escalier ; échelle
escalofrío : frisson
escaparate : étalage
escayolar : plâtrer
escenario : scène
escocés : écossais
escoger : choisir

escondite : cachette
escotado : décolleté
escribir : écrire
escuchar : écouter
escuela : école
escurridora : essoreuse
esguince : entorse
esmaltar : émailler
espalda : dos
esparcir : éparpiller
español : espagnol
esparadrapo : sparadrap
especialidad : spécialité
espectáculo : spectacle
espectador : spectateur
espejo : miroir
esperar : attendre ; espérer
esponja : éponge
esposa : épouse
esposas : menottes
esposo : époux
esquí : ski
esquiador : skieur
esquiar : skier
establecer : établir
estación : gare; saison
estacionar : stationner
estadio : stade
estado : état
estadounidense : américain
estancia : séjour
estante : étagère, rayonnage
estaño : étain
estar : être ; ~ **adelantado** : avancer ; ~ **atrasado** : retarder ; ~ **en la gloria** : être aux anges ; ~ **harto** : avoir assez ; ~ **mal** : être malade ; ~ **malo** : être malade ; ~ **regular** : ne pas être très bien
estimado : estimé, cher
estómago : estomac
estoque : estoc
estornudar : éternuer
estrecho : étroit
estrella : étoile
estrellado : étoilé
estropeado : en panne
estudiante : étudiant
estudiar : étudier
estupendo : formidable
éter : éther
etiqueta : étiquette
europeo : européen
evacuación : évacuation
evidente : évident
exactamente : exactement

examen : examen
excelente : excellent
excepcional : exceptionnel
excursión : excursion
existir : exister
éxito : succès
experiencia : expérience
explicar : expliquer
expresar : exprimer
expresarse : s'exprimer
expulsar : expulser
extinguir : éteindre
extintor : extincteur
extranjero : étranger
fábrica : usine
facciones : traits
fácil : facile
factura : facture
facturar : enregistrer, facturer
faena : faena
faja : gaine
falda : jupe
falta : faute
faltar : manquer
fama : réputation
familia : famille
famoso : célèbre
faringitis : pharyngite
farmacéutico : pharmacien
farmacia : pharmacie
faro : phare
fase : phase
fauna : faune
favor : faveur, service
favorecer : favoriser
febrero : février
fecha : date
felices Pascuas : joyeuses Pâques,
  joyeux Noël
felicitar : féliciter
feliz : heureux ; :~ **Navidad** : joyeux
  Noël
feo : laid
feria : foire
fianza : garantie
fidelidad : fidelité
fiebre : fièvre
fiel : fidèle
fiesta : fête
fijador : fixant
fijo : fixe
fin de semana : week-end
firma : signature
firmamento : firmament
firmar : signer
físico : physique

flamenco : flamand ; flamenco
flauta : flûte
flecha : flèche
flor : fleur
flora : flore
florecer : fleurir
florería : magasin de fleurs
folklore : folklore
fondo : fond
fontanero : plombier
forma : forme
formidable : formidable
fortuna : fortune
forzado : forcé
foto : photo
fotografía : photographie
fracaso : échec
fractura : fracture
frágil : fragile
francés : français
franco : franc
frase : phrase
fregar : laver la vaisselle
freidora : friteuse
freír : frire
frenar : freiner
freno : frein
frente : front
frente a : en face de
fresa : fraise
fresco : frais
frío : froid
frotar : frotter
fruta : fruits
frutal : fruitier
frutería : magasin de fruits
fuego : incendie, feu
fuente : fontaine
fuerte : fort
fumador : fumeur
fumar : fumer
función : représentation
funcionar : fonctionner
fútbol : football
futuro : futur
gabardina : gabardine
galleta : biscuit
gallina : poule
gamba : crevette
gamuza : peau de chamois
gana : envie
garaje : garage
garantizar : garantir
garganta : gorge
gas : gaz
gasa : gaze

gaseosa : limonade
gasolina : essence
gasolinera : pompe à essence
gato : chat
gemelos : boutons de manchettes ; jumeaux
gente : gens
geranio : géranium
gerente : gérant
germen : germe
gestos : mimiques, grimaces
ginecólogo : gynécologue
girar : tourner
giro : tour
gloria : gloire
gobierno : gouvernement
goma : caoutchouc
gordo : gros
gorro : bonnet
gota : goutte
gozar : jouir
grabar : enregistrer
gracia : élégance, grâce
gracias : merci
grande : grand
granizar : grêler
gratis : gratis
grave : grave
griego : grec
grifo : robinet
gripe : grippe
gris : gris
gritar : crier
grito : cri
grupo : groupe
guantes : gants
guapo : beau
guardar : garder ; respecter
guardarropa : vestiaire
guardia : garde
guía : indicateur, guide
guiñol : guignol
guión : scénario
guisante : petit pois
guitarra : guitare
gustar : aimer
gusto : goût
haber : avoir
habitación : chambre
hablar : parler
hace : il y a
hacer : faire ; ~ **cola** : faire la queue
hambre : faim
harto : las
hasta : jusqu'à ; ~ **la vista** : au revoir ; ~ **los topes** : plein à craquer, bondé ; ~ **luego** : à tout à l'heure ; ~ **mañana** : à demain
hay : il y a ; ~ **que** : il faut
hebilla : boucle
helar : geler
heredero : héritier
hermano : frère
herramienta : outil
hielo : verglas, glace
hierro : fer
hígado : foie
hijo : fils
hilo : fil
historia : histoire
histórico : historique
hoja : feuille
¡hola! : salut !
holandés : hollandais
hombre : homme
hombro : épaule
hora : heure ; ~ **punta** : heure de pointe
horario : horaire
horchata : horchata
horizonte : horizon
horno : four
hospital : hôpital
hotel : hôtel
hoy : aujourd'hui
hoyo : trou
hueco : trou
huelga : grève
huerto : potager
huir : fuir
humano : humain
húmedo : humide
humo : fumée
húngaro : hongrois
¡huy ! : oh ! la la
idea : idée
ideal : beau
idioma : langue
iglesia : église
ignorancia : ignorance
igual : pareil, égal
ilustre : illustre
imagen : image
imaginación : imagination
impermeabilizar : imperméabiliser
impermeable : imperméable
imponente : imposant
imponerse : s'imposer
importante : important
importar : importer
imposible : impossible
impresión : impression

impreso : formulaire
imprimir : imprimer
impuesto : impôt
incendio : incendie
inconveniente : inconvénient
indefinido : indéfini
indicar : indiquer
índice : taux
indio : indien
individuo : individu
industrial : industriel
influir en : influer sur
información : information
informar(se) : (s')informer
ingeniero : ingénieur
inglés : anglais
ingresar dinero : verser de l'argent
iniciar : entamer, ouvrir
inimaginable : inimaginable
inmediatamente : immédiatement
inmueble : immeuble
innovación : innovation
inquilino : locataire
insignificante : insignifiant
instalación : installation
instalar : installer
instante : instant
instituto : lycée
instrumento : instrument
integración : intégration
integrarse : s'intégrer
inteligente : intelligent
intentar : essayer
interés : intérêt
interesado : intéressé
interesante : intéressant
interesar : intéresser
interior : intérieur
intermitente : clignoteur
intervenir : intervenir
intriga : intrigue
inútil : inutile
investigar : chercher
invierno : hiver
invitación : invitation
invitado : invité
invitar : inviter
inyección : piqûre
ir : aller
irlandés : irlandais
irregular : irrégulier
irse derecho a : aller directement à
israelí : israélien
italiano : italien
I.V.A. : T.V.A
izquierdo : gauche

jabón : savon
jaleo : chahut, tapage, chambard
japonés : japonais
jardín : jardin
jazmín : jasmin
jefe : chef
jerez : xérès
jeringa : seringue
jeroglífico : rébus
jersey : pull
jornada : journée
jota : jota
joven : jeune
judías : haricots
judío : juif
juego : jeu
jueves : jeudi
juez : juge
jugador : joueur
jugar : jouer
juicio : jugement
julio : juillet
junio : juin
junto a : à côté de
juntos : ensemble
juramento : serment
jurar : jurer
justicia : justice
justificante : reçu
juventud : jeunesse
juzgar : juger
kilómetro : kilomètre
labio : lèvre
laca : laque
ladrón : voleur
lamento : lamentation
lámpara : lampe
lance de capa : passe de cape
lápiz : crayon
largo : long
latinoamericano : latino-américain
lavabo : lavabo
lavadora : machine à laver
lavaplatos : lave-vaisselle
lavar : laver ; ~ **se** : se laver
lazo : noeud
lección : leçon
leche : lait
lechuga : laitue
leer : lire
lejos : loin ; ~ **de** : loin de
lengua : langue
lenguado : sole
lento : lent
letra : paroles d'une chanson

letra de cambio : lettre de change
letrero : enseigne
levantarse : se lever
ley : loi
libre : libre
librería : librairie ; bibliothèque
librero : libraire
libreto : livret
libro : livre
libro de texto : livre scolaire
lijar : poncer
limón : citron
limonada : citronnade
limosna : aumône
limpiar : nettoyer
limpiar el polvo : prendre les poussières
limpieza : nettoyage
limpio : propre
lingüística : linguistique
lío : embrouillement, salade
lirio : iris
liso : plat, lisse
listo : malin; prêt
literas : couchettes
litro : litre
local : local
localidad : entrée ; place
loción : lotion
loco : fou
lógico : logique
lombarda : chou rouge
loro : perroquet
lotería : loterie
luces : feux
luchar : lutter
luego : après, ensuite
lugar : lieu
luna : lune
lunes : lundi
luz : lumière
llama : flamme
llamar : appeler, téléphoner
llave : clé
llegada : arrivée
llegar : arriver
llenar el depósito : faire le plein
lleno : plein
llevar : porter, emporter, emmener ; ~ **un control** : effectuer un contrôle
llorar : pleurer
llover : pleuvoir ; ~ **a cántaros** : pleuvoir à seaux
lloviznar : bruiner
lluvia : pluie

maceta : pot de fleurs
madera : bois
madre : mère
madrileño : madrilène
madrugada : aube, petit matin
madrugar : se lever tôt
maduro : mûr
maestro : instituteur
magnetófono : magnétophone
mal : mal
maleta : valise
maletero : coffre
malo : mauvais
mamá : maman
mandar : envoyer; commander
manejable : maniable
manera : manière
manía : manie
manifestación : manifestation
mano : main
manopla : gant de toilette ; moufle
¡manos arriba ! : haut les mains !
manta : couverture
mantequería : crémerie
mantequilla : beurre
mantillas : langes
manzana : pomme
mañana : matin ; demain
mapa : carte
máquina : machine; locomotive ; ~ **de afeitar** : rasoir électrique ; ~ **de escribir** : machine à écrire
mar : mer
maravilloso : merveilleux
marca : marque
marcar : faire une mise en plis
marcha : vitesse ; marche ; ~ **atrás** : marche arrière
marcharse : s'en aller
marea : marée
marfil : ivoire
margarita : marguerite
marido : mari
marioneta : marionnette
mariscos : fruits de mer
marrón : marron, brun
marroquí : marocain
martes : mardi
marzo : mars
más : plus ; ~ **bien** : plutôt ; ~ **o menos** : plus ou moins ; ~ **vale tarde que nunca** : mieux vaut tard que jamais
matador : matador
matar : tuer
matemáticas : mathématiques

materia : matière
maternidad : maternité
matrícula de honor : la plus grande distinction
matricular : inscrire
matrimonio : couple
mayo : mai
mayor : aîné, âgé
mayoría : majorité ; ~ **de edad** : majorité civile
mazapán : massepain
me toca : c'est mon tour
mecánico : garagiste, mécanicien
mecha : mèche
medianoche : minuit
medias : bas
medicina : médicament
médico : médecin
medio : demi
medio ambiente : environnement
mediodía : midi
medir : mesurer
mediterráneo : méditerranéen
mejicano : mexicain
mejillón : moule
mejor : mieux, meilleur ; ~ **dicho** : plutôt
mellizos : faux jumeaux
melocotón : pêche
melodía : mélodie
melón : melon
menor : cadet
menos : moins ; ~ **mal** : heureusement
mentir : mentir
menú : menu
mercado : marché
mercromina : mercurochrome
merecer : mériter
merendar : goûter
meridional : méridional
merienda : goûter
merluza : merluche, colin
mermelada : confiture
mes : mois
mesa : table
mesilla : table de nuit
metal : métal
meter : mettre
método : méthode
metro : métro ; mètre
micrófono : micro
miedo : peur
mientras : pendant ; ~ **tanto** : entre-temps
miércoles : mercredi

mil : mille
millón : million
mineral : minéral
miniordenador : microordinateur
ministro : ministre
mirar : regarder
misa : messe
mismo : même
misterio : mystère
modelo : modèle
moderno : moderne
módico : modique
modo : manière, mode
mojar : mouiller
molestar : déranger, ennuyer
molestia : gêne
molinillo : moulin à café
momento : moment
monarquía : monarchie
monitor : moniteur
montaña : montagne
monumento : monument
moqueta : moquette
morado : violet
moreno : brun ; bronzé
morir : mourir
mosto : moût
mostrador : comptoir
motivo : motif
moto : moto
motor : moteur
mover : bouger ; ~ **la cuenta** : bouger son compte
movimiento : mouvement
muchas veces : souvent
mucho : beaucoup
mudo : muet
mueble : meuble
muerte : mort
muestra : échantillon
mujer : femme
muleta : muleta
mulilla : mule traînant le taureau hors de l'arène
multa : amende
múltiple : multiple
multiplicar : multiplier
multitud : foule
muñeca : poignet
muñeco : poupée ; bébé, marionnette
muro : mur
museo : musée
música : musique
musical : musical
músico : musicien

muslo : cuisse
musulmán : musulman
muy : très
nacer : naître
nacimiento : naissance ;
  crèche
nación : nation
nacionalidad : nationalité
nada : rien
nadar : nager
nadie : personne
nana : berceuse
naranja : orange
naranjada : orangeade
nariz : nez
nata : crème fraîche
natación : natation
natural : normal, naturel
naturaleza : nature
navaja : rasoir
Navidad : Noël
necesario : nécessaire
necesitar : avoir besoin
negación : négation
negocio : affaire
negro : noir
nevar : neiger
nevera : frigo
ni : ni
nieto : petit-fils
nieve : neige
niñez : enfance
niño : enfant
no : non, ne... pas
¿no ? : n'est-ce-pas ?
no dejar de : ne pas manquer de
no estar para bromas : ne pas avoir
  envie de plaisanter
noche : nuit, soir
Nochebuena : nuit de Noël
Nochevieja : nuit de la Saint-
  Sylvestre
nombre : prénom
norte : nord
nota : cote
notable : bien, distinction
notar : remarquer
noticia : nouvelle
novela : roman
noviembre : novembre
novio : fiancé
nube : nuage
nuclear : nucléaire
nuera : belle-fille
nuevo : nouveau
nuez : noix

numerar : numéroter
número : numéro ; nombre
numeroso : nombreux
obedecer : obéir
objeto : objet
obligar : obliger
obligatorio : obligatoire
obra : oeuvre
obras : travaux
obrero : ouvrier
observar : observer
oca : oie
oceánico : océanique
octubre : octobre
ocupado : occupé
ocuparse de : s'occuper de
ocurrir : se produire, arriver
oeste : ouest
oficina : bureau
ofrecer : promettre ; offrir
oído : oreille ; ouïe
oír : entendre
ojo : oeil
¡ojo ! : attention !
ola : vague
oler : sentir
olímpico : olympique
olor : odeur
olvidarse de : oublier
ondulado : ondulé
ópera : opéra
operación : opération
optimista : optimiste
orden : ordre
ordenado : ordonné
ordenador : ordinateur
ordenar : ranger
oreja : oreille
organizar : organiser
orina : urine
oro : or
orquesta : orchestre
oscuridad : obscurité
ostra : huître
otoño : automne
otro : autre
oveja : brebis
oxigenar : oxygéner
paciencia : patience
paciente : patient
padre : père
padres : parents
paella : paella
pagar : payer
pago : payement
país : pays

paisaje : paysage
paisano : compatriote
pájaro : oiseau
palabra : mot
palacio : palais
palco : loge
palmera : feuille de palmier; palmier
pan : pain
panadería : boulangerie
pañal : lange
panameño : panaméen
pandereta : tambourin
pantalla : écran
pantalones : pantalons
pantuflas : mules
pañuelo : foulard ; mouchoir
papá : papa
papel : papier
papelería : papeterie
papilla : bouillie
paquete : paquet
par : paire
para : pour
parada : arrêt
parado : arrêté
parado : chômeur
parador : parador
paraguas : parapluie
paraguayo : paraguayen
páramo : désert
parar : arrêter
pararse : s'arrêter
parecer : sembler
pared : mur
pareja : paire
parlamento : parlement
paro : chômage
parque : parc
parquet : parquet
parte : partie
participar en : participer à
partido : match ; parti
partitura : partition
parto : accouchement
pasado : passé, dernier ; ~
  mañana : après-demain
pasaporte : passeport
pasar : passer
pasatiempo : passe-temps
Pascua : Pâques
pasear : promener ; ~ **se** : se
  promener
paseíllo : défilé des toreros
paseo : promenade
pasillo : couloir
paso : passage ; pas ; ~ **a nivel** :

passage à niveau ~ **de peatones** :
  passage pour piétons
pasodoble : pasodoble
pasta : biscuit ; ~ **dentífrica** :
  dentifrice
pastel : gâteau
pastelería : pâtisserie
pastelero : pâtissier
pastilla : pastille
pata : patte
patata : pomme de terre
patín : patin
patinaje : patinage
patio : cour
pato : canard
patria : patrie
paz : paix
peatón : piéton
pecho : sein
pedal : pédale
pedir : demander ; ~ **hora** : prendre
  rendez-vous
pegar : coller
peinado : coiffure
peinarse : se peigner
peine : peigne
película : film
peligro : danger
pelirrojo : roux
pelo : cheveux
pelota : balle
peluquería : salon de coiffure
pendiente : pente
pensar : penser
pensión : pension
Pentecostés : Pentecôte
penúltimo : avant-dernier
peor : pire
pepino : concombre
pequeño : petit
pera : poire
perchero : porte-manteau
perder : perdre
perejil : persil
pereza : paresse
perfección : perfection
perfeccionar : perfectionner
perfecto : parfait
perfume : parfum
periódico : journal
permanente : permanente
pero : mais
perro : chien
persona : personne
personaje : personnage
personal : personnel

pertenecer : appartenir
peruano : péruvien
pesado : lourd
pescadería : poissonnerie
pescadilla : merlan
pescado : poisson
pescador : pêcheur
pescar : pêcher
peseta : peseta
pez : poisson
piano : piano
picador : picador
picar : poinçonner; piquer
pie : pied
piedra : pierre
pierna : jambe
pila : pile
píldora : pilule
pimienta : poivre
pimiento : poivron
pinar : pinède
pinchar : crever
pinchazo : crevaison
pinitos : premiers pas
pino : pin
pintada : pintade
pintarse : se maquiller
pintor : peintre
pintura : peinture
piña : ananas
pirueta : pirouette
piscina : piscine
piso : appartement, étage
pista : piste
pistola : pistolet
plan : projet, plan
plancha : fer à repasser
planchar : repasser
planeta : planète
planta : étage ; ~ **baja** : rez-de-chaussée
plantar : planter
plástico : plastique
plata : argent
plataforma : plate-forme
plátano : banane ; platane ; bananier
plato : assiette ; ~ **del día** : plat du jour
playa : plage
playeras : chaussures de sport
plaza de toros : arènes
Plaza Mayor : Grand-Place
pleno : plein
pluriempleo : cumul
pobre : pauvre
poco : peu

poder : pouvoir
podrir : pourrir
polaco : polonais
polar : polaire
polichinela : polichinelle
policía : policier, police
pollo : poulet
polución : pollution
polvo : poussière
polvos de talco : talc
pomada : pommade
poner : mettre ; ~ **los dientes largos** : mettre l'eau à la bouche ; ~ **mala cara** : faire mauvaise figure ; ~ **una denuncia** : déposer plainte ; ~ **una obra de teatro** : donner une pièce de théâtre ; ~ **una película** : passer un film
ponerse : se coucher (soleil) ; ~ **en camino** : se mettre en route
popular : populaire
popularidad : popularité
por : par, pour ; ~ **favor** : s'il vous plaît ; ~ **la noche** : le soir, la nuit ; ~ **las nubes** : hors prix ; ~ **qué** : pourquoi ; ~ **supuesto** : évidemment ; ~ **tanto** : par conséquent
porcelana : porcelaine
por qué : pourquoi
porque : parce que
portal : entrée d'un immeuble
portero : portier ; ~ **automático** : parlophone
portugués : portugais
posdata : post-scriptum
posible : possible
posición : position
postal : carte postale
postre : dessert
práctica : pratique
práctico : pratique
prado : pré
precio : prix ; ~ **de venta** : prix de vente
precioso : splendide, magnifique ; précieux
preferente : prioritaire
preferible : préférable
preferir : préférer
pregonar : crier
preguntar : interroger, demander
prejuicio : préjugé
premio gordo : gros lot
prendas de vestir : vêtements
prensa : presse

preocuparse : se préoccuper
preparar : préparer
preposición : préposition
presentación : présentation
presente : présent
presentir : pressentir
presidente : président
prestar : prêter ; ~ **ayuda** : aider ; ~ **declaración** : faire une déclaration ; ~ **juramento** : prêter serment
presupuesto : devis
prevenir : prévenir
prever : prévoir
primavera : printemps
primero : premier
primero : d'abord
primo : cousin
princesa : princesse
príncipe : prince
prioridad : priorité
prisa : empressement
probable : probable
probar : goûter, essayer
probarse : essayer
problema : problème
producir : produire
profesor : professeur
profundizar : approfondir
profundo : profond
programa : programme
programador : programmeur
prohibición : interdiction
prohibir : interdire
proliferar : proliférer
pronto : bientôt, rapidement ; tôt
pronunciar : prononcer
propietario : propriétaire
propina : pourboire
proponer : proposer
protestante : protestant
protocolo : protocole
provincia : province
provocar : provoquer
próximo : prochain
prudente : décent
prueba : test, preuve
psicológico : psychologique
público : public
pueblo : village
puerro : poireau
puerta : porte ; ~ **giratoria** : tourniquet
puertorriqueño : portoricain
pues : eh bien ; car
puesta de sol : coucher de soleil

puesto : petite boutique, échoppe, étal
puesto que : puisque
pulmones : poumons
pulso : pouls
punta : pointe
punto : point
puntual : ponctuel
puño : poignet
puro : pur
que : quoi, que
qué : quoi, qui, quel
¡qué pena! : quel dommage !
quedar : se donner rendez-vous
quedarse : rester
quejarse : se plaindre
quemar : brûler
quemarse : se brûler
querer : vouloir ; aimer
querido : cher, chéri
queso : fromage
quiebra : faillite
quién : qui
quinielas : pronostics de football
quiosco : kiosque
quitar : enlever, retirer
quizá(s) : peut-être
rábano : radis
radiador : radiateur
radiante : radieux
radio : radio
radiactivo : radioactif
ramo : bouquet
rápido : rapide
Rastro : marché aux puces
rato : moment
ratón : souris
raya : raie
rayado : rayé
rayo : foudre
raza : race
razón : renseignements ; raison
reaccionar : réagir
real : royal ; réel
realidad : réalité
realista : réaliste
rebajas : soldes
recambio : rechange
recapitulación : récapitulation
recepción : réception
recepcionista : hôtesse d'accueil, réceptionniste
receta : recette
recibir : recevoir
recién nacido : nouveau-né
recíproco : réciproque

recomendar : recommander
reconocer : examiner
reconocimiento : examen médical
recordar : rappeler
recorrer : parcourir
recorrido : parcours
recubrir : recouvrir
recuerdo : souvenir
recuerdos : amitiés
recuperación : récupération
red : filet
reducir : réduire
reflejo : reflet
reflexión : réflexion
reformar : réformer
regalo : cadeau
regar : arroser
regatear : marchander
regateo : marchandage
regional : folklorique
regular : comme ci comme ça
reír : rire
rejilla : filet
relámpago : éclair
rellenar : remplir
relleno : farci, fourré
reloj : horloge ; ~ **de pulsera** :
  montre
relojería : horlogerie
remar : ramer
remediar : remédier
remedio : remède
remite : nom et adresse de
  l'expéditeur
remitente : expéditeur
renacer : renaître
renunciar : renoncer
repetir : répéter
repollo : chou
reposo : repos
representar : représenter
reproducción : reproduction
repuesto : rechange
resbalar : glisser
reserva : réservation
reservar : réserver
resfriarse : se refroidir
residuo : résidu
resolver : résoudre
respirar : respirer
responder : répondre
restante : restant
restar : soustraire
restaurante : restaurant
resultado : résultat
resultar : résulter

retrato : portrait
reunión : réunion
revisor : contrôleur
revista : revue
rey : roi
reyes : roi et reine
rico : riche
rifa : loterie
rincón : coin
río : fleuve, rivière
rizado : frisé
robar : voler
roble : chêne
robo : vol
rodaje : rodage
rodilla : genou
rogar : demander
rojo : rouge
romanticismo : romantisme
romántico : romantique
romper : casser, briser
ron : rhum
ropa : vêtements
rosa : rose
rotonda : rond-point
rotulador : marqueur
rubio : blond
rueda : roue
ruedo : arène
ruido : bruit
ruidoso : bruyant
rulo : rouleau
rumbo : but
ruso : russe
sábado : samedi
sábana : drap de lit
saber : savoir
sabor : saveur, goût
saborear : savourer
sacar : tirer ; ~ **brillo** : faire briller ; ~
  entradas : acheter des billets
sacudir : secouer
sal : sel
sala : salle
salida : sortie, départ ; ~ **del sol** :
  lever du soleil
salir : partir, sortir, se lever (soleil)
salón : salon
saltar : sauter
salto : saut
salud : santé
saludar : saluer
salvamento : sauvetage
salvavidas : de sauvetage
sandalias : sandales
sangre : sang

sano : sain
santo : fête, saint
sardana : sardane
sardina : sardine
satélite : satellite
sátira : satire
secador : sèche-cheveux
secar : sécher
sección : rayon
seco : sec
secretario : secrétaire
secreto : secret
sed : soif
seguidilla : séguedille
seguir : continuer, suivre
según : selon, d'après
seguro : sûr
seguro : assurance
sello : timbre
selva : forêt
semáforo : feu de circulation
semana : semaine
semanario : hebdomadaire
sembrar : semer
semejante : semblable
Senado : Sénat
senador : sénateur
sencillo : simple
sensación : sensation
sensacional : sensationnel
sentar : asseoir
sentido : sens
sentir : sentir ; regretter ;
    expérimenter
señal : acompte ; signal
señas : adresse
señor : monsieur
señora : madame
señorita : mademoiselle
separado : séparé
separar(se) : (se) séparer
septiembre : septembre
ser : être
seriedad : sérieux
servicio : service
servilleta : serviette
sesión : séance
sevillano : sévillan
sí : oui
si : si
sidra : cidre
siempre : toujours
sierra : montagne
siesta : sieste
siglo : siècle
significar : signifier
siguiente : suivant

silencio : silence
silencioso : silencieux
silla : chaise
sillón : fauteuil
silueta : silhouette
simple : simple
sin : sans
sin embargo : cependant
sin parar : sans cesse
sindicato : syndicat
singular : singulier
siniestro : sinistre
sino : mais
sitio : endroit ; place
situación : situation
sobrar : être en trop ; avoir en trop
sobre : enveloppe
sobre : sur
sobre todo : surtout
sobresaliente : grande distinction
sobrino : neveu
sofá : divan
sol : soleil
solar : solaire
soler : avoir l'habitude
solo : seul
sólo : seulement
soltar : relâcher, lâcher
soltero : célibataire
solución : solution
solucionar : solutionner
sombra : ombre
sombrero : chapeau
sonar : sonner, résonner
sonido : son
sonreír : sourire
sonrisa : sourire
soñar : rêver
soplar : souffler
sordo : sourd
sospechar : soupçonner
sostén : soutien-gorge
suave : doux
subir : monter ; ~ el telón : lever le
    rideau
subsidio : subside ; ~ de paro :
    allocation de chômage
suburbio : faubourg
sucesivo : successif
sucursal : succursale
suela : semelle
sueldo : salaire
suelo : sol
sueño : sommeil
suerte : chance ; phase
sugerir : suggérer

sumar : additionner
supermercado : supermarché
suponer : supposer
supositorio : suppositoire
sur : sud
suspender : recaler, échouer
suspenso : échec
sustituir : remplacer
susto : peur
tacón : talon d'une chaussure
tacto : toucher
tal vez : peut-être
talar : tailler
talco : talc
talón : chèque ; talon
talonario : carnet de chèques
también : aussi
tambor : tambour
tan : si, tellement
tapas : amuse-gueule
tapicero : tapissier
taquilla : guichet
tarde : après-midi ; tard ; ~ o
  temprano : tôt ou tard
tarima : parquet
tarjeta : carte ; ~ **postal** : carte
  postale
tarta : tarte
tasca : bistrot
taxi : taxi
té : thé
teatro : théâtre
techo : plafond
tejado : toit
tejador : couvreur
telecabina : télécabine
telefonear : téléphoner
telefónica : bureau central du
  téléphone
teléfono : téléphone
telesilla : télésiège
telespectador : téléspectateur
telesquí : téléski
televisión : télévision
telón : rideau
tema : thème
temer : craindre
temporada : saison
temprano : tôt
tenedor : fourchette
tener : avoir ; ~ **hora** : avoir un
  rendez-vous
teñir : teindre
tenis : tennis
terminar : terminer
termómetro : thermomètre

terraza : terrasse
terrible : terrible
tertulia : réunion
tesoro : trésor
testigo : témoin
ticket : ticket
tiempo : temps
tienda : magasin, boutique
tierra : terre
tieso : raide
tiesto : pot de fleurs
tijeras : ciseaux
tinte : teinture
tinto : rouge
tío : oncle
tipo : type
tirar la casa por la ventana : jeter
  l'argent par les fenêtres
tiritas : pansements
títeres : marionnettes
títeres : cabrioles
título : titre
tiza : craie
toalla : serviette de toilette ; ~ **de**
  baño : drap de bain
tobillo : cheville
tocadiscos : tourne-disques
tocar : toucher ; jouer d'un
  instrument ; ~ **la lotería** : gagner à
  la loterie
todavía : encore ; ~ **no** : pas encore
todo : tout
Todos los Santos : Toussaint
tomar : prendre
tomate : tomate
tómbola : tombola
tonto : sot, idiot
tópico : topique
toque de clarín : coup de clairon
torcer : tordre
torero : toréro
tormenta : orage
toro : taureau
torre : tour
toser : tousser
tostador : grille-pain
total : total
tóxico : toxique
trabajador : travailleur
trabajar : travailler
trabajo : travail
tradición : tradition
traducir : traduire
traer : apporter
tráfico : trafic
tragedia : tragédie

traje : vêtement ; ~ **de baño** : maillot de bain ; ~ **de caballero** : costume d'homme ; ~ **de chaqueta** : tailleur ; ~ **de luces** : habit de lumière
tramar : tramer
trampa : piège
tranquilo : tranquille
transbordar : changer de train
tansferencia : transfert
transistor : transistor
tranvía : tramway
trasatlántico : paquebot
trasero : postérieur
trasnochar : se coucher tard
tratarse de : s'agir de
tren : train
tresillo : salon
Tribunal de Justicia : cour de justice
Tribunal europeo de Cuentas : Cour des Comptes européenne
trineo : traîneau
tríptico : tryptique
tripulación : équipage
triste : triste
trompeta : trompette
tronar : tonner
tronco : tronc
trueno : tonnerre
tulipán : tulipe
túnel : tunnel
turista : touriste
turrón : touron
último : dernier
único : unique
unido : uni
universidad : université
uno : on
unos : quelques ; ~ **cuantos** : quelques
urgencia : urgence
útil : utile
uvas : raisins
vaca : vache
vacaciones : vacances
vacío : vide
vacunar : vacciner
vagón : wagon
vale : d'accord
valor : valeur
valorar : estimer
vapor : vapeur
vara : pique
variedad : variété
varilla : baguette
varios : plusieurs

vaso : verre
váter : water
vecino : voisin
vehículo : véhicule
vejez : vieillesse
vela : bougie
velero : voilier
velocidad : vitesse
vencer : vaincre
vendedor : vendeur
vender : vendre
venir : venir
venta : vente
ventana : fenêtre
ventilador : ventilateur
ver : voir
verano : été
verbena : kermesse
verbo : verbe
verdad : vérité
verdadero : véritable, vrai
verde : vert
verduras : légumes
vergüenza : honte
vermut : vermouth
vertebral : vertébral
vestido : robe
vestir : habiller
vez : fois
vía : voie
viajar : voyager
viaje : voyage
viajero : voyageur
vida : vie
vídeo : vidéo
vídeo : magnétoscope
viejo : vieux, âgé
viento : vent
viernes : vendredi
vigilar : surveiller
villancico : chant de Noël
vinagre : vinaigre
vinagreras : huilier
vino : vin
violeta : violette
violeta : violet
violín : violon
visillos : rideaux
visita : visite
víspera : veille
vista : vue
vitamina : vitamine
vitamínico : vitaminé
viudo : veuf
vivienda : habitation, résidence
vivir : vivre

vivo : vif, vivant
volante : volant
volar : voler
volumen : volume
volver : revenir, retourner ; ~ **loco :** rendre fou
volverse loco : devenir fou
voz : voix
vuelta : tour
ya : déjà ; ~ **no :** ne plus
yerno : gendre

zanahoria : carotte
zapatear : zapatear
zapatería : magasin de chaussures
zapatillas : pantoufles
zapato : soulier
zapatos de charol : souliers vernis
zarzuela : zarzuela
zona : zone
zoológico : zoologique
zumo : jus

LANGUES VIVANTES

- *Une panoplie complète pour apprendre les langues.*
- *Des méthodes originales pour s'initier.*
- *Des manuels pour se perfectionner.*
- *Des tests de niveau pour contrôler l'acquis.*
- *Des guides pour se débrouiller en toutes circonstances.*
- *Des dictionnaires et des grammaires.*

■ MÉTHODES D'APPRENTISSAGE

- de Angelis P.-N.
  Je parle italien
  7418   40-1086-4   M6
- Barreau A.
  Je parle allemand
  7416   40-1084-9   M6
  Je parle espagnol
  7417   40-1085-6   M6
- Blasquez M. - Giltaire A.-C.
  Marquant H.
  **15 minutes par jour pour
  apprendre l'espagnol**
  GM440   40-4040-8   M9
  **15 minutes par jour pour
  apprendre l'espagnol +K7**
  GM1040 40-0064-2   M16
- D'Haese D.
  **Testez votre niveau en
  allemand +K7**
  7807   40-0969-2   M16
- Lebouc G.
  **15 minutes par jour
  pour apprendre l'italien**
  GM114   40-0251-5   M9
  **15 minutes par jour
  pour apprendre l'italien +K7**
  4414   40-0318-2   M16
  **Testez votre niveau en
  espagnol +K7**
  7805   40-0956-9   M16

**Testez votre niveau en
italien +K7**
7808   40-0957-7   M16
- Perrin M.-M.
  Je parle anglais
  7415   40-1083-1   M6
- Play-Bac
  1000 questions d'anglais
  MS1530 40-0698-7   M6
- Rogers P. - Olorenshaw R.
  L'anglais courant
  7405   40-0585-6   M9
- Simon J.
  **Tester et enrichir ses
  connaissances en anglais**
  MS1202 40-0875-1   M12
- Van Ceulebroeck N.
  **15 minutes par jour pour
  apprendre l'allemand**
  GM10   40-4010-1   M9
  **15 minutes par jour pour
  apprendre l'allemand +K7**
  7801   40-0083-2   M16
- Vandevyvere G.
  **Testez votre niveau en
  anglais +K7**
  7806   40-0959-3   M16
- Van Wesenbeeck E.
  **15 minutes par jour pour
  apprendre l'anglais**
  GM1   40-4001-0   M9

IMPRIMÉ EN FRANCE PAR BRODARD ET TAUPIN
6655M-5 - Usine de La Flèche (Sarthe), le 17-11-1995

pour le compte des
Nouvelles Éditions Marabout
D.L. décembre 1995/0099/394
ISBN : 2-501-00876-6